Pratique de l'allemand de A à Z

Jean JANITZA
Professeur à l'Université Paris III

Gunhild SAMSON
*Maître de Conférences
à l'Université Paris III*

 HATIER

Chez le même éditeur :

● Méthode complète d'enseignement
de l'allemand au 1er cycle :
Treffpunkt Deutsch
J. Janitza - E. Rahmat
J. Schenck - B. Viselthier

● Enseignement Assisté par Ordinateur
des langues étrangères.
J. Janitza et le groupe de recherches
sur l'apprentissage assisté par ordinateur
de l'allemand (GRAAAL).
Université Paris III.

SOMMAIRE

Introduction

Ce livre, par son principe de présentation alphabétique et son index, par ses exercices avec auto-correction, se veut avant tout un ouvrage de **consultation** et d'**évaluation.** Il est destiné aux élèves du second cycle des lycées, aux étudiants des classes préparatoires et des universités, ainsi qu'aux adultes qui ont déjà une compétence acceptable en allemand, mais qui voudraient assurer leurs connaissances et améliorer leur pratique.

Description générale

Le livre se présente comme un dictionnaire de 262 rubriques, suivi d'un appendice.

Lorsque dans une même rubrique sont présentés plusieurs éléments qui s'opposent (par exemple *« der Tod, tot, sterben »*), la rubrique est classée, le plus souvent arbitrairement, selon l'ordre alphabétique du premier élément de la rubrique (ici à « t » de *« der Tod »*), mais les autres éléments se retrouveront dans l'index et renverront à la même rubrique.

Lorsque, d'autre part, un même élément se retrouve dans plusieurs rubriques différentes, les renvois multiples se trouvent également dans l'index (par exemple *« welch- »* comme déterminatif du groupe nominal et comme interrogatif opposé à *« was für »*).

Enfin, l'index ne comporte pas seulement les entrées contenues dans les titres des rubriques, mais aussi un certain nombre d'entrées qui figurent dans le corps même de la rubrique.

Dans l'appendice sont regroupés les tableaux et les listes (tableaux de conjugaison, listes de verbes forts, de rections...) qui font plutôt appel à la mémoire.

Le choix des rubriques

Le choix des rubriques s'est opéré selon plusieurs points de vue :

— **SYSTEMATIQUE** : on peut dire que le livre présente l'ensemble de ce qu'il est convenu d'appeler la «grammaire de l'allemand d'aujourd'hui»; les problèmes de morphologie (formes), de syntaxe (ordre des mots dans la phrase) et de sémantique (sens et emploi des formes grammaticales) sont décrits systématiquement.

— **ECLECTIQUE** : la grammaire au sens strict du terme n'occupe qu'une partie du livre; elle est complétée par de nombreuses rubriques de vocabulaire (par exemple comment traduire «suivre») ou de phraséologies idiomatiques correspondant à des notions ou à des «besoins langagiers» de la vie courante («approuver» ou «s'excuser» par exemple). Ces notions sont alors exprimées en français dans le titre de la rubrique, non précédées de la mention «Comment traduire...?». Par cette volonté délibérée d'eclectisme, nous avons voulu briser les barrières parfois trop rigides qui s'installent entre la grammaire et les autres composantes du langage.

— **SPECIFIQUE** : enfin, la sélection des rubriques a été guidée par la spécificité des difficultés rencontrées par les élèves ou étudiants francophones, difficultés dues en particulier aux différences qui existent entre le français et l'allemand (par exemple, «seulement» qui équivaut en allemand soit à *« nur »*, soit à *« erst »*, si l'on exclut quelques emplois plus particuliers). Il n'est donc pas étonnant que bon nombre de rubriques se présentent sous forme de question : *« Als* ou *wenn ? »*, *« Nicht* ou *kein ? »*, *« Sein* ou *werden » ?*, «Comment traduire...?», questions que se posent souvent les francophones lorsqu'ils ont à écrire, à parler ou à traduire en allemand.

Le contenu des rubriques

Les rubriques sont quasiment toutes conçues selon le schéma : explications - exemples - exercices.

— Les **EXPLICATIONS** se veulent avant tout claires et limitées à l'essentiel. Pour la grammaire, la terminologie utilisée ne devrait pas dérouter les lecteurs; elle a, elle aussi, été limitée aux notions nécessaires à une meilleure compréhension des faits. Pour le vocabulaire, ce sont surtout les exemples qui permettent de percevoir les distinctions de sens, certaines subtilités étant volontairement passées sous silence pour ne pas entraver la compréhension des faits essentiels. Ces explications permettront aux lecteurs de résoudre les problèmes pratiques que pose le maniement de l'allemand.

— Les **EXEMPLES** sont pris dans le plus grand nombre possible de registres. Dans quelques cas, nous avons signalé les formes ou tournures de la langue familière, de la *« Umgangssprache »*, (par exemple *« gegens »* pour *« gegen das »*), ou d'un niveau de langue plus élevé, de la *« gehobene Sprache »* (par exemple *« allein »* pour *« aber »*). Parfois nous avons donné les erreurs caractéristiques des francophones; nous les avons alors barrées.

— Les **EXERCICES** sont adaptés aux différents types de «problèmes» traités : exercices de traduction français-allemand, exercices à trous, exercices de transformation ou tout simplement exercices sur les formes, pour la morphologie. La traduction des mots difficiles est donnée entre parenthèses ; les mots difficiles qui ne sont pas donnés font en principe l'objet d'une rubrique dans le livre ; il suffit alors de consulter l'index.

Suggestions d'utilisation

Travail avec professeur.

Deux cas de figures peuvent se présenter :

1. Utilisation extensive : à l'écrit, ou à l'oral, le professeur remarque que tel élève fait systématiquement telle ou telle erreur ; il peut alors signaler à cet élève le numéro correspondant à cette erreur. L'élève consulte le livre et fait l'exercice correspondant ; il consulte éventuellement le corrigé et l'apprend par cœur. Le professeur vérifie, en classe, le travail soit en faisant donner les explications par l'élève, soit en proposant des exercices voisins des exercices du livre.

2. Utilisation intensive : le professeur veut faire une révision systématique de certains points de grammaire ou de certains points de vocabulaire. Il peut faire apprendre par cœur des listes (de verbes forts, de pluriels, de rections...) à raison de quelques exemples par semaine : les élèves se reportent à l'appendice. Il peut aussi proposer à ses élèves de revoir telle ou telle explication sur tel point grammatical ou lexical : il peut donc donner à revoir des *séries* de numéros qui constituent un ensemble cohérent, par exemple les numéros 8, 104, 105, sur le groupe nominal, les numéros 165, 167, 168, 169, sur la syntaxe, ou les numéros 220, 221, 222, 223, sur le subjonctif. Il pourra prévoir, là aussi, des exercices complémentaires et faire commenter les solutions par les élèves.

Travail sans professeur

Même pour un travail personnel, donc sans professeur, on peut imaginer une utilisation extensive et une utilisation intensive de «l'Allemand de A à Z» :
● La différence essentielle entre le travail avec professeur et le travail sans professeur, c'est que l'initiative de la recherche ou de la consultation revient à l'élève, qui s'aperçoit qu'il a des lacunes ou des problèmes lorsqu'il a à faire un devoir à la maison, ou à l'adulte lorsqu'il doit traduire ou s'exprimer en allemand.
● L'utilisation intensive sans professeur sera vraisemblablement plus rare, mais on peut imaginer éventuellement un travail personnel systématique de l'allemand, même s'il n'est pas guidé : les exercices seront alors un instrument d'évaluation tout à fait adéquat.

Conclusion

Cet ouvrage, qu'il soit utilisé pour le travail personnel ou le travail en groupe, n'a qu'un objectif : répondre aux questions que se posent les francophones à propos de l'allemand. Il est donc orienté pleinement vers l'efficacité, du moins nous l'espérons.

Les auteurs seraient reconnaissants à tous les lecteurs de leur communiquer — à la librairie Hatier 59, Bd Raspail 75006 Paris — leurs remarques, suggestions ou critiques. Il en sera tenu le plus grand compte dans les éditions ultérieures.

PRINCIPALES ABRÉVIATIONS

jmn. = jemanden (accusatif)
jmm. = jemandem (datif)
etw. = etwas

qqn. = quelqu'un
qqch. = quelque chose
pers. = personne
pl. = pluriel
sing. = singulier

N ou Nom. = nominatif
A = annexe
A ou Acc. = accusatif
D ou Dat. = datif
G ou Gén. = génitif
Masc. = masculin
Neut. = neutre
Fém. = féminin

1 Ab, von... an, von... aus, von... auf

Ces expressions correspondent à «à partir de», «depuis», «dès».

1. Sens spatial (à partir de, depuis) :

● *Ab* + datif

Ab der letzten Haltestelle hatte ich einen Sitzplatz.
A partir du dernier arrêt, j'ai eu une place assise.

Ab est fréquemment suivi du nom <u>sans article</u>.

Ab München waren wir allein im Abteil.
A partir de Munich, nous étions seuls dans le compartiment.

Die Waren werden **ab** Werk geliefert.
Les marchandises sont livrées départ usine.

● *Von... an / von... aus*

Vom Bahnhof **aus** braucht man 5 Minuten zu Fuß.
A partir de la gare, il faut compter 5 minutes à pied.

Von Köln **an** war der Zug vollbesetzt.
A partir de Cologne, le train était bondé.

Expressions

von hier aus	**von dieser Stelle an**
à partir d'ici	*à partir de cet endroit*

2. Sens temporel (à partir de, depuis, dès) :

● *Ab* + datif ou + accusatif

Ab est souvent suivi du nom <u>sans article</u>.

Ab der nächsten Woche (**ab** nächste Woche) wird der Fahrplan geändert.
A partir de la semaine prochaine, l'horaire changera.

Ab ersten (erstem) Januar wird der Benzinpreis erhöht.
A partir du premier janvier, le prix de l'essence sera augmenté.

Expressions

ab 10 Uhr	**ab morgen**
à partir de 10 heures	*à partir de demain*
ab Montag	**ab Oktober**
à partir de lundi	*à partir d'octobre*

● *Von... an / von... auf*

Ich wußte es **von** Anfang **an**.
Je le savais dès le début.

Ich kenne ihn **von** Kindheit **auf (an)**.
Je le connais depuis la plus tendre enfance.

von nun an	von heute an	von morgen an
dès maintenant	*dès aujourd'hui*	*dès demain*
von Jugend auf	von klein auf	
dès la jeunesse	*dès l'enfance*	

3. Sens quantitatif :

● *Ab* + datif ou accusatif

Kleider **ab** 100 DM.
Robes à partir de 100 DM.

Kinder **ab** 12 Jahr**e(n)** bezahlen den vollen Fahrpreis.
Les enfants à partir de 12 ans paient place entière.

● *Von... an*

Alle Schüler **von** der sechsten Klasse **an** bekommen Unterricht in Informatik.
Tous les élèves à partir de la sixième auront des cours d'informatique.

EXERCICE

Traduisez en allemand :

1. A partir de cet instant, il décida de partir.
2. De sa fenêtre, on peut voir la mer.
3. A partir de cinq exemplaires, une remise est accordée (eine Ermäßigung gewähren).
4. Dès demain, je me lèverai plus tôt.
5. Tous les trains au départ de la gare centrale auront du retard.
6. D'ici ce n'est pas très loin.
7. Depuis la tour de télévision (der Fernsehturm), on voit toute la ville.
8. A partir du premier mai, le théâtre sera fermé.

---

2   Aber

---

1. *Aber* (« mais ») en tant que conjonction de coordination relie deux groupes ou deux propositions indépendantes et marque l'opposition. Ce *aber* n'est pas obligatoirement placé entre les propositions, il peut être intégré dans la seconde.

Sie ist groß, **aber** er ist klein (*ou* er ist **aber** klein).
Elle est grande, mais lui il est petit.

Klein **aber** schlau.
Petit mais futé.

2. *Aber* (« mais », « cependant ») peut porter directement sur un élément qu'il met en relief et qui, de ce fait, porte un accent. Ce *aber* peut précéder ou suivre ce terme.

Alle waren gekommen, °er **aber** war zu Hause geblieben.
(ou : **aber** °er war zu Hause geblieben.)
Tous étaient venus, lui, cependant, était resté à la maison.

3. *Aber* en tant que particule de discours traduit l'attitude subjective du locuteur à l'égard des faits énoncés. Ce *aber* se trouve souvent dans des exclamatives et exprime l'admiration ou l'impatience du locuteur.

> Bist °du **aber** gewachsen!
> *Qu'est-ce que tu as grandi!*
> Jetzt wird es **aber** °Zeit!
> *Il est grand temps maintenant!*

Remarque :

Zwar... aber note la concession :

> Großvater ist **zwar** alt, **aber** noch sehr rüstig.
> *Certes, grand-père est âgé, mais il est encore très en forme.*

EXERCICE ——————————————————————————————————

Mettez « aber » au bon endroit dans la phrase :
1. Das ist fein!
2. Jetzt kann ich nicht kommen, morgen abend habe ich Zeit.
3. Es regnet, die Sonne scheint.
4. Ist das eine Freude!
5. Nun schnell zu Bett!

---

3   Aber et sondern

Aber et *sondern* se traduisent tous les deux par « mais » ; ils ne sont cependant pas employés de la même façon.

1. *Aber* coordonne deux propositions en introduisant une **opposition**. La première proposition peut être positive ou négative.

> Ich war sehr müde, **aber** ich konnte nicht schlafen.
> *J'étais très fatigué, mais je ne pouvais pas dormir.*
> Er ist nicht groß, **aber** er ist ein guter Schwimmer.
> *Il n'est pas grand, mais il est bon nageur.*

2. *Sondern* introduit une <u>rectification</u> après une <u>négation partielle</u> (voir aussi n° 150).

> Nicht °Peter hat angerufen, **sondern** sein °Bruder.
> *Ce n'est pas Pierre qui a appelé, mais son frère.*
> Er kommt nicht °morgen, **sondern** erst °übermorgen.
> *Il ne viendra pas demain, mais seulement après-demain.*
> Sie ist nicht mit dem °Zug gekommen, **sondern** mit dem °Flugzeug.
> *Elle n'est pas venue en train, mais en avion.*

3. *Nicht nur..., sondern auch* = « non seulement..., mais aussi ».

> Er ist **nicht nur** ein bekannter Journalist, **sondern auch** ein guter Schriftsteller.
> *Il est non seulement un journaliste connu, mais aussi un bon écrivain.*

Traduisez en allemand :
1. Le train partit à l'heure (rechtzei-tig), mais arriva avec du retard.
2. Il n'a pas bu du vin, mais de l'eau.
3. Sa maison n'est pas très grande, mais elle est confortable (gemüt-lich).
4. Ce journal n'est pas d'aujourd'hui, mais d'hier.
5. Cette montre n'est pas très jolie, mais elle est pratique.
6. Il est non seulement aimable (lie-benswürdig), mais il est aussi sin-cère (aufrichtig).

4 L'accusatif : emplois

On trouve des groupes nominaux ou des pronoms à l'accusatif :

1. après les **verbes transitifs**

> Wo hast du **ihn** getroffen?
> *Où l'as-tu rencontré ?*

e accusatif obligatoire avec certains verbes :
abholen, betrachten, treffen...

Notez : avec d'autres verbes, qui peuvent avoir un complément au datif, l'accusatif est aussi obligatoire : *geben, schenken, kaufen...*

> Ich kaufe ihm **eine Schallplatte.**
> *Je lui achète un disque.*

● accusatif non obligatoire avec certains verbes :

> Jetzt überholt er.
> *A présent il effectue un dépassement.*
> à côté de : Er überholt **einen Mercedes.**
> *Il double une Mercédes.*

● accusatif avec les verbes réfléchis et pronominaux :

> Wäscht er **sich**?
> *Se lave-t-il ?*
> Beeil **dich**!
> *Dépêche-toi!*

2. après des **verbes qui exigent un double accusatif :**

> Sein Vater lehrt **ihn die Grammatik.**
> *Son père lui enseigne la grammaire.*
> Das kostete **ihn die Goldmedaille.**
> *Cela lui coûta la médaille d'or.*

3. dans certains **compléments de temps** (expression de la durée, de la répétition, ou la date):

> Er arbeitet **den ganzen Tag.**
> *Il travaille toute la journée.*
> Er spielt **jeden Abend** Skat.   Montag, **den 31. Juli.**
> *Il joue tous les soirs au skat.*   *Lundi le 31 juillet.*

4. dans certains **compléments de l'espace parcouru** :

> Er läuft **den Berg** hinab.
> *Il descend de la montagne en courant.*

de même avec *herunterkommen, hinaufklettern...*

5. après certaines **prépositions** pour exprimer un **directionnel** (voir n° 76).

> Ich gehe **in die Stadt.**
> *Je vais en ville.*

6. après certaines **prépositions**, obligatoirement (voir n° 182).

> Dieses Buch habe ich für **meinen Bruder** gekauft.
> *J'ai acheté ce livre pour mon frère.*

7. après certains **verbes** (voir A 12).

● qui, en français, exigent un « datif »

> Frag **ihn,** wo er wohnt.
> *Demande lui où il habite.*

● qui, en allemand, exigent une préposition + accusatif

> Wartest du auf **ihn?**
> *L'attends-tu?*

8. après certains **adjectifs** qui exigent une préposition + accusatif (voir A 13).

> Der Vater ist stolz auf **seinen Sohn.**
> *Le père est fier de son fils.*

EXERCICE

Traduisez en allemand :

1. Demande à ce monsieur où se trouve la gare.
2. Où va-t-il tous les après-midi ?
3. Est-il monté au sommet (der Gipfel) de la montagne ?
4. Il se promène aujourd'hui sans son chien.
5. Elle pense à ses vacances.
6. Il est jaloux (neidisch auf + Acc.) de sa sœur.

---

5 Achten, beachten, achtgeben, aufpassen

1. *Achten.*

● *auf jmn., auf etw. (acc.) achten* = « faire attention à » ; « prendre garde à ».

> Achte **auf** die Kinder!
> *Fais attention aux enfants!*

> Achte **darauf,** was ich dir sage.
> *Fais attention à ce que je te dis.*

- *jmn., etw. (acc.) achten* = « estimer qqn », « considérer qqn ».

> Er war ein sehr **geachteter** Mann.
> *C'était un homme très considéré.*

2. *Beachten.*

- *jmn., etw. (acc.) beachten* = « faire attention à » dans le sens de « suivre », « respecter », « observer », « tenir compte de » (conseil, avertissement, règlement, mode d'emploi, signaux de signalisation).

> Man muß die Gebrauchsanweisung **beachten**.
> *Il faut suivre le mode d'emploi.*

- *jmn., etw. nicht beachten* = « ne pas respecter, négliger ».

> Er hat die Vorfahrt nicht **beachtet**.
> *Il n'a pas respecté la priorité.*

3. *Achtgeben.*

- *auf jmn., auf etw. (acc.) achtgeben* = « faire attention », « prendre garde ».

> **Gib acht,** da kommt ein Auto !
> *Fais attention, voilà une voiture !*

4. *Aufpassen.*

- *auf jmn., auf etw. (acc.) aufpassen* = « faire attention », « garder ».

> Ich **passe** heute abend gern **auf** eure Kinder auf.
> *Je veux bien garder vos enfants ce soir.*

> Würden Sie bitte **auf** meinen Koffer **aufpassen** ?
> *S'il vous plaît, pourriez-vous garder ma valise ?*

Note :
« Attention ! » peut se traduire par *Achtung !* ou *Vorsicht !*

EXERCICE

Complétez en utilisant le verbe qui convient :

1. Du mußt die Verkehrszeichen ... !
2. Du mußt besser ... deine Sachen ...
3. Sie ... gern auf ihren kleinen Bruder ...
4. Sie hat mein Geschenk überhaupt nicht ...
5. ... deine Eltern !
6. Dar... müssen wir unbedingt ...
7. Die Vorschriften müssen ... werden.
8. ..., daß uns niemand sieht !

6 Adjectifs composés

Les adjectifs composés se forment par juxtaposition de deux termes, le premier étant le <u>déterminant</u>, le second le <u>déterminé</u> ou terme de base. Le déterminant porte l'<u>accent principal</u>.

hell	+	grün	°hellgrün (vert clair)
déterminant	+	**déterminé**	

Les termes qui entrent dans la composition peuvent être :

1. Adjectif ou adverbe + adjectif ou participe 1 ou 2.

dunkelrot
rouge foncé

halbautomatisch
semi-automatique

weitblickend
qui voit loin ; clairvoyant

dichtbevölkert
*très peuplé (**dicht** = dense)*

2. Nom + adjectif.
Le premier terme introduit une comparaison et sert de ce fait souvent à exprimer un degré élevé.

himmelblau
bleu ciel

schneeweiß
blanc comme neige

kohlschwarz
noir comme du charbon

blutrot
rouge sang

kinderleicht
très facile

riesengroß
*très grand (**der Riese** = le géant)*

hundemüde
très fatigué

3. Radical de verbe (ou radical + *e*) + adjectif.

waschecht
résistant au lavage

pflegeleicht
facile à entretenir

EXERCICE

Formez des adjectifs composés à partir des explications :
1. blond wie Stroh.
2. schwarz wie ein Rabe.
3. zu Hause gemacht.
4. krank auf der See.
5. blind für Farben.
6. grün wie Gras.
7. von prächtiger (= somptueux) Farbe.
8. notwendig zum Leben.

7 Les adjectifs démonstratifs

1. *Der, das, die* accentués :
Der, das, die accentués ont la valeur d'un adjectif démonstratif et
se déclinent comme l'article défini (voir n° 26).

> Schau dir mal °**die** Blume an!
> *Regarde voir cette fleur-là!*

Der, das, die sont souvent renforcés par *da* ou *dort* :

> Gib mir mal °**den** Apfel **da**!
> *Donne-moi voir cette pomme-là!*

2. *Dieser, dieses, diese* :
Dieser, dieses, diese se déclinent comme l'article défini.

> Hast °du **diesen** Brief geschrieben?
> *Est-ce toi qui as écrit cette lettre?*

3. *Jener, jenes, jene* :
Jener, jenes, jene se déclinent comme l'article défini. Ce démonstratif s'emploie

● en corrélation avec *dieser* pour désigner un élément plus éloigné
du locuteur (voir n° 196) :

> **Dieser** Baum ist recht groß geworden.
> *Cet arbre-ci a bien grandi.*
> **Jener** Baum (ou der Baum dort) ist am Sterben.
> *Cet arbre là-bas est en train de mourir.*

● seul, avec une nuance emphatique, surtout pour le passé :

> Zu **jener** Zeit hatte er noch einen Bart.
> *En ce temps-là il avait encore la barbe.*

4. *Solcher, solches, solche* :
Solch- indique la qualité ou l'intensité; il se traduit par « un tel... ».
Il peut être décliné (comme l'article défini), ou non décliné :

> Hast du schon **solche** Schuhe gesehen?
> *As-tu déjà vu des chaussures comme ça?*

Il peut être non décliné, mais uniquement dans les cas suivants :

● devant un article indéfini :

> Ist er bei **solch** einem Wetter spazierengegangen?
> *Il est allé se promener par un temps pareil?*

● devant un adjectif :

> Ich habe noch nie **solch** gutes Bier getrunken.
> *Je n'ai encore jamais bu de la bière aussi bonne.*

Remarque :
Solch- est souvent remplacé par *so* invariable :

> Wie kann man nur **so** einen Tee trinken?
> *Comment peut-on boire un thé comme ça?*

Traduisez en allemand :

1. As-tu déjà vu cet homme quelque part ?
2. Cette maison-ci appartient à ses parents ; cette maison là-bas ne leur appartient plus.
3. Pourquoi y a-t-il (herrschen) ici un tel silence ?
4. J'ai une de ces soifs !
5. Avec un parapluie comme ça tu vas certainement te faire remarquer (auffallen).
6. J'ai rarement mangé de la viande aussi bonne.

8   L'adjectif épithète : place et marques

Dans le groupe nominal, l'adjectif épithète est <u>toujours</u> placé à gauche du nom. Il peut prendre trois sortes de marques, selon :

- le cas du groupe (nominatif, accusatif, datif, génitif)
- le nombre (singulier ou pluriel)
- le genre du nom (masculin, neutre ou féminin)
- le type du groupe (type I ou type II : voir n° 104)

1. La marque $\varnothing$ (= adjectif invariable). Sont invariables :

- les adjectifs de couleur *lila* et *rosa* :

    Petra hat ein **rosa** Kleid an.
    Petra porte une robe rose.

- les adjectif en *-er* formés sur les noms de villes, avec majuscule.

    Hast du schon das **Straßburger** Münster gesehen ?
    As-tu déjà vu la cathédrale de Strasbourg ?

2. Les marques du type I : deux marques :

- *-E* au

N. masc. sg. : Der **alte** Wagen steht vor der Tür.
La vieille voiture est devant la porte.

N. neut. sg. : Das **große** Schiff ist verkauft worden.
Le grand bateau a été vendu.

N. fém. sg. : Die **berühmte** Kirche befindet sich in der Stadtmitte.
La célèbre église se trouve au centre de la ville.

A. neut. sg. : Siehst du das **weiße** Haus ?
Vois-tu la maison blanche ?

A. fém. sg. : Kennst du diese **seltsame** Geschichte ?
Connais-tu cette étrange histoire ?

- *-EN* à tous les autres cas

    Fährst du mit diesem **alten** Wagen nach Spanien ?
    Vas-tu en Espagne avec cette vieille voiture ?

Type I	masculin	neutre	féminin	pluriel
NOMINATIF	e	e	e	en
ACCUSATIF	en	e	e	en
DATIF	en	en	en	en
GÉNITIF	en	en	en	en

3. Les marques du type II : cinq marques

● -ER -EN -ES -EM -E

Type II	masculin	neutre	féminin	pluriel
NOMINATIF	er[1]	es	e [3]	e
ACCUSATIF	en[2]	es	e [3]	e [4]
DATIF	em	em[5]	er	en
GÉNITIF	en	en	er	er

1. **Lieber** Peter!   2. **Guten** Abend!   3. **Gute** Reise!
   Cher Pierre!   *Bonsoir!*   *Bon voyage!*

4. Ich habe nur **kleine** Summen gewonnen.
   Je n'ai gagné que de petites sommes.

5. Bei **schlechtem** Wetter bleibe ich zu Hause.
   Par mauvais temps je reste à la maison.

EXERCICE

Complétez les marques manquantes.

1. Ich wünsche Ihnen einen gut... Appetit.
2. Die ganz... Klasse lacht.
3. Lieb... Eltern!
4. Warst du schon im Kölner... Dom?
5. Lila... Kleider sind heute Mode.
6. Ich kann das mit best... Willen nicht annehmen.
7. Beethovens bekanntest... Werk ist die Neunt... Symphonie.

9   Les adjectifs épithètes invariables

Dans deux cas tout à fait particuliers l'adjectif épithète est invariable en allemand.

1. Les noms d'habitants de villes en *-er,* avec une majuscule, peuvent se trouver dans un groupe nominal en position d'adjectif épithète; ils sont alors invariables :

der **Kölner** Dom : *la cathédrale de Cologne*

im **Kölner** Dom : *dans la cathédrale de Cologne*

mais kölnisch ou kölnisches Wasser : *de l'eau de Cologne.*

2. Certains **adjectifs de couleur** sont invariables, comme *rosa* (rose), *lila* (lilas), *beige* (beige), *orange* (orange) :

Wo hast du dieses **rosa** Kleid gekauft?
Où as-tu acheté cette robe rose?

On peut cependant toujours former un adjectif composé avec *-far-ben* ou *-farbig*, qui sera alors décliné :

> Ich habe einen **orangefarbenen** Hut.
> *J'ai un chapeau orange.*

EXERCICE

Traduisez en allemand :
1. As-tu déjà visité la cathédrale (das Münster) de Strasbourg ?
2. Mets ta robe lilas !
3. Je connais le port de Hambourg.
4. Pourquoi emportes-tu ton chapeau rose ?
5. La mode (die Mode) parisienne a beaucoup de succès (der Erfolg).

10 Les adjectifs possessifs

- 1re personne : possesseur unique

	Masculin	Neutre	Féminin	Pluriel
N	mein	mein	meine	meine
A	meinen	mein	meine	meine
D	meinem	meinem	meiner	meinen
G	meines	meines	meiner	meiner

- 2e personne

N	dein	dein	deine	deine
A	deinen	dein	deine	deine
D	deinem	deinem	deiner	deinen
G	deines	deines	deiner	deiner

- 3e personne

N	sein/ihr	sein/ihr	seine/ihre	seine/ihre
A	seinen/ihren	sein/ihr	seine/ihre	seine/ihre
D	seinem/ihrem	seinem/ihrem	seiner/ihrer	seinen/ihren
G	seines/ihres	seines/ihres	seiner/ihrer	seiner/ihrer

- 1^e personne : possesseurs multiples

N	unser	unser	unsere	unsere
A	unseren	unser	unsere	unsere
D	unserem	unserem	unserer	unseren
G	unseres	unseres	unserer	unserer

- 2^e personne

N	euer	euer	eure	eure
A	euren	euer	eure	eure
D	eurem	eurem	eurer	euren
G	eures	eures	eurer	eurer

- 3e personne

N	ihr	ihr	ihre	ihre
A	ihren	ihr	ihre	ihre
D	ihrem	ihrem	ihrer	ihren
G	ihres	ihres	ihrer	ihrer

- Forme de politesse :
possesseur unique ou possesseurs multiples

N	Ihr	Ihr	Ihre	Ihre
A	Ihren	Ihr	Ihre	Ihre
D	Ihrem	Ihrem	Ihrer	Ihren
G	Ihres	Ihres	Ihrer	Ihrer

A la troisième personne du singulier, le choix du possessif dépend du genre du possesseur :

● si le possesseur est masculin ou neutre, on utilise *sein*.

> Mein Onkel wohnt in Berlin ; **seine** Tochter lebt in Hamburg.
> *Mon oncle habite à Berlin ; sa fille vit à Hambourg.*

● si le possesseur est féminin, on utilise *ihr*.

> Brigitte ist heute zu Hause ; sie macht **ihre** Schulaufgaben.
> *Brigitte est aujourd'hui à la maison ; elle fait ses devoirs.*

EXERCICE

Traduisez en allemand :

1. Ma sœur a invité ses amis.
2. Pierre, où avez-vous posé vos lunettes ?
3. Notre voiture est grise.
4. Paul a déménagé (umziehen) ; connais-tu son nouvel appartement ?
5. Inge ressemble (jmm. ähnlich sein) à son frère.
6. Leurs valises ont disparu.

---

11 Les adjectifs substantivés

Des adjectifs peuvent jouer le rôle d'un nom : ils prennent alors une majuscule et les mêmes marques que l'adjectif épithète (voir n° 8).

> Heute morgen habe ich einen **Blinden** gesehen.
> *Ce matin j'ai vu un aveugle.*

Les différentes formes possibles de l'adjectif substantivé *Blind-* :

SINGULIER :	N. der Blinde	ein Blinder
	A. den Blinden	einen Blinden
	D. dem Blinden	einem Blinden
	G. des Blinden	eines Blinden

PLURIEL :	N. Blinde
	A. Blinde
	D. Blinden
	G. Blinder

Remarques

1. Il ne faut pas confondre cet adjectif substantivé avec l'adjectif épithète d'un groupe nominal à nom sous-entendu (référence au contexte antérieur ou à la situation d'énonciation) : dans ce cas l'adjectif ne prend pas de majuscule.

> Du hast aber einen schönen Rock ! Ich hab auch einen **blauen** (sous-entendu : Rock).
> *Tu en as une belle jupe ! Moi aussi j'en ai une bleue.*

> (Montrant des poires à l'étalage) Haben Sie **reifere** ?
> (sous-entendu : Birnen)
> *En avez-vous des plus mûres ?*

2. Certains noms, formés à partir d'adjectifs, sont en réalité des noms masculins faibles (voir n° 139), par exemple *der Junge, der Invalide* :

> Ein **Junge** wartet auf dich. (et non : ein ~~Junger!~~)
> *Un garçon t'attend.*

EXERCICE

Introduisez l'adjectif indiqué en le mettant à la bonne forme (substantivé ou non) :
1. Ich bin kein... (heilig).
2. Ich wünsche Ihnen alles ... (gut).
3. Ein ... sitzt vor seinem Haus (alt).
4. (vor einem Aquarium) : Schauen Sie sich mal diese... an! (gelb)
5. Möchtest du mit diesem ... spazierengehen? (jung)
6. Das ... ist, man fühlt sich wohl. (wichtig *au superlatif*)

12 Les adverbes de lieu

Ils peuvent exprimer :

1. Le lieu où l'on est (locatif; voir n° 137)

hier = ici	*oben* = en haut	*vorn* = devant
da = là	*unten* = en bas	*hinten* = derrière
dort = là-bas		

drinnen = dedans	*rechts* = à droite
draußen = dehors	*links* = à gauche
drüben = de l'autre côté	

> Warum bleibst du **draußen?**
> *Pourquoi restes-tu dehors?*
> **Oben** sind noch vier Zimmer.
> *En haut il y a encore quatre chambres.*
> Meine Eltern wohnen **drüben.**
> *Mes parents habitent de l'autre côté (de la frontière = en RDA, par exemple).*

2. La direction [directionnel] (voir n°s 76,110)

dahin, dorthin, nach oben, nach unten, nach vorn, nach hinten, nach rechts, nach links, nach innen

> Warum schaust du **nach oben?**   Er fährt **nach links.**
> *Pourquoi regardes-tu en l'air?*   *Il tourne à gauche.*

Expressions

> *pour des véhicules :* vorwärtsfahren = *avancer,* rückwärtsfahren = *reculer.*

3. La provenance (voir n° 110)

von hier, von da, von dort
von oben, von unten, von vorn, von hinten, von rechts, von links
von drinnen, von draußen, von drüben

> Bist du **von hier?**   Ich kam **von rechts.**
> *Es-tu d'ici?*   *Je venais de la droite.*

Traduisez en allemand :

1. Viens-tu de dehors ?
2. En haut j'ai trouvé ton manteau.
3. Regarde vers l'avant !

4. Va à droite !
5. Il vient d'en bas.
6. Avance un peu !

13 Comment traduire « aimer » ?

1. *Jmn., etw.* (acc.) *lieben* = « éprouver de l'amour pour qqn. (sens fort) ; pour qqch. »

Die Mutter **liebt** ihre Kinder.
La mère aime ses enfants.

Er **liebt** klassische Musik.
Il aime la musique classique.

2. *Jmn. liebhaben* = « éprouver de l'amour pour qqn. » (employé plus fréquemment).

Ich **hab** dich **lieb.**
Je t'aime.

3. *Jmn., etw.* (acc.) *gern haben* = « aimer bien qqn. ; qqch. » (atténué).

Ich **hab** dich **gern.**
Je t'aime bien.

4. *Jmn. (gern) mögen; jmn. nicht mögen* = « aimer bien qqn. » ; « ne pas aimer qqn. »

Magst du ihn ?
Est-ce que tu l'aimes bien ?
Niemand **mochte** diesen Lehrer.
Personne n'aimait ce professeur.

5. *Etw. gern essen, gern trinken; etw. mögen* = « aimer boire ou manger qqch. »

Essen Sie **gern** Fisch ? **Trinkst** du **gern** Wein ? Ich **mag** kein Bier.
Aimez-vous le poisson ?   *Aimes-tu le vin ?*   *Je n'aime pas la bière.*

6. *Etw. gern tun* (= *gern* + **verbe**). = « aimer faire qqch. »

Liest du **gern ?**
Aimes-tu lire ?

Er verreist **gern.**
Il aime voyager.

7. *Etw. lieber mögen, lieber haben, lieber tun (als)* = aimer mieux ; préférer (voir aussi n° 180).

Sie **mag** dein erstes Buch **lieber als** dein zweites.
Elle aime mieux ton premier livre que ton second.
Das **tue** ich **lieber.**
J'aime mieux faire cela.

8. *Ich möchte (gern) etw.* (acc.); *ich möchte (gern) etw. tun* =
« j'aimerais, je voudrais qqch. ou faire qqch. »

> **Möchten** Sie noch etwas Eis?
> *Voudriez-vous encore de la glace?*
> Ich **möchte gern** heute abend ausgehen.
> *J'aimerais bien sortir ce soir.*

EXERCICE

Traduisez en allemand :
1. Elle aime jouer du piano.
2. Je n'aime pas les escargots (Schnecken).
3. Elles n'aiment pas cet acteur (der Schauspieler).
4. Voudrais-tu sortir avec moi?
5. J'aime mieux le cinéma que le théâtre.
6. Il aime Pierre comme un frère.

14 Allein

1. *Allein* **en tant qu'adverbe** en relation avec un verbe signifie
(être, faire qqch.) « seul ».

> Das Kind kann schon **allein** laufen.
> *L'enfant sait déjà marcher seul.*
> Ich möchte jetzt **allein** bleiben.
> *J'aimerais rester seul maintenant.*

2. *Allein* **peut précéder ou suivre directement un groupe
nominal** qui est alors accentué. Dans ce cas, *allein* porte sur ce
GN et a un sens restrictif. Il peut être remplacé par *nur*.

> **Allein** der Ge °danke an diese Arbeit macht mich krank
> (ou : der Ge °danke **allein**...).
> *Rien que de penser à ce travail me rend malade.*
> *(Litt. : La seule pensée de ce travail me rend malade.)*

3. *Allein* **en tant que conjonction de coordination** relie deux
propositions indépendantes et marque l'opposition. *Allein* a alors le
sens de « seulement », « mais » et peut être remplacé par *aber;* cet
emploi relève du style élevé. *Allein* ne compte pas comme premier
élément de la proposition.

> Er hätte sie gern eingeladen, **allein** er wußte nicht, wie sie reagie-
> ren würde.
> *Il aurait bien voulu l'inviter, seulement il ne savait pas quelle serait sa réaction.*

EXERCICE

Traduisez en allemand :
1. Lui seul est capable de réparer cette voiture.
2. J'étais extrêmement fatigué (tod- müde), seulement je ne pouvais pas dormir.
3. As-tu le droit de partir seul (verrei- sen)?

Remarque :

« Un seul », « une seule personne » se traduisent par *ein einziger, eine einzige, ein einziges* qui sont déclinés.

> Der *einzige,* zu dem ich Vertrauen habe...
> (ou : Der *einzige* Mensch, zu dem ich Vertrauen habe...).
> *La seule personne en qui j'ai confiance...*

15 Comment traduire « aller » (à pied, en train, en voiture, en avion) ?

1. *Gehen* a le sens général de « se déplacer à une allure normale », « aller à pied ». Il peut être renforcé par *zu Fuß* = « à pied ».

> **Geh** doch bitte mal zum Bäcker !
> *S'il te plaît, va chez le boulanger !*
> **Gehst** du **zu Fuß** zur Schule ?
> *Vas-tu à pied à l'école ?*

2. *Laufen* peut signifier « courir », mais également « aller à pied » opposé à *fahren*.

> **Lauf** doch schnell mal zum Fleischer !
> *Va vite chez le boucher !*
> Heute wollen wir in die Stadt **laufen** (*ou* **zu Fuß** in die Stadt **gehen**), nicht fahren.
> *Aujourd'hui nous allons à pied en ville, pas en voiture.*

3. *Fahren* signifie « se déplacer avec un véhicule quelconque ».

> Wie **fahre** ich am schnellsten nach Hamburg ? Mit dem Auto, mit dem Zug oder mit dem Schiff ?
> *Quel est le moyen le plus rapide pour aller à Hambourg ? La voiture, le train ou le bateau ?*

4. *Fliegen* a le sens de « voyager en avion ».

> Oder soll ich lieber **fliegen** ?
> *Ou dois-je plutôt prendre l'avion ?*

EXERCICE

Complétez en ajoutant le verbe qui convient :

1. Wie lange ... wir bis nach Berlin (en avion) ?
2. Dieser Bus ... nur sonntags.
3. Komm, wir wollen in den Garten ... .
4. ... du mit Air France oder der Lufthansa ?
5. Im Urlaub sind wir am Strand viel ... .
6. Wir sind mit dem Schiff nach Griechenland ... .

16 Als ou wenn?

1. Als, comme conjonction de subordination temporelle, marque un événement ponctuel du passé ; le verbe de la subordonnée est le plus souvent à l'indicatif prétérit :

> **Als** er **ankam,** hatten wir schon gegessen.
> *Lorsqu'il arriva, nous avions déjà fini de manger.*

On peut trouver aussi après *als* « le présent historique » :

> Gerade **als** die Tür **aufgeht,** hört man einen Schrei.
> *Au moment précis où s'ouvre la porte, on entend un cri.*

2. Wenn, comme conjonction de subordination temporelle, peut être employé avec :

● un verbe au présent ou au prétérit de l'indicatif : il signifie alors « quand » au sens de « chaque fois que ». Il peut être précédé de *jedesmal* (chaque fois) :

> **Jedesmal wenn** er die Zeitung **liest,** setzt er seine Brille auf.
> *Chaque fois qu'il lit le journal, il met ses lunettes.*
> **Wenn** es **regnete,** blieben wir zu Hause.
> *Quand il pleuvait, nous restions à la maison.*

● un verbe au futur :

> **Wenn** er diesen Brief **lesen wird,** werde ich schon in Bonn sein.
> *Quand il lira cette lettre, je serai déjà à Bonn.*

EXERCICES

Introduisez als *ou* wenn *dans les phrases suivantes :*
1. ... das Telefon klingelte, war ich gerade draußen.
2. Gerade ... er bezahlen wollte, ging das Licht aus.
3. Jedesmal ... er Geld brauchte, besuchte er seine Eltern.
4. ... ich in Deutschland bin, verstehe ich die Leute kaum.

Traduisez en allemand :
1. Quand il se leva, on se demanda ce qui allait se passer.
2. Quand je suis en Angleterre, je bois du thé.
3. Quand il parlait en allemand, on le comprenait à peine (kaum).
4. Quand j'arriverai à Vienne (Wien), tu seras déjà aux États-Unis (die Vereinigten Staaten).

17 Alt et ehemalig

1. Alt.
Alt a deux sens :

● *alt* = « vieux ».

> **alte** Bücher   ein **alter** Freund   **alte** Möbel
> *de vieux livres*   *un vieil ami*   *de vieux meubles*

- *alt* = « ancien », « existant de longue date », « antique ».

alte Möbel	**alte** Sprachen	**alte** Völker
des meubles anciens	*des langues anciennes*	*des peuples anciens*

das **Alte** Testament
l'Ancien Testament

Selon le contexte, *alte Bücher, ein altes Haus* peuvent donc signifier « de vieux livres » et « des livres anciens », une « vieille maison » et « une maison ancienne ».

2. *Ehemalig* = « ancien » au sens « d'autrefois » (qui n'existe plus en tant que tel).

eine **ehemalige** Schülerin des Gymnasiums
une ancienne élève du lycée

der **ehemalige** Direktor der Fabrik
l'ancien directeur de l'usine

ein **ehemaliger** Freund
un ancien ami

EXERCICE

Traduisez en allemand :
1. un vieux monsieur
2. l'ancienne Grèce (Griechenland)
3. l'association (Vereinigung) des anciens élèves
4. une vieille voiture
5. mon ancien maître d'école
6. une église ancienne.

---

18 Ander-, anderes, anders

1. *Ander-* = « autre », adjectif indéfini, se décline comme l'adjectif épithète.

der **andere** Roman	ein **anderer** Krimi	ein **anderes** Kino
l'autre roman	*un autre roman policier*	*un autre cinéma*

- Le substantif peut être élidé :

Sie liebt einen **anderen.**
Elle en aime un autre.
Kein **anderer** war so nett wie er.
Personne d'autre n'était aussi gentil que lui.

- Non précédé d'article, mais suivi d'un adjectif épithète ou d'un adjectif substantivé, *ander-* et cet adjectif portent généralement la marque de l'article défini (type II ; voir n° 104).

andere interessante Länder	**andere** Bekannte
d'autres pays intéressants	*d'autres connaissances*

2. *Ander-* précédé de *etwas, nichts, jemand, niemand* se comporte comme un adjectif substantivé (cf. *etwas Neues*), mais ne prend pas de majuscule.

etwas anderes	**nichts anderes**
quelque chose d'autre	*rien d'autre*
jemand ander(e)s	**niemand ander(e)s**
quelqu'un d'autre	*personne d'autre*

Willst du nicht mit etwas anderem (mit jemand anderem) spielen?
Ne veux-tu pas jouer avec autre chose (avec quelqu'un d'autre)?

Er hatte nie etwas anderes gesehen als die Stadt.
Il n'avait jamais rien vu d'autre que la ville.

● Après *jemand* et *niemand* on préfère aujourd'hui la forme non déclinée *anders :*

Er wollte mit niemand anders sprechen.
Il ne voulait parler avec personne d'autre.

3. *Anders* est la forme utilisée pour l'attribut et l'adverbe : « autrement », « différent », « différemment ».

Das Klima ist hier anders.
Le climat est différent ici.

Das mußt du anders machen.
Il faut que tu fasses cela autrement.

4. *Anders* peut entrer en relation avec *wo* (locatif) et *wohin* (directionnel) = « ailleurs » « à un autre endroit » :
woanders et **anderswo** (le dernier est plus familier)

Er wohnt woanders.
Il habite ailleurs.

Anderswo ist es auch nicht besser.
Ailleurs ce n'est pas mieux.

De même :
woandershin et anderswohin :

Möchtest du mit mir woandershin (ou anderswohin) fahren?
Voudrais-tu partir ailleurs avec moi?

5. *Der eine..., der andere :* « l'un... l'autre ».

Die einen kamen, die anderen gingen.
Les uns arrivaient, les autres partaient.

Einer nach dem anderen sprang ins Wasser.
Ils sautaient dans l'eau l'un après l'autre.

EXERCICE ——————————————————————

Traduisez en allemand :

1. Personne d'autre ne voulait être candidat.
2. D'un jour à l'autre (von... zu).
3. L'un était venu, les deux autres manquaient.
4. Il faut traduire ce texte autrement.
5. Ne veux-tu rien manger d'autre?
6. Il est parti ailleurs.

19 Anfang

Der Anfang = « le début », « le commencement ».

1. Pour indiquer le début d'un mois, d'une année, d'un âge, on emploie *Anfang* sans article. Le complément (noms de mois ou chiffres) est utilisé sans article et n'est pas décliné.

> Ich komme **Anfang** Juli
> *Je viendrai début juillet*
>
> Der Kongreß findet **Anfang** 1987 statt.
> *Le congrès aura lieu début 1987.*
>
> Er ist **Anfang** dreißig
> *Il est entré dans la trentaine.*

2. Le complément donnant l'indication de temps est utilisé avec l'article. Il se met alors au génitif :

> Ich komme **Anfang** der Woche (**Anfang** des Monats / **Anfang** des Jahres).
> *Je viendrai au début de la semaine (au début du mois / au début de l'année).*
>
> Er ist **Anfang** der Fünfziger
> *Il est entré dans la cinquantaine.*

3. *Anfang* peut être employé en relation avec les prépositions *am* et *zu* :

> **Am Anfang** war alles in Ordnung.
> *Au début tout était normal.*

Expressions—————————————————————————

Zu Anfang des Jahres	**Am Anfang** der Woche
Au début de l'année	*Au début de la semaine*

EXERCICE————————————————————————————

Traduisez en allemand :

1. Je l'ai rencontré au début de la semaine.
2. Début 1989, il fera un voyage en Afrique.
3. Début mai, nous avons eu beau temps.
4. Il est entré dans la soixantaine.
5. Il est né au début du siècle.
6. Au commencement, Dieu créa (schaffen) le Ciel (der Himmel) et la Terre.

20 L'apposition

1. Définition : l'apposition est une information supplémentaire apportée sur un élément de la phrase ; elle pourrait être supprimée ; elle est séparée de cet élément par une virgule et elle pourrait être remplacée par une relative appositionnelle (voir n°s 202, 249).

> Peter, **mein bester Freund,** wohnt in der Schweiz.
> *Pierre, mon meilleur ami, habite en Suisse.*

Pour l'emploi de l'article voir n° 26/2.

2. Les différentes sortes d'apposition.

● Les groupes nominaux : lorsqu'ils comportent un article ou un autre déterminatif (possessif, démonstratif...), ils se mettent au même cas que l'élément auquel ils sont apposés (voir aussi n°s 26 et 27).

> Ich bin mit Peter, **meinem besten Freund,** spazierengegangen.
>
> datif   datif
>
> *Je suis allé me promener avec Pierre, mon meilleur ami.*

Mais cette règle ne s'applique pas aux groupes nominaux sans déterminatif apposés à un génitif.

> Das ist das Auto
>
> des berühmten Professors Schmitt,
>
> génitif
>
> **Mitglied der Prüfungskommission.**
>
> nominatif
>
> *C'est la voiture du célèbre professeur Schmitt, membre du jury.*

● Les relatives appositionnelles : voir n°s 202 et 249

● Les adjectifs et participes apposés : ils sont toujours invariables.

> Zwei Schweden, **blond und blauäugig,** standen auf dem Bahnsteig.
> *Deux Suédois, blonds aux yeux bleus, étaient sur le quai.*
> Dieter, **auf einem Ast sitzend,** liest einen Roman.
> *Dieter, assis sur une branche, lit un roman.*

● Les appositions toujours à l'accusatif comme :

> Herr Meier, **den Hut auf dem Kopf,** geht mit seinen Kindern spazieren.
> *Monsieur Meier, le chapeau sur la tête, va se promener avec ses enfants.*

3. La place de l'apposition.

En principe l'apposition suit l'élément auquel elle est apposée ; il existe cependant des appositions placées devant cet élément :

> **Diesen Film,** den habe ich schon gesehen. *(Diesen Film apposé à den, virgule obligatoire après diesen Film).*
> *Ce film, je l'ai déjà vu.*

Traduisez en allemand :

1. Il habite chez son oncle, un ancien employé de banque.
2. Mon père, le manteau sur l'épaule (die Schulter), se promenait dans la forêt.
3. Les touristes, couchés sur le sable (im Sand), se font bronzer (sich bräunen lassen).
4. Cet homme, je l'ai déjà rencontré quelque part (irgendwo).
5. A Munich, capitale de la Bavière (Bayern), j'ai visité une brasserie (die Brauerei).

21 Comment traduire « apprendre » ?

Pour les deux principaux sens d'« apprendre » il faut distinguer :
— la perspective de l'élève = *lernen*
— la perspective de l'enseignant = *lehren.*

1. *Etw. lernen :* « apprendre » = « acquérir des connaissances » :

● *lernen + infinitif :*

> Peter **lernt** schwimmen.
> *Pierre apprend à nager.*

● *lernen + acc. :*

> Inge **lernt** gern Deutsch.
> *Inge aime bien apprendre l'allemand.*

2. *Jmn. etwas lehren* « apprendre » = « enseigner » :

● *lehren + acc. + infinitif*

> Er hat ihn schwimmen **gelehrt.**
> *Il lui a appris à nager.*

● *lehren + acc. + acc. :*

> Er hat ihn Deutsch **gelehrt.**
> *Il lui a appris l'allemand.*

● En allemand courant, *lehren* est le plus souvent remplacé par : *jmm. etw. beibringen.*

> Er hat mir das Schwimmen **beigebracht.**
> *Il m'a appris à nager.*

3. *Etw.* (acc.) *hören* ou *hören, daß :* « apprendre » = « entendre dire », « apprendre des nouvelles » (voir n° 111).

> Ich habe **gehört,** daß Gisela geheiratet hat.
> *J'ai appris que Gisela s'était mariée.*

● *von etw. (dat.) hören*

> Ich habe **von** seiner Ernennung **gehört.**
> *J'ai appris sa nomination.*

4. *Etw.* (acc.) *erfahren* ou *erfahren, daß :* « apprendre par ouï-dire », « apprendre des nouvelles ».

> Wir haben **erfahren,** daß er sein Haus verkauft hat.
> *Nous avons appris qu'il a vendu sa maison.*

auswendig lernen
«apprendre par cœur»

einen Beruf erlernen
«apprendre un métier».

EXERCICE

Traduisez en allemand :
1. J'apprends le chinois (Chinesisch)
2. Avez-vous appris qu'il a eu un accident ?
3. Il m'a appris à lire.
4. Elle lui apprend à jouer au tennis (Tennis spielen).
5. J'ai appris la mort de son père.
6. Ils apprennent à danser.
7. Il faut que tu apprennes ce poème par cœur !
8. Quel métier veux-tu apprendre ?

22 Approuver, être d'accord

Pour solliciter un accord ou pour approuver (voir aussi n° 36), on emploie le plus souvent :

● *mit etw. oder jmm. einverstanden sein :* « être d'accord » :

Seid ihr **damit einverstanden,** daß wir einen neuen Opel kaufen?
— Ja, ganz und gar.
Êtes-vous d'accord pour que nous achetions une Opel neuve?
— Oui, tout à fait.

● *jmm. oder einer Sache (dat.) zustimmen :* « approuver » « être de l'avis de » :

ich **stimme Ihnen** vollkommen **zu.**
Je vous approuve entièrement.

Ich **stimme** deiner Meinung **zu.**
Je suis de ton avis.

● *etw. richtig (gut) finden :* « juger bon », « trouver bien » :

Findest du es **richtig,** daß sie schon raucht?
Est-ce que tu penses que c'est bien qu'elle fume déjà?

● *nichts dagegen haben :* « n'avoir rien contre » ; « vouloir bien ».

Ich **habe** nichts **dagegen.**
Je n'ai rien contre.

● *mir ist es recht :* « cela me convient » :

Ist es Ihnen **recht,** daß ich Sie morgen besuche?
— Ja, selbstverständlich.
Cela vous convient-il que je vous rende visite demain? — Oui, bien sûr.

Einverstanden!
«D'accord!»

Selbstverständlich!
«Bien sûr!»

EXERCICE

Traduisez en allemand :
1. Est-ce que tu es d'accord pour que j'invite mes amis ce soir ?
2. Je veux bien.
3. Crois-tu que la date leur convient ?
4. Ils n'approuvent pas nos propositions.
5. Es-tu d'accord pour qu'elle parte seule en voyage ?
6. Bien sûr que non !

23 Comment traduire « après » (temporel) ?

Après, employé comme préposition, adverbe ou conjonction de subordination, correspond à des traductions différentes en allemand :

1. Préposition :

● *Nach + datif*

> **Nach der** Schule gehe ich ins Theater.
> *Après l'école je vais au théâtre.*

MAIS : après-demain = *übermorgen*

2. Adverbe :

● *danach (ou später)* s'il y a une indication temporelle précise qui l'accompagne :

> Ich habe ihn noch am 23. gesehen ; zwei Tage **danach** ist er gestorben.
> *Je l'ai encore vu le 23 ; deux jours après il mourait.*

● *nachher (ou später)* si l'action doit se dérouler dans le futur par rapport au moment où l'on parle :

> Ich habe jetzt keine Zeit ; ich gehe **nachher** zum Friseur.
> *Maintenant je n'ai pas le temps ; j'irai chez le coiffeur après (tout à l'heure).*

3. Conjonction de subordination :

● *nachdem + verbe conjugué.*

> **Nachdem** er in den Zug gestiegen war, hörte er eine Explosion.
> *Après être monté dans le train, il entendit une explosion.*

Attention : *Nachdem* doit obligatoirement être utilisé avec un verbe conjugué : le plus souvent on a le plus-que-parfait dans la subordonnée et le prétérit dans la proposition.

~~Nachdem + infinitif~~ est impossible en allemand.

EXERCICE ────────────────────────────────

Traduisez en allemand :

1. Après avoir visité (besichtigen) le château (das Schloß), ils allèrent dans le parc.
2. Après sa visite (der Besuch), il me téléphona de Bonn.
3. En mai il habitait encore en France ; trois mois après il était aux États-Unis.
4. Je mangerai après.
5. Après s'être battu avec le chat du voisin, notre chien se mit à aboyer (bellen).

24 Comment traduire «(s')arrêter»?

1. *Stehenbleiben* s'emploie pour :

● l'arrêt d'un piéton :

> Sie **blieb** vor jedem Schaufenster **stehen**.
> *Elle s'arrêta devant chaque vitrine.*

● l'arrêt de fonctionnement d'un mécanisme (montre, véhicule) :

> Meine Uhr ist **stehengeblieben**.
> *Ma montre s'est arrêtée.*

● l'arrêt d'un cours (discussion, lecture) :

> Wo sind wir das letzte Mal **stehengeblieben**?
> *Où est-ce que nous nous sommes arrêtés la dernière fois ?*

2. *Anhalten* et *halten* s'emploient pour :

● l'arrêt volontaire des véhicules (train, tramway, bus, voiture) :

> Fahrer, **halten** Sie bitte hier **an**.   Der Zug hält **hier** nur zwei Minuten.
> *Chauffeur, arrêtez ici, s'il vous plaît.   Le train ne s'arrête ici que deux minutes.*

3. *Aufhören* est utilisé pour :

● l'arrêt d'une activité :

> Er **hört** nicht **auf** zu arbeiten.   **Hör** endlich mit dem Weinen **auf**!
> *Il n'arrête pas de travailler.*   *Arrête enfin de pleurer !*

● l'arrêt d'un bruit, d'une musique :

> Die Musik **hörte** plötzlich **auf**.
> *La musique s'arrêta brusquement.*

● l'arrêt de phénomènes météorologiques :

> Es regnete, ohne **aufzuhören**.
> *Il pleuvait sans cesse.*

4. *Innehalten* se dit pour :

● l'interruption d'un discours, d'une activité :

> Er **hielt** mit dem Sprechen **inne**.   Er **hielt** mitten im Satz **inne**.
> *Il s'arrêta de parler.*   *Il s'arrêta au milieu de la phrase.*

5. *Jmn. verhaften / festnehmen* = «arrêter qqn.».

> Der Verbrecher wurde **festgenommen (verhaftet),** als er aus dem Haus herauskam.
> *Le cambrioleur fut arrêté lorsqu'il sortit de la maison.*

EXERCICES

Complétez par le verbe qui convient :
1. Wir müssen an der nächsten Tankstelle ...
2. Seit drei Tagen ...es nicht ...zu schneien.
3. Als er unterwegs seinen Freund sah, ... er ...
4. Überrascht ...er in seiner Rede...

Traduisez en allemand :
1. L'enfant s'arrête de jouer.
2. Nous avons traversé Munich sans nous arrêter.
3. La même nuit, la police arrêta les voleurs.
4. Arrêtons-nous ici et prenons un café !

25 Comment traduire « arriver » ?

1. « **Arriver à (dans un lieu)** » : *ankommen* (+ locatif) (pour le locatif et le directionnel voir n°s 76, 137).

> Wir **sind** spät abends **angekommen**.
> *Nous sommes arrivés tard le soir.*
> Er **ist** rechtzeitig am Flughafen **angekommen**.
> *Il est arrivé à temps à l'aéroport.*

2. « **Arriver** » au sens de « se produire », « se passer » :

● *geschehen :*

> Der Unfall **ist** vor ihren Augen **geschehen**.
> *L'accident est arrivé sous leurs yeux.*

● *passieren :*

> Wer weiß, was noch alles **passiert**!
> *Qui sait ce qui peut arriver encore!*

● *passieren* (+ dat. de la personne) = « arriver à qqn. » :

> Was **ist dir** denn **passiert**?
> *Qu'est-ce qui t'est donc arrivé?*

Le verbe employé pour la formation des temps composés est *sein*.

3. « **Arriver** » au sens de « réussir à faire qqch. » (voir aussi n° 207) peut se traduire par :

● *(etw. tun) können :*

> Ich **kann** dich nicht verstehen.
> *Je n'arrive pas à te comprendre.*

● *etw. (acc.) schaffen :*

> Glaubst du, daß er es **schaffen** wird?
> *Crois-tu qu'il y arrivera?*

● *es gelingt mir* (etw. zu tun).
Cette expression demande *sein* aux temps composés :

> **Es ist mir** nicht **gelungen,** sie zu überzeugen.
> *Je ne suis pas arrivé à les convaincre.*

EXERCICE ———————————————————————————

Traduisez en allemand :

1. Il lui est sûrement arrivé un malheur.
2. Au petit matin (am frühen Morgen), ils sont arrivés dans la ville.
3. Je n'y arriverai jamais!
4. Je n'arrive pas à le joindre (jmn. erreichen).
5. L'accident est arrivé hier soir.
6. Ils sont tous arrivés en retard.

26 L'article défini : formes et emplois

1. Formes

	Masculin	Neutre	Féminin	Pluriel
N	der	das	die	die
A	den	das	die	die
D	dem	dem	der	den
G	des	des	der	der

2. Emplois

● *Article défini en allemand - absence d'article en français*
— dans des indications temporelles

im Jahre 1985	= *en 1985*
im Sommer	= *en été*
im Juni	= *en juin*

— dans des appositions

Bonn, **die** Hauptsstadt der Bundesrepublik Deutschland.
Bonn, capitale de la République fédérale d'Allemagne.

— dans des expressions avec complément de nom abstrait, pour marquer le cas.

ein Gefühl **der** Angst = *un sentiment de peur.*

— dans des expressions avec *werden, krönen, wählen, ernennen... zu* + nom d'être animé.

Er ist **zum** Abgeordneten gewählt worden.
Il a été élu député.

— dans des expressions (groupes verbaux ou nominaux).

zum Tode verurteilen	= *condamner à mort*
zum Beispiel	= *par exemple*

— devant des noms propres, pour marquer le cas.

der Tod **des** Sokrates = *la mort de Socrate.*

● *Absence d'article en allemand - article défini ou partitif en français*
— avec des noms propres : noms de fêtes, de pays (voir n° 157), de familles, noms propres avec titres dans certains cas (voir n° 236).

Pfingsten	= *la Pentecôte*
Frankreich	= *la France*
Meyers	= *les Meyer*
König Ludwig der XVI.	= *le roi Louis XVI*

— dans des groupes nominaux avec partitif non dénombrable.

Ich trinke **Limonade** = *Je bois de la limonade.*

Mais dans une proposition négative :

> Ich trinke **keine** Limonade = *Je ne bois pas de limonade.*

— dans les groupes nominaux avec partitif dénombrable.

> Ich habe **Bücher** gekauft = *J'ai acheté des livres.*

Mais dans une proposition négative :

> Ich habe **keine** Bücher gekauft = *Je n'ai pas acheté de livres.*

— dans les groupes nominaux qui désignent une totalité (noms de matière).

> **Milch** ist gesund = *Le lait est bon pour la santé.*

— dans des groupes nominaux qui comportent un déterminatif qui se suffit à lui-même.

> **ganz Europa** = *toute l'Europe.*
>
> **nächsten Monat** = *le mois prochain.*
>
> **des Kaisers Tochter** (génitif saxon) = *la fille de l'empereur.*

— dans des groupes nominaux qui comportent un chiffre.

> auf **Seite 51** = *à la page 51.*

— dans des groupes qui comportent un titre et un nom propre.

> **Kanzler Adenauer** = *le chancelier Adenauer.*

— dans des expressions figées.

Glück haben	= *avoir de la chance*
zu Hause sein	= *être à la maison*
Englisch lernen	= *apprendre l'anglais*
Geduld haben	= *avoir de la patience*

EXERCICE

Traduisez en allemand :

1. L'année dernière j'étais en Autriche (Österreich).
2. Il a été nommé président.
3. En hiver je fais souvent du ski (Ski laufen).
4. Apprendras-tu le français ?
5. A la page 12 j'ai lu un article intéressant.
6. En 1975 j'étais en Suisse (die Schweiz).
7. L'or est de plus en plus cher.
8. Boivent-ils de la bière ?

27 L'article indéfini : formes et emplois

1. Formes

	Masculin	Neutre	Féminin	Pas de pluriel!
N	ein	ein	eine	
A	einen	ein	eine	
D	einem	einem	einer	
G	eines	eines	einer	

Note :

« un seul » se dit ein einzig-

> Er hat nur **einen einzigen** Anzug.
> *Il n'a qu'un seul costume.*

2. Emplois

● *Article indéfini en allemand - absence d'article en français*

— dans les appositions.

> Er wohnt in Arles, **einer** schönen Stadt Südfrankreichs.
> *Il habite Arles, belle ville du midi.*

— dans les attributs.

> Als er **ein** Kind war, hatte er im Dunkeln immer Angst.
> *Lorsqu'il était enfant, il avait toujours peur dans l'obscurité.*

— dans des expressions figées.

(seinem Leben) **ein** Ende machen	= *mettre fin (à ses jours)*
ein schlechtes Gewissen haben	= *avoir mauvaise conscience*
einen breiten Buckel haben	= *avoir bon dos*
Es ist **eine** leichte Sache.	= *C'est chose facile.*

● *Absence d'article en allemand - article indéfini en français*

— dans des expressions figées.

großen Kummer haben	= *avoir un grand chagrin*
schrecklichen Hunger haben	= *avoir une faim de loup*

● *Article indéfini en allemand au singulier (absence d'article au pluriel) - article défini en français*

— dans la structure du français « avoir + article défini + nom + adjectif ».

schmutzige Hände haben	= *avoir les mains sales*
eine kalte Nase haben	= *avoir le nez froid*

— dans des expressions figées.

> **ein Gesicht** ziehen = *faire la grimace.*

EXERCICE —————————————————————————

Traduisez en allemand :
1. Il a le front haut.
2. J'ai subitement une grande soif.
3. Il a toujours bonne conscience.
4. Pourquoi fait-il la grimace ?
5. Il a les doigts sales.

---

28 Comment traduire « attendre » et « s'attendre à » ?

1. *Auf jmn., etw.* (acc.) *warten,* traduit le français « attendre » dans le sens de « attendre patiemment que qqch. ou qqn. arrive ».

> Ich **warte** am Bahnhof **auf** dich.
> *Je t'attends à la gare.*

> Ich **warte (darauf)**, daß er mir schreibt.
> *J'attends qu'il m'écrive.*

● Pour indiquer la limite de l'attente (jusque), on emploie *bis* : *warten bis.*

> Wir haben **bis** zum Abend **gewartet.**
> *Nous avons attendu jusqu'au soir.*

> Ich **warte, bis** du kommst.
> *Je t'attends jusqu'à ce que tu viennes.*

2. *Jmn., etw.* (acc.) *erwarten* signifie :

● « attendre qqn. ou qqch. à un moment précis » ; « prévoir, espérer un événement ».

> Sie **erwarten** uns morgen zum Abendessen.
> *Ils nous attendent demain pour le dîner.*

> Sie **erwartet** ein Baby.
> *Elle attend un bébé.*

● « s'attendre à » (sens positif ou neutre).

> Ich hatte **erwartet**, sie in der Uni zu treffen.
> *Je m'attendais à la rencontrer à la Fac.*

3. *Auf etw.* (acc.) *gefaßt sein* = s'attendre avec calme à un événement généralement désagréable.

> Wir **waren** auf diese schlechte Nachricht nicht **gefaßt.**
> *Nous ne nous attendions pas à cette mauvaise nouvelle.*

EXERCICE

Traduisez en allemand :

1. Attends-moi un instant !
2. Cela fait une heure (seit + dat.) que j'attends !
3. J'attends qu'il m'appelle.
4. Elle s'attendait à une récompense (Belohnung).
5. Il s'attendait à une réponse négative.
6. Elle nous attend pour le café.
7. S'il savait ce qui l'attend !
8. Nous avons dû attendre longtemps.

29   L'attribut

On distingue l'attribut du sujet et l'attribut de l'objet.

1. L'attribut du sujet : on le rencontre après des verbes comme *sein,* être, *bleiben,* rester, *werden,* devenir, *scheinen,* sembler, *heißen,* s'appeler. S'il s'agit d'un adjectif, il est invariable ; s'il s'agit d'un groupe nominal, il se met au nominatif (et non à l'accusatif !).

> Petra ist **groß**.
> *Petra est grande.*
> Mein Nachbar ist **ein netter Mann**. (*et non ~~einen netten Mann~~*)
> *Mon voisin est un homme sympathique.*

2. L'attribut de l'objet : on le rencontre après des verbes comme *machen,* rendre, *finden,* trouver, *glauben,* croire, *sich fühlen,* se sentir, *nennen,* appeler. S'il s'agit d'un adjectif, il est invariable ; s'il s'agit d'un groupe nominal, il se met à l'accusatif (et non au nominatif !).

> Die Kinder machen sie **verrückt**.
> *Les enfants les rendent fous.*
> Man nennt ihn **den Schweigsamen**.
> *On l'appelle le Taciturne.*

Remarque :

Dans certains cas, l'allemand ne traduit pas par un attribut de l'objet :

> Er hat grüne Augen.
> *Il a les yeux verts.*
> Er soll sehr reich sein.
> *On le dit très riche.*

EXERCICES

Transformez l'adjectif épithète en attribut suivant le modèle :
Sie hat große Kinder : Ihre Kinder sind groß.

1. Er hat einen schönen Wagen.
2. Sie haben blaue Augen.
3. Sie hat eine schwarze Katze.
4. Sie haben einen großen Garten.
5. Er hat angenehme Nachbarn.

Traduisez en allemand :

1. Ils paraissent heureux.
2. Ils sont restés jeunes.
3. La trouves-tu belle ?
4. Elles se sentent malades.
5. Il se croit meilleur que moi.
6. Elle sera grande.
7. On l'appelle le médecin des tropiques. (der Tropenarzt)
8. Il est le meilleur de tous.

30 Auch

Auch, « aussi », « également », « même », fonctionne différemment selon qu'il est accentué ou non.

1. *Auch* accentué (= « aussi ») est en relation avec le sujet de la phrase ou avec un autre complément. Ce *"auch"* se trouve généralement devant le groupe verbal :

> Sie will jetzt °**auch** Jura studieren.
> *Elle aussi veut faire du droit maintenant.*
> Er spricht Spanisch und °**auch** Portugiesisch.
> *Il parle l'espagnol et aussi le portugais.*

Expressions

ich °**auch**	*ich* °**auch** *nicht*
moi aussi	*moi non plus*

2. *Auch* inaccentué (= « même ») porte directement sur le membre de phrase qui suit et le met en relief. De ce fait, ce membre de phrase est accentué.

> **Auch** kein °Arzt konnte ihm helfen.
> ou : Ihm konnte **auch** kein °Arzt helfen
> *Même un médecin ne pouvait l'aider.*
> **Auch** für einen °guten Schwimmer ist dieser Strand gefährlich.
> *Cette plage est dangereuse, même pour un bon nageur.*

> Comparez :
> Er ist °**auch** ein guter Schwimmer.
> *Lui aussi (comme les autres) est bon nageur.*
> Er ist **auch** ein guter °Schwimmer.
> *Il est aussi (= même) bon nageur*
> *(sous-entendu : il est aussi bon qu'en athlétisme,...)*

3. *Auch* inaccentué peut être particule de discours et traduire l'attitude subjective du locuteur. Il se trouve souvent dans des exclamatives exprimant l'irritation ou le reproche et dans des interrogatives servant à se rassurer.

> Du kannst **auch** nie den °Mund halten!
> *Tu ne peux pas te taire ?*
> Hast du **auch** nichts ver°gessen?
> *N'as-tu rien oublié ?*

EXERCICES

Répondez ou rectifiez en utilisant "auch".
1. Er hatte recht, und du?
2. Im Sommer kann man nicht Ski laufen. - Doch,...
3. Peter kann nicht tanzen, und du?
4. Wir wollen heute ins Kino gehen? Und ihr?
5. Allen war das Wasser zu kalt, und dir?
6. Bist du damit einverstanden? Ja,...

Ajoutez "auch" *au bon endroit dans la phrase :*
1. Hast du deinen Regenschirm nicht vergessen?
2. Du kannst nie still sein!
3. Habt ihr den Nachbarn gegrüßt? (deux solutions)
4. Hast du deine Lektion gut gelernt? (deux solutions)

31 Auch nicht - auch kein - auch nicht mehr - auch kein... mehr

1. *Auch nicht* = non plus

> Ich gehe heute abend nicht ins Kino, mein Freund Peter **auch nicht**.
> *Ce soir je ne vais pas au cinéma, mon ami Pierre non plus.*

Remarque :

A la place du groupe nominal on peut avoir un pronom personnel, en particulier, en français, moi, toi, lui ; ces pronoms, lorsqu'ils sont sujets, se traduisent par **ich, du, er** et non **mich, dich, ihm** :

> Ich trinke keinen Wein. — Ich **auch nicht**.
> *Je ne bois pas de vin. — Moi non plus.*

MAIS : Ich kann ihm meinen Schlüssel nicht geben ; dir **auch nicht**.
> *Je ne peux pas lui donner ma clef ; à toi non plus.*

2. *Auch nicht* = ne... pas non plus
Auch kein = ne... pas non plus (de)/ne... pas de... non plus

> Ich rauche **auch nicht**.
> *Je ne fume pas non plus.*

> Ich esse **auch kein** Fleisch.
> *Je ne mange pas non plus de viande.*

> Ich habe **auch keine** Schwester.
> *Je n'ai pas de sœur non plus.*

3. *Auch nicht mehr* = ne... plus non plus
Auch kein... mehr = ne... plus de... non plus/ne... plus non plus de...

> Ich trinke **auch keine** Milch **mehr**.
> *Je ne bois plus de lait non plus.*

> Ich schlafe **auch nicht mehr**.
> *Je ne dors plus non plus.*

EXERCICE ————————————————————————————

Traduisez en allemand :

1. Il n'a pas reçu de lettre ; moi non plus.
2. Je ne t'ai pas apporté de livre ; à Brigitte non plus.
3. Je ne joue plus non plus.
4. Je n'achète plus non plus de poires.
5. Je ne suis pas allé en Allemagne à Pâques ; toi non plus ?
6. Je ne les trouve plus non plus.
7. Je ne t'ai pas dit bonjour ; à lui non plus.
8. Il ne lit plus non plus le journal.

32 Comment traduire « aucun » ?

1. Aucun se traduit par *kein* qui est décliné comme l'article indéfini *ein*.

> **Kein** Baum stand am Straßenrand.
> *Il n'y avait aucun arbre au bord de la route.*

Notez :

nicht ein Baum = « pas un arbre » ;
kein einziger Baum = « pas un seul arbre » ;
nicht ein einziger Baum = « pas un seul arbre ».

2. Aucun, aucun de, pronom indéfini, se traduit par *keiner* qui est décliné comme l'article défini *der*.

> **Keiner** war gekommen.
> *Aucun n'était venu.*
>
> Ich habe **keinen** von beiden gesehen.
> *Je n'ai vu aucun des deux.*
>
> Er will mit **keinem** von ihnen sprechen.
> *Il ne veut parler à aucun d'eux.*

Notez :

nicht einer = « pas un » ;
kein einziger = « pas un seul » ;
nicht ein einziger = « pas un seul ».

Attention :

« Aucun » précédé en français de « sans » ou d'une <u>négation</u> se traduit en allemand par des adjectifs ou pronoms indéfinis positifs comme *jeder, irgendein, alles, etwas*.

> **ohne jede Hilfe**   **ohne irgendein Buch**   **ohne allen Zweifel**
> *sans aucune aide*   *sans aucun livre*   *sans aucun doute*
>
> Er hat uns **nie etwas** Böses getan.
> *Il ne nous a jamais fait aucun mal.*
>
> Ich glaube **nicht,** daß **irgendeiner** von euch das tun kann.
> *Je ne crois pas qu'aucun de vous puisse le faire.*

EXERCICE ────────────────────────

Traduisez en allemand :
1. Je ne connais aucun d'eux.
2. Aucun des présents ne votait (seine Stimme abgeben).
3. Aucune lumière n'était visible.

4. Je n'ai pas un sou (der Pfennig) sur moi.
5. Sans aucune arrière-pensée (Hintergedanken), il m'a proposé de m'aider.

---

33 Comment traduire «auparavant»?

Zuvor et *vorher* situent un événement par rapport à un moment donné et marquent l'antériorité. Si la phrase contient un complément de temps, ils sont placés après celui-ci.

> Ich habe ihn einige Tage **vorher** (ou **zuvor**) getroffen.
> *Je l'ai rencontré quelques jours auparavant.*

> Ihr könnt gleich spielen. Aber **vorher** (ou **zuvor**) müßt ihr noch euer Zimmer aufräumen.
> *Vous pouvez aller jouer. Mais auparavant il vous faudra ranger votre chambre.*

Expressions

kurz zuvor	**nie zuvor**
peu de temps auparavant	*jamais auparavant*
am Tag zuvor ; am Vortag.	
la veille	

EXERCICE

Traduisez en allemand :
1. Trois ans auparavant.
2. Quelques instants auparavant.
3. La nuit auparavant.
4. Un siècle auparavant.
5. Peu de temps auparavant.

34 Comment traduire «autant»?

1. Autant de ; autant que
Ces termes indiquent une relation d'égalité entre deux éléments de comparaison.

● *(genau)so viel* (ou *ebenso viel*) + substantif + *wie* = «autant de + substantif + que».

> Sie hat **(genau)so** viel Erfolg **wie er.**
> *Elle a autant de succès que lui.*

> Du hast **(eben)so** viele Bonbons **wie ich!**
> *Tu as autant de bonbons que moi!*

● *genau(so)* ou *eben(so) viel* (ou *sehr*) + verbe *wie* = «verbe + autant + que».
(Pour sehr et viel voir n° 213).

> Du schläfst **(genau)so viel wie** dein Bruder!
> *Tu dors autant que ton frère!*

> Wir freuen uns auf die kommenden Ferien **(eben)so sehr wie** ihr.
> *Nous nous réjouissons autant que vous à l'idée des vacances à venir.*

● *nicht so viel wie* = «pas (au)tant de (que)» :

> Heute ist **nicht so viel** Verkehr **wie** gestern.
> *Aujourd'hui, il n'y a pas (au)tant de circulation qu'hier.*

> Du arbeitest **nicht so viel wie** deine Schwester!
> *Tu ne travailles pas autant que ta sœur!*

soviel ich weiß   **soweit ich mich erinnere**
autant que je sache   *autant que je me souvienne*
soweit wie möglich
autant que possible
Soviel ich weiß, ist morgen kein Unterricht.
Autant que je sache, il n'y a pas de cours demain.

2. D'autant... que; d'autant plus (moins)... que

Ces termes introduisent des causales qui apportent l'explication pour les faits énoncés dans la première proposition.

● *zumal (zumal da)* = « d'autant que »;

> Er fährt gern nach München, **zumal (da)** er dort alte Freunde trifft.
> *Il aime bien aller à Munich, d'autant qu'il y rencontre de vieux amis.*

● *um so* + comparatif, *als* = « d'autant plus » + adj. + que.

> Sein Besuch war **um so** überraschend**er, als** ich ihn in Amerika glaubte.
> *Sa visite était d'autant plus inattendue que je le croyais en Amérique.*

● *um so mehr als* = « d'autant plus que »;

> Er fährt gern nach Berlin, **um so mehr als** er dort viele Bekannte hat.
> *Il aime bien aller à Berlin, d'autant plus qu'il y a beaucoup d'amis.*

● *um so weniger als* = « d'autant moins que ».

> Er fährt nicht gern nach Hamburg, **um so weniger als** er dort das Klima nicht verträgt.
> *Il n'aime pas aller à Hambourg, d'autant moins qu'il n'en supporte pas le climat.*

● *um so besser !* = tant mieux !

EXERCICE

Traduisez en allemand :

1. Je vais souvent au cinéma, d'autant plus que je n'ai pas la télévision.
2. Cet enfant mange autant qu'un adulte.
3. Aujourd'hui, il n'est pas tombé autant de neige qu'hier.
4. Il n'aime pas le sport, d'autant moins qu'il est très gros.
5. Autant que je me souvienne, mon grand-père portait un chapeau noir.
6. Il fait très chaud, d'autant qu'il n'y a pas de vent.

35 Comment traduire « avant » ?

1. Préposition : *vor* + datif :

Vor der Abfahrt des Zuges kaufte er sich eine Zeitung.
Avant le départ du train, il s'acheta un journal.

2. Adverbe :

● *davor* lorsqu'on cite une date précise

Er ist am 15. März gestorben ; drei Tage **davor** spielte er noch Tennis.
Il est mort le 15 mars ; trois jours avant il jouait encore au tennis.

● *zuvor* ou *vorher* au sens de « d'abord, auparavant » (voir n° 33).

Vorher möchte ich dir gratulieren.
Avant je voudrais te féliciter.

3. Conjonction de subordination : *Bevor* + verbe conjugué :

Bevor sie ins Bett ging, putzte sie sich die Zähne.
Avant d'aller se coucher, elle se lava les dents.

Attention :

● *Bevor* doit obligatoirement être utilisé avec un verbe conjugué.
Bevor + infinitif est impossible en allemand.
~~Bevor zu essen~~

● *Bevor* entraîne une certaine concordance des temps :

Verbe de la proposition	Verbe de la subordonnée
indicatif présent indicatif futur impératif } →	indicatif présent

Bevor du zu Paul gehst, hol mir bitte eine Flasche Bier aus dem Keller.
Avant d'aller chez Paul, va me chercher, s'il te plaît, une bouteille de bière à la cave.

indicatif prétérit →	indicatif prétérit ou plus-que-parfait

Bevor sie ins Kino ging, rief sie ihre Freundin an.
Avant d'aller au cinéma, elle appela son amie.

indicatif plus-que-parfait →	indicatif plus-que-parfait

Bevor er im Stadion angekommen war, hatten sie schon ein Tor geschossen.
Avant qu'il ne soit arrivé au stade, ils avaient déjà marqué un but.

● Contrairement au français, on n'utilise *bevor* ni avec le subjonctif ni avec la négation.

Traduisez en allemand :
1. Avant d'acheter ce livre, demande combien il coûte (kosten).
2. Avant le déjeûner (das Mittagessen), il jouait au football.
3. Avant de t'endormir (einschlafen), n'oublie pas d'éteindre la lumière (das Licht ausmachen).
4. Avant de descendre du car, ils photographièrent le château.
5. Il quitta le bateau avant qu'il ne sombre (untergehen).

36 Etre d'avis que, (ne pas) être du même avis

1. Pour exprimer son opinion, on peut employer :

● *meiner Meinung nach; meiner Ansicht nach; meiner Auffassung nach* : « à mon avis » ;

> **Meiner Meinung** (ou **Ansicht,** ou **Auffassung**) **nach** hat er Recht.
> *A mon avis, il a raison.*

> **Meiner Ansicht** (ou **Meinung,** ou **Auffassung**) **nach** ist sie zu schnell gefahren.
> *A mon avis, elle roulait trop vite.*

● *ich bin der Meinung, daß; ich bin der Ansicht, daß; ich bin der Auffassung, daß :* « je suis d'avis que » ;

> **Ich bin der Auffassung** (ou **Meinung,** ou **Ansicht**), daß alle informiert werden müssen.
> *Je suis d'avis que tous doivent être informés.*

● *ich vertrete die Meinung* (ou *Ansicht,* ou *Auffassung*), *daß :* « je suis d'avis que » ;

> **Ich vertrete die Meinung** (ou **Ansicht,** ou **Auffassung**), daß die Politik geändert werden muß.
> *Je suis d'avis qu'il faut changer de politique.*

● *ich finde :* « je trouve » ;

> Ich **finde,** der Schauspieler hat schlecht gespielt.
> Ich **finde, daß** der Schauspieler schlecht gespielt hat.
> *Je trouve que l'acteur a mal joué.*

● *ich meine :* « je pense » ;

> Ich **meine,** wir sollten morgen noch einmal darüber reden.
> *Je pense que nous devrions en reparler demain.*

● *ich glaube :* « je crois » ;

> Ich **glaube,** das Beste wäre jetzt zu gehen.
> *Je crois que maintenant le mieux serait de partir.*

Notez

Après certains verbes comme *denken, meinen, glauben, finden,* la construction « sujet + verbe à l'indicatif » est possible.

45

2. Pour dire que l'on est du même avis (cf. également
« l'expression de l'accord » : n° 22) :

> **Ich bin ganz deiner Meinung.**
> *Je suis tout à fait de ton avis.*
>
> **Ich stimme Ihrer Meinung zu.**
> *Je vous approuve.*
>
> **Ich bin ganz mit Ihnen einverstanden.**
> *Je suis tout à fait d'accord avec vous.*
>
> **Ich finde/meine/glaube/das auch.**
> *Je le trouve/pense/crois aussi.*

3. Pour dire que l'on ne partage pas la même opinion.

> **Ich bin anderer Meinung.**
> *Je suis d'un autre avis.*
>
> **Ich bin nicht deiner Meinung.**
> *Je ne suis pas de ton avis.*
>
> **Ich bin nicht der gleichen Ansicht.**
> *Je ne suis pas du même avis.*
>
> **Ich kann dieser Meinung nicht zustimmen.**
> *Je ne peux pas être d'accord avec cette opinion.*
>
> **Ich bin damit nicht einverstanden.**
> *Je ne suis pas d'accord avec cela.*
>
> **Ich teile diese Meinung nicht.**
> *Je ne partage pas cette opinion.*

Ich finde nicht.	**Ich meine nicht.**	**Ich glaube nicht.**
Je ne trouve pas.	Je ne pense pas.	Je ne crois pas.

EXERCICE

Traduisez en allemand :

1. Est-ce que tu es aussi de son avis ?
2. Je trouve que son comportement était bizarre.
3. A mon avis il faudrait lui écrire.
4. Je ne partage pas leur opinion sur ce sujet (das Thema).
5. Je suis d'avis qu'il faudrait continuer la grève (der Streik).
6. Je suis tout à fait d'accord avec votre plan.
7. Es-tu d'accord avec moi ou es-tu d'un autre avis ?
8. Pensez-vous qu'il faudrait la prévenir (jmn. benachrichtigen) ?

37 Comment traduire « avoir l'air » ?

1. Avoir l'air + adj. (présenter telle apparence, paraître) se traduit par :

● *Aussehen* + adjectif invariable.

> Sie **sehen** traurig **aus.**
> *Ils ont l'air tristes.*

2. Avoir l'air de + groupe nominal se traduit par :

● *Aussehen wie* + groupe nominal au nominatif.

> Er **sieht wie** ein Künstler **aus.**
> *Il a l'air d'un artiste.*

3. Avoir l'air de + inf. ; sembler + inf. se traduit par :

● *Scheinen zu + inf.*

> Sie **scheint** uns **zu** kennen.   Er **scheint** reich **zu** sein.
> Elle semble nous connaître.   Il a l'air d'être riche.

● *aussehen, als ob* (ou *als*) = « avoir l'air de + inf. ».

> Er **sieht aus, als ob** er krank wäre (ou : **als** wäre er krank).
> *Il a l'air d'être malade.*

ou sous la forme impersonnelle :

● *es scheint, als ob* (ou *als*) + *subjonctif I ou II* = « avoir l'air de + infinitif ».

> **Es scheint, als wolle (wollte)** es regnen.
> *Il a l'air de vouloir pleuvoir.*

● *es sieht aus, als ob* (ou *als*) (indicatif ou subjonctif selon le contexte) = « il semble que », « avoir l'air de » + infinitif.

> **Es sieht so aus, als ob** er recht hat (als habe er, als hätte er recht).
> *Il a l'air d'avoir raison.*

EXERCICE ────────────────────────

Traduisez en allemand :
1. Elle a l'air distinguée (vornehm).
2. Elle semble dormir.
3. Il a l'air d'une fille.

4. Ils ont l'air d'être heureux.
5. Il semble qu'ils aient perdu le match de football (das Fußballspiel).

---

38 Comment traduire «avoir chaud», «avoir froid», «avoir mal»?

Ces expressions se traduisent par des tournures impersonnelles avec un datif. Pour «avoir froid», on peut également employer le verbe *frieren*.

1. Avoir chaud.

● *mir ist (es) warm* = «j'ai chaud».

> In diesem Zimmer **ist es mir zu warm.**
> *J'ai trop chaud dans cette pièce.*

● *mir wird (es) warm* = «je commence à (je finis par) avoir chaud».

> Beim Laufen **wird einem warm.**
> *En courant, on a chaud;*
> *(litt. : on finit par avoir chaud.)*

Notez :

> Er hat **warme** Hände.
> *Il a les mains chaudes.*

2. Avoir froid.

● *mir ist (es) kalt* = «j'ai froid».

> **Ihm** ist **es** nie zu **warm,** noch zu **kalt.**
> *Il n'a jamais ni trop chaud, ni trop froid.*

● *mir wird (es) kalt :* «je commence à avoir froid».

> Gehen wir! **Mir wird es** hier zu **kalt.**
> *Partons! Je commence à avoir trop froid ici.*

● *frieren* = «avoir froid», s'emploie sous des formes personnelles ou impersonnelles :

> **ich friere**
> **es friert mich** } *j'ai froid*
> **mich friert**

● *frieren an + datif* = «avoir froid à...».

> **Es friert mich an** den Händen.
> *J'ai froid aux mains.*

Notez :

> Er hat **kalte** Hände.
> *Il a les mains froides.*

3. «Avoir mal».

● *mir tut etwas* (nom.) *weh* = «j'ai mal à ...».

> **Ihr tut** immer der Kopf **weh.**
> *Elle a toujours mal à la tête.*

Traduisez en allemand :

1. As-tu froid? (verbe «frieren»; 2 solutions)
2. J'ai froid aux pieds.
3. Les enfants ont mal aux jambes.
4. Dans ce bureau, j'ai toujours trop chaud.
5. Nous avons eu froid pendant tout le voyage (verbe «frieren», forme personnelle).
6. Est-ce que vous avez froid (forme avec «kalt»)?
7. Elle a mal à la gorge et aux oreilles (der Hals / die Ohren).

39 Comment traduire «avoir envie»?

1. *Lust haben, etwas zu tun* = «avoir envie de faire qqch.».

Sie **hatte Lust zu** tanzen und **zu** springen.
Elle avait envie de danser et de sauter.

2. *Lust zu* (+ datif) = «avoir envie de». Pour le groupe nominal, on trouve souvent des verbes substantivés.

Ich habe keine **Lust zum Arbeiten.**
Je n'ai pas envie de travailler.

S'il y a une négation, elle porte sur le groupe nominal.

Er hat **zu** keiner Arbeit **Lust.**
Il a envie de ne rien faire.

Sie hat **zu** nichts **Lust.**
Elle n'a envie de rien.

3. *Lust auf* (+ acc.) s'utilise surtout en langue courante en relation avec des aliments ou des boissons.

Jetzt hätte ich **Lust auf** eine Tasse schwarzen Kaffee.
Maintenant j'aurais envie d'une tasse de café noir.

Sie hat **Lust auf** Erdbeeren.
Elle a envie de fraises.

4. *Mögen* (+ verbe à l'infinitif) s'emploie surtout dans des phrases négatives.

Ich **mag** jetzt nicht hinausgehen.
Je n'ai pas envie de sortir maintenant.

5. *(Ich) möchte gern...* = «avoir envie» (d'avoir, de posséder).

Sie **möchte gern** einen Kassettenrecorder.
Elle a envie d'avoir un lecteur enregistreur à cassettes.

Traduisez en allemand :

1. As-tu envie de jouer au football avec nous?
2. Nous avons envie d'avoir une voiture plus rapide.
3. As-tu envie d'une bière fraîche?
4. J'ai envie d'aller au théâtre ce soir.
5. Avez-vous (forme de politesse) envie d'une promenade?
6. Je n'ai pas envie de manger maintenant.

40 Comment traduire « avoir faim », « avoir soif », « avoir sommeil » ?

Ces expressions se traduisent en allemand par un adjectif + sein. Pour « avoir faim », « avoir soif », on emploie aussi très fréquemment *Hunger* et *Durst* + *haben*.

1. Avoir faim.

● *hungrig sein* ou *Hunger haben* = « avoir faim ».

Nach der Schule **sind** die Kinder immer **hungrig** (ou **haben** sie immer **Hunger**).
Après l'école, les enfants ont toujours faim.

2. Avoir soif.

● *durstig sein* ou *Durst haben* = « avoir soif ».

Habt ihr **Durst** (ou : **Seid** ihr **durstig**) ?
Avez-vous soif ?

3. Avoir sommeil.

● *schläfrig sein* = « avoir sommeil » ; « être (tout) endormi ».

Das Kind ist ganz **schläfrig**.
L'enfant a sommeil.

● *müde sein* = « avoir sommeil » ; « être fatigué ».

Nach der langen Wanderung **waren** sie alle **hungrig, durstig** und **müde**.
(ou : **hatten** sie alle **Hunger** und **Durst** und waren sehr **müde**).
Après la longue marche à pied, ils avaient tous faim et soif et ils tombaient de sommeil.

Notez :
jmn. (acc.) hungrig, durstig, schläfrig machen = « donner faim, soif à qqn., faire dormir qqn. ».

Der Wein macht mich ganz **schläfrig**.
Le vin me fait dormir.

EXERCICE ────────────────────────────

Traduisez en allemand :

1. Je n'ai ni faim, ni soif (deux solutions).
2. Les enfants sont encore tout endormis.
3. Le travail au jardin (die Gartenarbeit) lui a donné faim.
4. Parler me donne toujours soif.

---

41 Comment traduire « avoir peur » ?

Cette tournure peut se traduire par :

1. *Angst haben.*

● *Angst haben vor* + dat.

> Er hat **Angst vor** dem Gewitter.
> *Il a peur de l'orage.*

● *Angst haben* + groupe infinitif avec *zu* :

> Sie **hat Angst,** krank **zu** werden.
> *Elle a peur de tomber malade.*

2. *Sich fürchten.*

● *sich fürchten vor* + dat.

> **Fürchtest** du **dich vor** Gespenstern ?
> *Est-ce que tu as peur des fantômes ?*

● *sich fürchten* + groupe infinitif avec *zu*.

> Sie **fürchtete sich (davor),** abends allein auszugehen.
> *Elle avait peur de sortir seule le soir.*

3. *etwas* (acc.) *fürchten* + groupe infinitif avec **zu** ou + subordonnée avec **daß** = « craindre qqch. », « craindre un événement ».

> Die Arbeiter der Druckerei **fürchten,** ihre Arbeit **zu** verlieren.
> *Les ouvriers de l'imprimerie ont peur (craignent) de perdre leur travail.*

> Ich **fürchte, daß** wir uns alle erkältet haben.
> *J'ai peur (je crains) que nous n'ayons tous pris froid.*

EXERCICE

Traduisez en allemand :
1. Elle a peur des chiens et des chats.
2. Il a peur de sauter dans l'eau.
3. Je crains qu'il ne soit malade.
4. Elle a peur de perdre du temps.
5. L'enfant a peur de la mer.

42 Comment traduire «avoir raison», «avoir tort»?

Ces expressions se traduisent par *recht haben* et *unrecht haben,* qui peuvent être suivis d'une subordonnée avec *daß* ou d'un groupe infinitif avec *zu.*

1. *recht haben* = «avoir raison».

> Er **hat recht, daß** er zum Arzt gegangen ist.
> *Il a raison d'être allé chez le médecin.*

2. *unrecht haben* = «avoir tort».

> Da **hast** du nicht ganz **unrecht.**
> *Là tu n'as pas tout à fait tort.*

EXERCICE

Traduisez en allemand.
1. Il avait tort de crier si fort.
2. Ils ont raison d'agir ainsi.

3. Elle croit qu'elle a toujours raison.
4. Dans cette affaire (die Angelegenheit), tu as eu tort.

43 Comment traduire « il a beau...... » ?

L'expression concessive « il a beau... » (voir aussi n° 62) se traduit généralement par :

1. *noch so* (+ adj. ou adv.) + *mögen* :

> Er **mag noch so** laut rufen, keiner hört ihn.
> *Il a beau appeler, personne ne l'entend.*

> Er **mag** eine **noch so** hohe Stellung haben, ich möchte nicht mit ihm tauschen.
> *Il a beau avoir une situation importante, je ne voudrais pas être à sa place.*

2. *so (wie)* + adj. ou adv. + *auch* (+ verbe à l'indicatif ou + *mögen* + verbe à l'infinitif) :

> **So (wie)** viel sie **auch** arbeiten **mochte,** die Prüfungen hat sie nicht geschafft.
> *Elle avait beau travailler, elle n'a pas réussi à ses examens.*

> **So (wie)** interessant seine Arbeit auch **ist (sein mag),** er langweilt sich doch.
> *Il a beau avoir un travail intéressant, il s'ennuie quand même.*

3. *wenn .... auch* :

> **Wenn** wir uns **auch** beeilten, wir kamen immer zu spät.
> *Nous avions beau nous dépêcher, nous étions toujours en retard.*

Notez :
Dans ce genre de concessives, il y a rupture de construction, le verbe occupe donc la deuxième place dans la seconde proposition.

EXERCICE

Traduisez en allemand (donnez chaque fois les trois constructions) :

1. Il avait beau dormir longtemps, il était toujours fatigué.
2. J'ai beau le leur rappeler (jmn. an etw. erinnern), ils oublient toujours mon disque.
3. Ils avaient beau se fâcher (sich ärgern), les enfants jouaient toujours sous leurs fenêtres.
4. Il a beau attendre, elle n'ouvrira pas la porte.

44 Comment traduire « beaucoup (de) » ?

1. « Beaucoup de » + substantif au singulier ou au pluriel :
viel (sing.) / *viele* (pl.).
Viel reste en général invariable alors que *viele* se décline comme un adjectif (type II).

<table>
<tr><td>Er hat **viel** Geld.
Il a beaucoup d'argent.</td><td>Er reist mit **viel** Geld.
Il voyage avec beaucoup d'argent.</td></tr>
<tr><td>Er hat **viele** Bücher.
Il a beaucoup de livres.</td><td>Er arbeitet mit **vielen** Büchern.
Il travaille avec beaucoup de livres.</td></tr>
</table>

2. « Beaucoup » + verbe.

● *sehr* : avec un verbe contenant une idée d'intensité.

<table>
<tr><td>Er freut sich **sehr**.
Il se réjouit beaucoup.</td><td>Danke **sehr** !
Merci beaucoup !</td></tr>
</table>

● *viel* : avec un verbe contenant une idée de quantité.

Er ißt, trinkt und schläft **viel**.
Il mange, boit et dort beaucoup.

EXERCICE ————————————————————————

Traduisez en allemand :
1. Je n'ai pas beaucoup de temps.
2. J'ai beaucoup couru aujourd'hui.
3. Cela m'intéresse beaucoup.
4. Beaucoup de gens étaient venus.
5. C'est beaucoup trop !
6. Je les estime (schätzen) beaucoup.

45 Beinahe et fast

1. *Beinahe* et *fast* = «presque», signifient que qqch. n'est pas tout à fait atteint. Ils s'emploient dans les mêmes conditions.

Beinahe (fast) tausend Menschen waren auf dem Platz versammelt.
Près de mille personnes étaient réunies sur la place.
Es ist beinahe (fast) Mitternacht.
Il est presque minuit.

2. *Beinahe* et *fast* + *verbe au subjonctif II* = «pour un peu», «faillir», signifient qu'un événement probable ne s'est pas produit au dernier moment.

Wir wären beinahe (fast) hingefallen.
Pour un peu nous serions tombés.
Beinahe (fast) hätte das Auto ein Kind überfahren.
La voiture a failli renverser un enfant.

EXERCICE

Traduisez en allemand :
1. Il a failli trahir le secret (das Geheimnis verraten).
2. Il a presque tout mangé.
3. Mon travail est presque terminé.
4. Pour un peu il aurait manqué son bus (verpassen).

46 Benutzen (benützen), gebrauchen, verwenden

1. *Benutzen.*

● *Etw.* (acc.)*benutzen* ou *benützen* correspond à «employer, se servir de (outil, moyen de locomotion)»

Willst du den Hammer benutzen?
Veux-tu te servir du marteau?
Ich benutze lieber die Straßenbahn als das Auto.
Je préfère utiliser le tramway que la voiture.

● *Etw.* *(be)nutzen* ou *(be)nützen* correspond à «utiliser avec profit»; «profiter» (du temps, de l'occasion)

Wir (be)nutzen das schöne Wetter für einen Ausflug.
Nous profitons du beau temps pour faire une excursion.

2. *Gebrauchen.*

● *Etw.* (acc.)*gebrauchen* correspond à «employer»; «faire usage de qqch.» (pouvoir, armes, son droit) :

Werden sie die Waffen gebrauchen?
Vont-ils employer les armes?

- *gebrauchen* se trouve souvent sous la forme *etw. gebrauchen können* (cf. *verwenden können ;* voir aussi *« brauchen »* n° 51) et correspond à « avoir besoin de » ; « être utile à » pour des objets ou des personnes ;

> Kannst du meine Notizen **gebrauchen?**
> *Peux-tu te servir de mes notes ?*
> Ja, ich kann sie gut **gebrauchen.**
> *Oui, elles me seront utiles.*
> Er ist zu nichts zu **gebrauchen.**
> *Il n'est bon à rien.*

- la forme du participe II : *gebraucht* = usagé, d'occasion.

> **gebrauchte** Wäsche
> *du linge usagé*
> ein **gebrauchter** Wagen (ou : ein **Gebrauchtwagen)**
> *une voiture d'occasion*

3. *Verwenden.*

- *Etw. verwenden* traduit le français « utiliser qqch. dans un certain but »

> Hast du schon das neue Waschmittel **verwendet?**
> *As-tu déjà utilisé la nouvelle lessive ?*

- « faire profiter », « utiliser à bon escient » (cf. *(be)nutzen*) ;

> Heute hast du deine Zeit nicht gut **verwendet.**
> *Aujourd'hui tu n'as pas bien utilisé ton temps.*

- *etw. verwenden können* (cf. *gebrauchen können*) correspond à « avoir besoin de », « être utile à » sous la forme :

> Könnt ihr mich für diese Arbeit **verwenden?**
> *Puis-je vous être utile pour ce travail ?*

- *viel Zeit, Mühe, auf etw. verwenden* signifie « investir » (du temps, des efforts dans qqch.) :

> Auf diese Arbeit hat er viel Mühe **verwandt/verwendet.**
> *Il a investi beaucoup d'efforts dans ce travail.*

EXERCICE ———————————————

Complétez par benutzen, gebrauchen, *ou* verwenden

1. Darf ich mal deinen Bleistift ...?
2. Dieser Fernseher ist nicht mehr zu ...!
3. Kann man diesen Stoff noch ...?
4. Ich ... die Gelegenheit, um ihn daran zu erinnern.
5. Wofür ... man diesen Apparat?
6. Warum willst du nicht dein Fahrrad ...?
7. Das sind ... Möbel.
8. Ich könnte dich jetzt gut ...!
9. Auf diesen Aufsatz hast du aber nicht viel. Zeit ...!
10. Ich ... nur mein Recht!

47 Bewußt

Avec *bewußt,* deux constructions sont possibles.

● *Sich* (= dat.) *einer Sache* (= gén.) *bewußt sein* : « être conscient de qqch. » ;

> Ich bin **mir** meines Irrtums wohl **bewußt.**
> *Je suis tout à fait conscient de mon erreur.*
> Ich bin **mir** keiner Schuld **bewußt.**
> *Je n'ai rien à me reprocher.*
> Er ist **sich dessen bewußt.**
> *Il en est conscient.*

● *Jmm. ist etw. bewußt* ou *jmm. ist bewußt, daß* = « avoir conscience de », « se rendre compte » ;

> **Mir** ist **bewußt, daß** ich viele Fehler gemacht habe.
> *Je me rends compte que j'ai fait beaucoup de fautes.*

EXERCICE

Traduisez en allemand :
1. Il n'est pas conscient du danger.
2. Elle a conscience de sa responsabilité (die Verantwortung).
3. Il ne se rendait pas compte de ce qu'il disait.
4. En es-tu conscient ?

48 Comment traduire « bien » ?

Selon le contexte, « bien » se traduit de différentes manières.

1. *Gut :*

● « convenablement », « comme il faut ».

> Er kann **gut** tanzen, schwimmen, rechnen, Klavier spielen.
> *Il sait bien danser, nager, calculer, jouer du piano.*
>
> Das Kind lernt **gut,** schläft **gut.**
> *L'enfant apprend bien, dort bien.*
>
> Dieses Kleid steht dir **gut.**
> *Cette robe te va bien.*

● être dans un état physique normal.

> Er kann **gut** sehen, hören.
> *Il voit bien, entend bien.*
> Es geht mir **gut.**
> *Je vais bien.*
>
> Mir ist nicht **gut.**
> *Je ne me sens pas bien.*

2. *Wohl :*

● « bien » ; « à l'aise » en relation avec le verbe *« sich fühlen ».*

> Ich fühle mich nicht **wohl.**
> *Je ne me sens pas bien.*
>
> Hier fühlt man sich **wohl.**
> *Ici on se sent bien.*

- en tant que modalisateur dans le sens de « vraiment », « réelle-
ment », « probablement ».

> **Du weißt es wohl.**
> *Tu le sais bien.*
> **Er wird wohl** kommen.
> *Il viendra bien.*

> Ich erinnere mich **wohl daran.**
> *Je m'en souviens bien.*

- estimation approximative, « environ ».

> **Wohl** 1000 Menschen hatten sich versammelt.
> *Il y avait bien 1000 personnes qui s'étaient rassemblées.*

3. *Recht* (ou *richtig;* voir aussi n° 208)

- conforme à un certain code (mode de vie, morale, raison, situation).

> Er hat **recht** gehandelt (conforme à la morale).
> Er hat **richtig** gehandelt (conforme à la situation).
> *Il a bien agi.*
>
> Das finde ich nicht **recht/richtig.**
> *Je ne trouve pas cela bien.*
>
> Es geschieht ihm **recht.**
> *C'est bien fait pour lui.*
>
> Wenn ich Sie **recht/richtig** verstehe.
> *Si je vous comprends bien.*

- dans le sens de « assez » *recht* indique un certain degré.

> Er ist **recht** krank.
> *Il est bien malade.*

> Er ist noch **recht** jung für diese Arbeit.
> *Il est bien jeune pour ce travail.*

4. *Sehr*

- « Bien » au sens de « très ». *Sehr* est en relation avec des adjectifs,
des adverbes ou des verbes et indique un degré élevé.

> Er ist **sehr** krank.
> *Il est bien malade.*
> Ich bin **sehr** froh.
> *Je suis bien (ou : très) content.*

> Ich hoffe es **sehr.**
> *Je l'espère bien.*

5. *Viel*

- « Beaucoup ». *Viel* est en relation avec des verbes et indique la
quantité.

> Wir haben **viel** gelacht.
> *Nous avons bien ri.*

> Er hat **viel** getrunken.
> *Il a bien bu.*

- Indication de degré : *viel + comparatif* = « bien plus » ;
degré excessif : *viel zu* = « bien trop ».

Er fährt **viel** schnell**er** als ich.
Il roule bien plus vite que moi.

Es ist **viel zu** spät.
Il est bien trop tard.

● « Bien de » ; « bien des » : *viel ; viele :*

viel Mut
bien du courage

viele Leute
bien des gens

6. *Gern*

● Dans le sens de « volontiers » ; souvent en relation avec un conditionnel.

Das glaube ich **gern.**
Je le crois bien.

Ich **möchte gern.**
Je voudrais bien.

Ich **würde** ihm **gern** schreiben.
Je lui écrirais bien.

Expressions

selbstverständlich.
bien sûr.

Danke sehr!
Merci bien!

Er ist ein vornehmer Herr.
C'est un monsieur bien.

Das Mädchen ist in Ordnung.
C'est une fille bien.

EXERCICES

Complétez :

1. Dieses Puzzlespiel ist ... zu schwierig für mich.
2. Fühlst du dich heute nicht ...?
3. Ist das Kind krank? Es ist ... blaß.
4. Diese Farbe steht dir nicht ...
5. Ich habe sie ... seit fünf Jahren nicht gesehen.
6. Er fährt ... Auto.
7. Ich würde dich ... vom Bahnhof abholen.
8. Hast du ... geschlafen?
9. Findest du, daß er seinen Kindern gegenüber ... gehandelt hat.
10. Er hat ... gehandelt. Er hat sofort die Polizei angerufen.

Traduisez en allemand :

1. Comment vas-tu. — Merci, je vais très bien.
2. Tu sais bien que je dois partir.
3. Elle danse bien mieux que moi.
4. Nous avons bien dansé hier soir.
5. Il apportera bien une bouteille de vin.
6. Nous étions bien contents de les rencontrer.

49 Bitten et danken

1. *Bitten*

● *Jmn. um etw. (acc.) bitten* = « demander qqch. à qqn. » ; « prier qqn. de faire qqch. ».

Darf ich dich **um** eine Zigarette **bitten?**
Puis-je te demander une cigarette ?

Ich möchte dich **um** einen Gefallen **bitten.**
J'aimerais te demander un service.

Er hat mich **(darum) gebeten,** Ihnen dieses Paket zu geben.
Il m'a demandé de vous remettre ce paquet.

Formules de politesse :
Bitte!	**Danke schön!**	**Bitte schön!**
S'il vous (te) plaît!	*Merci beaucoup!*	*Il n'y a pas de quoi! (De rien!)*

Würden Sie so freundlich sein und... (par ex. *mir helfen*)?
Auriez-vous l'amabilité de... (m'aider)?

Seien Sie so nett und... (par ex. *schließen Sie das Fenster*).
Soyez assez aimable de... (fermer la fenêtre).

2. *Danken*

● *Jmm. für etw. danken* = « remercier qqn. de qqch. ».

Ich **danke** dir recht herzlich **für** deinen Brief.
Je te remercie beaucoup (litt. : cordialement ; chaleureusement) de ta lettre.

Formules de remerciement :
Vielen Dank! / Herzlichen Dank! / Danke schön!	**Tausend Dank!**
Merci beaucoup!	*Mille fois merci!*
Nein, danke!	**Das ist sehr nett von Ihnen.**
Non, merci!	*C'est très aimable de votre part.*

Vielen Dank für die Blumen!
Merci beaucoup pour les fleurs!

Herzlichen Dank für die Einladung; ich nehme sie gerne an.
Merci beaucoup pour l'invitation; je l'accepte volontiers.

Das wäre aber nicht nötig gewesen. /
Das hätten Sie aber nicht zu tun brauchen.
Mais il ne fallait pas!

EXERCICE

Traduisez en allemand :

1. Je te remercie beaucoup pour le livre que tu m'as envoyé.
2. Soyez assez gentil de ne plus m'appeler.
3. Oh, les belles fleurs! Mille fois merci!
4. Que c'est gentil de votre part!
5. Voudriez-vous encore un morceau de gâteau? — Non, merci!
6. Je voudrais te demander de m'accompagner à la gare.
7. Garçon, un café, s'il vous plaît!
8. Puis-je vous demander le sel?

Mais il ne fallait pas!

50   Bleiben, übrigbleiben (übrig sein)

1. *Bleiben* correspond à « rester » dans le sens de « demeurer », « persister ».
Le verbe employé pour former le parfait est *sein*.

> Wie lange **bist** du in Deutschland **geblieben**?
> *Combien de temps es-tu resté en Allemagne?*

> **Sie ist** jung **geblieben**.   **Er ist** zu Hause **geblieben**
> *Elle est restée jeune.*   *Il est resté chez lui.*

Attention :
Selon qu'elles s'écrivent en un seul mot ou en deux, certaines expressions formées de *bleiben* + verbe de position ont un sens différent.
Sens concret : en deux mots ; sens figuré : en un seul mot.

stehen bleiben	**sitzen bleiben**	**hängen bleiben**
rester debout	*rester assis*	*rester suspendu*
stehenbleiben	**sitzenbleiben**	**hängenbleiben**
s'arrêter, en rester là	*redoubler une classe*	*rester accroché*

Cependant, les deux expressions *liegenbleiben* et *steckenbleiben* s'écrivent en un seul mot à l'infinitif et au participe, aussi bien lorsqu'elles ont un sens concret que lorsqu'elles sont employées avec un sens figuré :

liegenbleiben	**steckenbleiben**
rester couché	*rester enfoncé/*
être oublié	*s'arrêter (dans un discours)*

Comparez :

> Während des ganzen Abends sind wir **stehen geblieben**.
> *Nous sommes restés debout toute la soirée.*

> Wo sind wir das letzte Mal **stehengeblieben**?
> *Où en sommes-nous restés la dernière fois?*

> Meine Uhr ist **stehengeblieben**.
> *Ma montre s'est arrêtée.*

> Ihr könnt ruhig **sitzen bleiben**!
> *Restez donc assis!*

> Inge wird dieses Jahr **sitzenbleiben**.
> *Inge devra redoubler sa classe cette année.*

> Die Äpfel sind am Baum **hängen geblieben**.
> *Les pommes sont restées sur l'arbre.*

> Sie ist mit dem Rock am Busch **hängengeblieben**.
> *Elle est restée accrochée par sa jupe au buisson.*

> Willst du denn den ganzen Tag **liegenbleiben**?
> *Veux-tu donc rester couché toute la journée?*

> Ein Regenschirm ist im Bus **liegengeblieben**.
> *Un parapluie a été oublié dans le bus.*

> Der Schlüssel ist im Schloß **steckengeblieben**.
> *La clef est restée sur la porte.*

> Er ist mitten in seinem Referat **steckengeblieben**.
> *Il s'est arrêté au beau milieu de son exposé.*

2. *Übrigbleiben* et *übrig sein* correspondent à « rester » dans le sens de « être de reste ».

● *übrigbleiben : es bleibt (mir) etw. (acc.) übrig* = « il (me) reste qqch. »

> **Ihr bleiben** nur noch 50 Mark **übrig.**
> *Il ne lui reste que 50 DM.*
>
> Es **blieb ihm** nichts mehr zum Leben **übrig.**
> *Il ne lui restait plus rien pour vivre.*

● *(von etw.) übrig sein* = « rester ».

> **Ist** noch etwas **von** dem Kuchen **übrig ?**
> *Reste-t-il encore du gâteau ?*

Expressions

> Es **bleibt** noch viel **zu** tun.
> *Il reste beaucoup à faire.*
>
> Es **bleibt (mir)** nichts anderes **übrig, als...** + *groupe infinitif*
> *Il ne (me) reste rien d'autre à faire qu'à...*
>
> Es **blieb uns** nichts anderes **übrig, als** wieder abzureisen.
> *Il ne nous resta rien d'autre à faire qu'à repartir.*
>
> **übrigens / im übrigen**
> *du reste (d'ailleurs)*

EXERCICE

Traduisez en allemand :

1. Veux-tu rester pour la nuit (über Nacht) ?
2. Il ne nous reste pas d'autre choix.
3. Hier, je suis resté chez moi.
4. D'ailleurs, j'ai oublié de le lui dire.
5. L'horloge de la gare s'est arrêtée.
6. Il reste 1 000 Mark à payer.
7. Reste-t-il encore du café ?
8. Je suis resté trois mois en Bavière (Bayern).
9. Il ne te reste rien d'autre à faire qu'à recommencer.
10. Il reste à espérer qu'il guérira (gesund werden).

51 Brauchen

1. *Brauchen* + groupe nominal (acc.) =

● « avoir besoin de qqn., de qqch. ».

> Ich könnte dich jetzt **brauchen**
> *J'aurais besoin de toi maintenant.*
>
> Er **braucht** Ruhe.
> *Il a besoin de repos.*
>
> Ich **brauche** keinen Regenschirm.
> *Je n'ai pas besoin de parapluie.*

● « mettre du temps » : *brauchen* + complément de temps (à l'acc.
s'il s'agit d'un groupe nominal).

> **Der Zug braucht einen ganzen Tag.**
> *Le train met une journée entière.*
>
> **Wie lange brauchst du denn noch ?**
> *Combien de temps te faudra-t-il encore ?*

● « pouvoir utiliser », « être utile à » (voir *gebrauchen, verwenden*
n° 46)

> **Kannst du diesen Stoff brauchen ?**
> *Peux-tu utiliser ce tissu ?*

2. *Brauchen* + *zu* + infinitif.

● uniquement avec une <u>négation</u> : « ne pas avoir besoin de faire
qqch. »; « ne pas être obligé de faire qqch. » : *etwas nicht zu
tun brauchen.*

> **Sie brauchen heute nicht zu kommen.**
> *Vous n'êtes pas obligé de venir aujourd'hui.*
>
> **Er braucht das nicht zu wissen.**
> *Il n'a pas besoin de le savoir.*

● ou avec une <u>restriction</u> :
« n'avoir qu'à faire qqch. » : *etwas nur zu tun brauchen.*

> **Du brauchst es mir nur zu sagen.**
> *Tu n'as qu'à me le dire.*

Remarques :

● Dans la langue parlée, *zu* tend à disparaître :

> **Du brauchst nicht (zu) weinen.**
> *Il ne faut pas pleurer.*

● Aux temps composés, *brauchen* prend la forme de l'infinitif lorsqu'il est précédé d'un infinitif :

> **Er hätte nicht zu kommen brauchen.**
> *Il n'aurait pas eu besoin de venir.*

Attention :

Pour traduire « avoir besoin de faire qqch. » (sans négation ni restriction), il faut employer *müssen* :

> **Ich muß mich etwas hinlegen.**
> *J'ai besoin de m'allonger.*

EXERCICE ─────────────────────────────────

Traduisez en allemand :

1. J'ai besoin de toi.
2. Il n'a jamais eu besoin d'un médecin.
3. Elle a besoin d'un nouveau manteau.
4. Il n'a pas besoin de notre conseil.
5. Tu n'as qu'à m'appeler (rufen) si tu
as besoin de moi.
6. Ils n'ont pas besoin de le savoir.
7. De combien de temps auras-tu
besoin pour ce travail ?
8. Il me faudra trois heures.
9. Vous n'auriez pas eu besoin de
nous écrire.
10. Nous n'avons plus besoin de
l'attendre. (warten auf + acc.)

---

52 Comment traduire « certain » ?

1. *Sicher* correspond à l'adjectif « certain » (sens de « sûr »), placé après le nom.

> Ein **sicherer** Erfolg.
> *Une réussite certaine.*

● *einer Sache* (gén.) *sicher sein* ou *sicher sein, daß...* = « être certain de qqch. »

> Ich bin **dessen sicher.**
> *J'en suis certain.*
> Wir sind **sicher, daß** es ihm gelingen wird.
> *Nous sommes certains qu'il réussira.*

2. *Gewiß* correspond à « certain » placé devant le nom (sens de « difficile à préciser », « imprécis »).

> eine **gewisse** Zeit
> *un certain temps*

> ein **gewisser** Herr Schmidt
> *un certain Monsieur Schmidt*

EXERCICE

Traduisez en allemand :
1. Ils arrivaient toujours à une certaine date.
2. En es-tu certain ?
3. Un certain nombre de gens étaient venus.
4. Je n'en suis pas certain.
5. Je suis certain qu'il viendra.
6. C'est une preuve certaine (Beweis).
7. Comment peut-on en être certain !
8. Il lui fallait pour cela un certain courage.

53 Comment traduire « cesser de », « ne pas cesser de », « continuer à » ?

1. Cesser de

● *aufhören* + infinitif avec *zu*.

> Sein Herz hat **aufgehört** zu schlagen.
> *Son cœur a cessé de battre.*

● *nicht mehr* + verbe.

> Er trinkt **nicht mehr.**
> *Il a cessé de boire (il ne boit plus).*

2. Ne pas cesser de

● *nicht aufhören* + inf. avec *zu* ;

> Sie hat **nie aufgehört** ihn zu lieben.
> *Elle n'a jamais cessé de l'aimer.*

- *immer wieder* + verbe ; *immer wieder* note l'intermittence.

> Ich frage mich **immer wieder,** ob....
> *Je ne cesse de me demander si....*

- *unaufhörlich* + verbe.

> Es regnet **unaufhörlich.**
> *Il ne cesse de pleuvoir.*
> *(Il pleut sans cesse.)*

3. Continuer à

- *immer noch* + verbe.

> Sie schreibt ihm **immer noch.**
> *Elle continue à lui écrire.*

- *weiter* + verbe.

> Das Kind spielt **weiter.**
> *L'enfant continue à jouer.*

EXERCICE

Transformez les phrases de façon à remplacer (nicht) aufhören *par les adverbes ci-dessus.*

1. Er hört nicht auf zu sprechen.
2. Hör endlich auf, mich zu stören!
3. Seit zwei Tagen hat es nicht aufgehört zu schneien.
4. Hast du aufgehört, Tennis zu spielen?
5. Seit heute morgen hat das Telefon nicht aufgehört zu läuten.
6. Er hat nie aufgehört, uns zu verteidigen.
7. Er hat mit dem Klavierspielen aufgehört.

54 Comment traduire « c'est... / il est... » ?

1. Pour présenter une personne ou un objet en les désignant expressément : *das ist, das sind....*

> **Das ist** meine Schwester.
> *C'est ma sœur.*
> **Das sind** meine Geschwister.
> *Ce sont mes frères et sœurs.*
> **Das ist** mein Haus.
> *C'est ma maison.*

2. Pour se référer à une chose, un événement évoqués antérieurement : *das ist, das sind... ; es ist, es sind... :*
Das a un caractère plus démonstratif que *es,* qui n'est qu'une simple reprise.

> Ich habe davon gehört. **Das ist (es ist)** eine alte Geschichte.
> *J'en ai entendu parler. C'est une vieille histoire.*

3. Pour se référer à une personne évoquée antérieurement, on emploie les pronoms personnels ou le pronom neutre *es :* *er, sie, es ist; sie sind... / es ist, es sind.*

> Siehst du diesen Jungen? **Es (er)** ist ein guter Freund von mir.
> *Vois-tu ce garçon? C'est un bon ami à moi.*
>
> Ich kenne diese Leute. **Es (sie)** sind unsere Nachbarn.
> *Je connais ces gens. Ce sont nos voisins.*

Attention :

C'est moi : **ich bin es**	C'est nous : **wir sind es**
C'est toi : **du bist es**	C'est vous : **ihr seid es**
C'est lui : **er ist es**	Ce sont eux : **sie sind es**

EXERCICE

Traduisez en allemand :

1. Des enfants chantent. Ce sont les élèves de l'école primaire (die Grundschule).
2. Regarde! C'est un pommier.
3. C'était le bon vieux temps!
4. C'est un bon skieur.
5. C'est une actrice de cinéma.
6. Ouvrez! C'est nous!

55 Comment traduire «c'est ... qui, c'est ... que»?

La tournure «c'est ... qui, c'est ... que» sert à mettre en relief un élément de la phrase. En allemand, cet élément est <u>accentué</u> et placé en <u>tête de phrase</u>. Quelquefois, si le contexte le permet, un *aber,* particule de discours, ou d'opposition (voir n° 2) est ajouté.

> Mein °**Onkel** ist gekommen.
> *C'est mon oncle qui est venu.*
>
> °**Er** wird sich **aber** freuen.
> *C'est lui qui va être content.*
>
> °**Ich** habe angerufen.
> *C'est moi qui ai appelé.*
>
> Gerade °**dieses Mal** hat er sich getäuscht.
> *C'est précisément cette fois-ci qu'il s'est trompé.*
>
> Jetzt kann ich nicht weg. °**Morgen aber** bin ich frei.
> *Maintenant je ne peux pas m'absenter. C'est demain que je suis libre.*

Remarquez :

d'un emploi moins fréquent, la relative est néanmoins possible pour la mise en relief (voir n° 199/6).

> **Ich bin es, die** den Schlüssel gefunden **hat.**
> **Ich bin es, die ich** den Schlüssel gefunden **habe.**
> *C'est moi qui ai trouvé la clef.*

66

Ihr seid es, die geklingelt **haben?**
Ihr seid es, die ihr geklingelt **habt?**
C'est vous qui avez sonné?

EXERCICE

Traduisez en allemand en accentuant l'élément qui est mis en relief :

1. C'est hier que je l'ai rencontré.
2. C'est eux qui nous avaient dérangés (stören).
3. C'est tout de suite qu'il voulait son cadeau.
4. C'est à minuit que j'ai appris la nouvelle.
5. C'est toi qui as fait cela?
6. Tous étaient venus. C'est Felix qui manquait (fehlen).

56 Comment traduire « c'est à ... de ... » ?

1. *Dran sein / dran kommen; an der Reihe sein / an die Reihe kommen* = « C'est à (toi) de ... », « c'est le tour de ... » dans un jeu ou une succession d'actions. La personne désignée est accentuée.
Dans un jeu :

°**Du** bist **dran.** / °**Du** bist **an der Reihe.**
C'est à toi (de jouer).

Jetzt kommt °**ihr dran.** / Jetzt kommt °**ihr an die Reihe.**
C'est à vous (de jouer).

Jetzt bist °**du dran,** mir zu schreiben. /
Jetzt bist °**du** mit dem Schreiben **an der Reihe.**
C'est à toi de m'écrire maintenant.

2. *Müssen* (+ *selbst*) = C'est à ... de faire qqch. ;
(« toi-même et personne d'autre » : idées d'engagement, de décisions à prendre, de responsabilité). La personne désignée ou *selbst* sont accentués.

°**Du mußt** das entscheiden / Das **mußt** °**du** entscheiden!
/ Das **mußt** du °**selbst** entscheiden!
C'est à toi de décider!

3. *Haben* + *zu* + infinitif.
Das **hast** °du **zu** entscheiden!
C'est à toi de décider!

EXERCICE

Traduisez en allemand en accentuant l'élément mis en relief (chaque fois deux solutions) :

1. Ce n'est pas encore à toi!
2. C'est à vous de prendre vos responsabilités (die Verantwortung übernehmen).
3. C'est à nous de vous inviter!
4. Est-ce mon tour maintenant?
5. C'est à toi de trouver une solution (Lösung)!
6. C'est à eux de nous appeler (anrufen).

57 Comment traduire « changer de » ?

1. *Wechseln* (+ acc.) :

● « changer une chose pour une autre » ; « remplacer » :
Wäsche, Kleider, Schuhe wechseln = « changer de linge, de vête-
ments, de chaussures » ;
ein Rad, einen Reifen, Öl wechseln = « changer de roue, de
pneu, d'huile » ;
das Thema, den Gesprächsgegenstand wechseln : « changer de sujet,
de sujet de conversation ».
den Besitzer wechseln = « changer de propriétaire ».

> Er **wechselt** jeden Tag sein Hemd.
> *Il change tous les jours de chemise.*
> **Wechseln** wir das Thema!
> *Changeons de sujet!*

● « changer de (appartement, lieu de travail, école) » :
die Wohnung, den Arbeitsplatz, die Schule wechseln

> Er hat fünfmal seinen Beruf **gewechselt.**
> *Il a changé cinq fois de métier.*

2. *Ändern* (+ acc.) = « modifier ».
seine Meinung, seine Ansicht ändern = « changer d'avis ».
sein Benehmen, sein Auftreten ändern = « changer de comportement, d'attitude ».
die Richtung ändern = « changer de direction ».

> Sie **ändert** unaufhörlich ihre Meinung.
> *Elle change sans arrêt d'avis.*

3. Composés en *um* (séparable) + verbe :
sich umziehen, sich umkleiden = « se changer », « changer de vête-
ments ».
umziehen = « changer d'appartement, de ville », « déménager ».
umsteigen = « changer de train ».

> Du bist ja ganz naß geworden! **Zieh** dich schnell **um!**
> *Tu t'es complètement mouillé! Change-toi tout de suite!*
> Auf dieser Reise sind wir dreimal **umgestiegen.**
> *Pendant ce voyage, nous avons changé trois fois de train.*

EXERCICE

Complétez par wechseln, ändern *ou* um + *verbe :*

1. Wir fahren falsch, du mußt die Richtung ...
2. Klaus ist nach Berlin ...
3. Das Haus hat seinen Besitzer ...
4. Wir müssen gleich weg. Warum hast du dich noch nicht ...?
5. Peter will nun Architekt werden. Er hat die Universität ...
6. An seinem Charakter ist leider nichts zu ...!
7. Wir hatten eine Panne, wir haben einen Reifen ... müssen.
8. Warum ... du dauernd deine Meinung?

58 Comment traduire « commencer » ?

(Voir aussi « finir », n° 94.)

1. « **Commencer qqch.** » et « **commencer à faire qqch.** » se traduisent par :

- *mit etw. anfangen ; mit etw. beginnen.*

  Sie hat mit 5 Jahren **mit** dem Klavierspiel **angefangen (begonnen).**
  Elle a commencé à jouer du piano à 5 ans.

- *anfangen* ou *beginnen* + groupe infinitif :

  Es **fängt** zu schneien **an.** / Es **beginnt** zu schneien.
  Il commence à neiger.

2. « **Commencer à** », qui exprime qu'un certain moment approche, se traduit par :
allmählich (= peu à peu) ou *langsam* (= lentement) + verbe.

Es wird mir **langsam** (ou **allmählich**) zu bunt.
Je commence à en avoir assez.
Ich bekomme **langsam** Hunger.
Je commence à avoir faim.
Diese Arbeit wird mir **allmählich** zuviel.
Ce travail commence à me peser.

3. « **Commencer par** » dans une succession de faits se traduit très souvent par *zuerst*.

Mach **zuerst** deine Aufgaben !
Commence par faire tes devoirs !

EXERCICE

Traduisez en allemand :
1. Il nous faut commencer à apprendre les verbes forts.
2. Je commence à avoir soif.
3. Elle a commencé par dire qu'elle refusait le poste (die Stelle).
4. As-tu déjà commencé à préparer tes valises (das Kofferpacken)?
5. Il commence à m'agacer (jmm. auf die Nerven fallen).
6. Nous commencerons la discussion dans cinq minutes.

59 Les comparatifs d'égalité et d'infériorité
(aussi... que) (pas aussi... que, moins... que) avec des adjectifs et des adverbes.

1. Le comparatif d'égalité : *so* (ou *ebenso*)... *wie*

Sie ist **ebenso** groß **wie** ihr Bruder.
Elle est aussi grande que son frère.

ihr Bruder est au nominatif, car c'est le sujet de *groß ist* sous-entendu :

Sie ist **ebenso** groß **wie** ihr Bruder (groß ist).

Hast du ein **so** schönes Fahrrad **wie** ich?
As-tu une aussi belle bicyclette que moi?

Remarquez :

ce comparatif d'égalité en *so* (ou *ebenso*)... *wie* ne doit pas être confondu avec la comparaison simple :

Ihre Haut ist weiß wie Schnee.
Sa peau est blanche comme neige. (La blancheur de la neige est bien connue...)

2. Le comparatif d'infériorité : *nicht so... wie*

Er ist **nicht so** faul **wie** ich.
Il n'est pas aussi paresseux que moi.

EXERCICE ─────────────────────────────────

Traduisez en allemand :

1. Je répondrai à la lettre aussi rapidement que possible.
2. Il joue aussi bien du piano (Klavier spielen) que sa mère.
3. Elle ne parle pas aussi bien l'alle-mand que son frère.
4. Il est bête comme ses pieds (wie Bohnenstroh).
5. As-tu déjà vu une aussi belle église que celle-ci?

---

60 Le comparatif de supériorité
(ou le degré 1) de l'adjectif et de l'adverbe

A l'adjectif ou l'adverbe on ajoute *-er* ; « que » se traduit par *als* :

Dieser Koffer ist **schwerer als** deiner.
Cette valise est plus lourde que la tienne.

Remarquez :

● Après *als* certains éléments sont sous-entendus ; cela permet de déterminer le cas du terme qui suit *als* :

Dieser Koffer ist schwerer als **deiner**

Mais : (sous-entendu *schwer ist* : donc *deiner* est un nominatif!)

Ich kenne dich besser als **ihn** (sous-entendu *als ich ihn kenne*)
Je te connais mieux que lui.

● Certains adjectifs et certains adverbes ont des formes irrégulières ou avec inflexion :

Formes irrégulières   Formes avec inflexion

hoch : höher   alt, arm, dumm, grob, groß,
gut : besser   hart, jung, kalt, klug,
bald : eher   krank, kurz, lang, nah, scharf,
gern : lieber   schwach, stark, warm
viel : mehr

Es ist heute **wärmer** als gestern.
Aujourd'hui il fait plus chaud qu'hier.

● **Attention** : lorsque sont comparées deux qualités d'adjectifs, l'adjectif ne se met pas au comparatif ; il est précédé de *mehr* ou *eher* :

Er ist **eher dumm** als böse.
Il est plus bête que méchant.

● **L'expression de plus en plus...** se traduit par : *immer* + comparatif :

Es wird **immer kälter.**
Il fait de plus en plus froid.

● **Le comparatif (sans** *als***)** est utilisé dans certaines expressions pour traduire « d'un certain... » :

ein **älterer** Herr.
un monsieur d'un certain âge.

EXERCICE ──────────────────────────────

Traduisez en allemand :
1. Il mange plus que moi.
2. Ce roman était plus intéressant que celui que j'ai lu pendant les vacances.
3. Il court plus vite que toi.
4. Il saute de plus en plus haut.
5. Pierre a de plus grandes jambes (die Beine) que Paul.
6. Il est plus avare (geizig) qu'économe (sparsam).

---

61 Comment traduire « concerner », « en ce qui concerne » ?

---

1. *Betreffen ; angehen ; anbelangen.*
Ces trois verbes sont le plus souvent employés dans les tournures :
was mich (an)betrifft / angeht, anbelangt/, so + verbe. = « en ce qui me concerne,... ».
was die Sache (an)betrifft / angeht / anbelangt/, so + verbe... = « en ce qui concerne l'affaire,... ».

Was mich betrifft (angeht, anbelangt), so kann ich sagen, daß alles in Ordnung ist.
En ce qui me concerne, je peux dire que tout va pour le mieux.

Was deinen Vorschlag anbelangt (angeht, betrifft), so denke ich, daß wir ihn akzeptieren können.
En ce qui concerne ta proposition, je pense que nous pouvons l'accepter.

Expressions :─────────────────────────────

« Das geht dich °nichts an ! »
« Cela ne te concerne pas !

« Das geht nur °mich etwas an »
« Cela ne concerne que moi ! »
Ici seul le verbe *angehen* est employé.

2. Dans la correspondance commerciale et administrative, on utilise couramment des expressions formées à partir du verbe *betreffen*.

● *Betreff, betrifft, betr.* : = « objet » en tête de lettres.

> **Betr. :** ihr Auftrag vom 30.5.19...
> *objet : votre commande du 30/5/19...*

● *in betreff* (+ gén.) ou *betreffs* (+ gén.) = « concernant ».

> Ihre Anfrage **in betreff (betreffs)** der letzten Lieferung haben wir erhalten.
> *Nous avons reçu votre demande concernant la dernière livraison.*

● *betreffend* (employé comme adjectif avec un complément à l'acc.) = « concernant ».

> Ihre die letzte Lieferung **betreffende** Anfrage haben wir erhalten.
> Ihre Anfrage, die letzte Lieferung **betreffend,** haben wir erhalten.
> *Nous avons reçu votre demande concernant la dernière livraison.*

EXERCICES

I. Transformez les phrases en effectuant une reprise par so :

1. Was meine Arbeit betrifft, ich kann sagen, daß sie gut vorankommt.
2. Was uns angeht, wir freuen uns sehr.
3. Was seine Prüfung anbelangt, er ist wieder durchgefallen.
4. Was meine Gesundheit anbetrifft, mache dir keine Sorgen.
5. Was unseren Zeichenlehrer angeht, ich habe gehört, daß er schon wieder krank ist.
6. Was den Unfall anbelangt, er war nicht schuld daran.

II. Remplacez betreffs *et* in betreff *par* betreffend *(deux solutions) :*

1. Unsere Anfrage in betreff der Reparatur des Wagens blieb unbeantwortet.
2. Wir danken für Ihre Anfrage betreffs der Herausgabe des Buches.
3. Alle Hinweise betreffs des Unfalls werden angenommen.

62 L'expression de la concession

On peut distinguer deux types de concession :

1. La concession propositionnelle, celle qui est en relation avec le contenu de la proposition.
Elle peut s'exprimer à l'aide :

● **d'un groupe prépositionnel introduit par** *trotz* + génitif (en langue courante aussi le datif : *trotz allem,* malgré tout).

> Wir gehen **trotz des Regens** spazieren.
> *Nous allons nous promener malgré la pluie.*

● **de l'adverbe** *trotzdem,* qui reprend tout ou partie de l'énoncé précédent :

> Es regnet ; wir gehen **trotzdem** spazieren.
> *Il pleut ; nous allons nous promener quand même.*

● **de subordonnées concessives introduites par** *obwohl* (le plus fréquemment), *obgleich* ou *obschon* (plus rarement) + indicatif (contrairement au français, qui emploie le subjonctif) :

Wir gehen spazieren, obwohl es regnet.
Nous allons nous promener bien qu'il pleuve.

2. **La concession discursive,** celle qui pose une concession à un interlocuteur avant de proposer un contenu (voir aussi n° 43) : Elle peut s'exprimer à l'aide :

● **de propositions contenant** *noch so* et le verbe *mögen* :

Er mag noch so viel Geld verdienen, er kann sich doch kein neues Auto leisten.
Il a beau gagner beaucoup d'argent, il ne peut pas se payer une voiture neuve.

● **de concessives à forme de subordonnées** (verbe conjugué en dernière place) introduites par un élément en W-
(*wer, was, wo, wenn...*) + *auch* : le verbe conjugué est soit *mögen,* soit un verbe à l'indicatif (*sein* est parfois au subjonctif !).

Wie dem auch sei, ich bleibe zu Hause.
Quoi qu'il en soit, je reste à la maison.
Wer auch klopfen mag, ich öffne niemals die Tür.
Qui que ce soit qui frappe, je n'ouvre pas la porte.

● **de concessives introduites par** *so* + *auch* : verbe *mögen* ou verbe à l'indicatif (ou *sein* parfois au subjonctif !)

So groß er auch ist (ou **sein mag** / ou **sei),** er ist immer noch so dumm.
Il a beau être grand, il est toujours aussi bête.

● *zwar* : certes, en corrélation très souvent avec *aber,* mais :

Er ist zwar nicht mehr sehr jung, aber er treibt immer noch viel Sport.
Il n'est certes plus très jeune, mais il fait encore beaucoup de sport.

Pour la structure des phrases avec concessives, voir n° 169.

EXERCICE

Traduisez en allemand :
1. Il a couru jusqu'à la voiture malgré l'orage (das Gewitter).
2. Bien qu'il habite à Berlin, il n'est jamais allé en R.D.A.
3. Quoi que tu fasses, tu ne gagneras pas.
4. Il a beau courir vite, il ne le rattrapera (einholen) pas.
5. Il a certes réussi à son examen, mais il n'a toujours pas d'emploi.

---

63 L'expression de la condition

La condition peut s'exprimer :

1. Par un groupe prépositionnel introduit par la préposition :

● *bei* + datif.

Bei schönem Wetter gehen wir spazieren.
Par beau temps nous allons nous promener.

2. Par une **subordonnée conditionnelle** introduite par :

● *falls* — *im Falle, daß* (au cas où) — *vorausgesetzt, daß* (à supposer que) — *es sei denn, daß* (à moins que) :

> **Falls du über München fährst,** vergiß nicht, in die Oper zu gehen.
> *Au cas où tu passes par Munich, n'oublie pas d'aller à l'opéra.*
>
> Geh nicht ins Wasser, **es sei denn, daß es sehr warm ist.**
> *Ne vas pas dans l'eau, à moins qu'elle ne soit très chaude.*

● *wenn*

+ indicatif présent si la condition est réalisable :

> **Wenn du Hunger hast,** nimm ein Stück Schokolade.
> *Si tu as faim, prends un morceau de chocolat.*

+ subjonctif II hypothétique si la condition est posée comme hypothèse non encore réalisée :

> **Wenn ich reich wäre,** würde ich mir eine Jacht kaufen.
> *Si j'étais riche, je m'achèterais un yacht.*

+ subjonctif II irréel si la condition est posée comme hypothèse qui ne s'est pas réalisée dans le passé :

> **Wenn er das Buch gelesen hätte,** hätte er auf die Frage antworten können.
> *S'il avait lu le livre, il aurait pu répondre à la question.*

La correspondance des formes verbales est la suivante :

Conditionnelle		Proposition
indicatif présent	(ex. : *kommt*)	indicatif présent ou impératif
subjonctif II hypothétique	(ex. : *käme*)	subjonctif II hypothétique (éventuellement subjonctif II irréel)
subjonctif II irréel	(ex. : *gekommen wäre*)	subjonctif II irréel (éventuellement subjonctif II hypothétique)

3. Par les **adverbes** *sonst* ou *andernfalls,* qui font référence au contexte antérieur :

> Ein Glück, daß es nicht geregnet hatte ; **sonst** wärst du aber naß geworden. (= wenn es geregnet hätte, wärst du naß geworden).
> *Encore heureux qu'il n'ait pas plu ; sinon tu te serais mouillé.*

Remarque :

● sur l'emploi des formes de subjonctif hypothétique, voir n° 224.
● sur l'expression de l'hypothèse, voir n°ˢ 168, 224.

EXERCICE

Mettre le verbe de la conditionnelle à la bonne forme :

1. Wenn du gestern (kommen), hättest du ihn noch gesehen.
2. Wenn du Zeit (haben), kannst du ihn besuchen.
3. Wenn du (vorbeikommen), würde ich dir die Dias zeigen.
4. Wenn du Glück (haben), kannst du einen Computer gewinnen.
5. Wenn du die Zeitung (lesen), hättest du es erfahren.
6. Wenn er vorsichtiger (fahren), hätte er keinen Unfall gehabt.
7. Wenn er seine Ferien in Deutschland (verbringen), würde er Fortschritte machen.

64 Les conjonctions de coordination

Les conjonctions suivantes peuvent relier des éléments de la proposition ou des propositions entières. Lorsqu'elles relient des propositions, elles se placent entre celles-ci ; mais certaines conjonctions peuvent être intégrées à la deuxième proposition.

1. *Aber* = mais (voir aussi n° 2)

> Er ist noch jung, **aber** schon sehr intelligent.
> *Il est encore jeune, mais déjà très intelligent.*
>
> Sie ist heute krank, **aber** sie geht trotzdem ins Kino. (*ou bien :* sie geht **aber** trotzdem ins Kino)
> *Aujourd'hui elle est malade, mais elle va quand même au cinéma.*

2. *Allein* = mais (voir n° 14)

3. *Denn* = car

> Ich muß nach Hause, **denn** es ist schon spät
> (place de *denn* obligatoire entre la proposition 1 et la proposition 2)
> *Je dois rentrer, car il est déjà tard.*

4. *Nämlich* = car, en effet (sens très voisin de *denn*)

> Ich muß nach Hause, es ist **nämlich** schon spät
> (*nämlich* est obligatoirement intégré à la proposition 2)

5. *Oder* = ou

> Kommst du im Juli **oder** im August ?
> *Viens-tu au mois de juillet ou au mois d'août ?*
>
> Bleibst du zu Hause **oder** kommst du mit uns ?
> (place de *oder* obligatoire entre proposition 1 et proposition 2)
> *Restes-tu à la maison ou viens-tu avec nous ?*

6. *Und* = et

> Sein Bruder **und** sein Onkel wohnen in England.
> *Son frère et son oncle habitent en Angleterre.*
>
> Peter arbeitet in seinem Zimmer, **und** Ursula schläft noch. (place obligatoire de *und* entre proposition 1 et proposition 2)
> *Pierre travaille dans sa chambre et Ursula dort encore.*

7. *Sondern* = mais (voir n°s 3 et 150)

8. *Entweder... oder...* = ou... ou... (voir n° 250)

9. *Weder... noch...* = ni... ni... (voir n° 250)

EXERCICE

Traduisez en allemand :

1. Il n'a que huit ans et il sait déjà jouer aux échecs.
2. Pendant les vacances, je lis des romans ou j'écoute des disques.
3. C'est beau mais cher !
4. Prends ton parapluie, car il pleut (2 traductions).
5. Y vas-tu en train ou en autobus ?

65 Les conjonctions de subordination

1. *Daß* introduisant une **subordonnée.**

● en fonction de sujet :

Daß er gern Bier trinkt, ist mir schon längst aufgefallen.
Je me suis aperçu depuis longtemps qu'il aime bien la bière. (litt. Le fait qu'il aime bien la bière m'a frappé depuis longtemps.)

● en fonction de complément d'objet :

Ich will, **daß du deine Schulaufgaben machst.**
Je veux que tu fasses tes devoirs.

2. *Ob* introduisant une **subordonnée.**

● en fonction de sujet :

Ob er morgen kommt, ist noch nicht sicher.
Il n'est pas encore sûr qu'il vienne demain.

● en fonction de complément d'objet :

Ich weiß nicht, **ob er gern Sauerkraut ißt.**
Je ne sais pas s'il aime la choucroute.

Notez :

sur l'emploi de *es* avec les subordonnées introduites par *daß* ou *ob*
voir n° 87

3. Les relatives sujet :

Wer das Glas zerschlagen hat, soll es auch bezahlen.
Celui qui a cassé le verre doit le payer.

4. Les interrogatives indirectes : voir n° 123

5. Les subordonnées temporelles :

● *als* et *wenn* : voir n° 16.

● *bevor/ehe* : avant que (voir n° 35).

Bevor du den Brief schreibst, hol mir die Zeitung!
Avant d'écrire la lettre, va me chercher le journal!

● *nachdem* : après que (voir n° 23).

Nachdem er zu Hause angekommen war, rief er seine Freundin an.
Après être arrivé à la maison, il téléphona à son amie.

● *seit/seitdem* : depuis que.

Seitdem er in Deutschland lebt, ißt er kein Weißbrot mehr.
Depuis qu'il vit en Allemagne, il ne mange plus de pain blanc.

● *bis* : jusqu'à ce que.

Warte, **bis ich zurückkomme.**
Attends que je revienne.

- *sobald* : dès que.

    Sobald ich mit der Arbeit fertig bin, gehen wir spazieren.
    Dès que j'aurai fini mon travail, nous irons nous promener.

- *solange* : tant que, aussi longtemps que.

    Solange du nicht jeden Tag eine deutsche Zeitung liest, wirst du
    keine Fortschritte machen.
    *Tant que tu ne liras pas un journal allemand tous les jours, tu ne feras
    pas de progrès.*

- *sooft* : toutes les fois que.

    Sooft er zu Besuch kam, brachte er den Kindern Schokolade mit.
    Toutes les fois qu'il nous rendait visite, il apportait du chocolat aux enfants.

- *während* : pendant que ou tandis que (adversatif).

    Während sie fernsahen, klopfte plötzlich jemand an die Tür.
    Pendant qu'ils regardaient la télévision, quelqu'un frappa soudain à la porte.
    Sie blieb zu Hause, **während ich zum Arzt lief.**
    Elle resta à la maison, tandis que je courus chez le médecin.

6. Les subordonnées de manière et de moyen.

    Er wollte ihr Freude bereiten, **indem** (= **dadurch daß**) **er ihr Blu-
    men schickte.**
    Il voulut lui faire plaisir en lui envoyant des fleurs.

7. Les conditionnelles, voir n° 63.

8. Les causales.

- *weil* : parce que.

    Auf den Straßen ist es gefährlich, weil es geregnet hat.
    Les routes sont dangereuses parce qu'il a plu.
    (litt. Sur les routes c'est dangereux parce qu'il a plu).

- *da* : comme (indique une relation causale évidente).

    Da er kein Geld mehr hatte, mußte er zu Fuß nach Hause.
    Comme il n'avait plus d'argent, il dut rentrer à pied.

9. Les concessives (voir n°s 62 et 169 sur la place du verbe de
la proposition).

- *obwohl, obgleich, obschon* : bien que, quoique.

    Obwohl er krank ist, geht er in die Schule.
    Bien qu'il soit malade, il va à l'école.

Attention :

après *obwohl, obgleich, obschon* on emploie l'indicatif et non le subjonctif : *obwohl er krank sei* est impossible !

- *wenn... auch,* même si, so... auch, si... que, wo... auch, où que...

    Wo sie auch hingehen mag, sie findet heute abend kein Brot mehr.
    Où qu'elle aille, elle ne trouvera plus de pain ce soir.

10. Les finales.

● *damit* / *daß* : pour que.

> Nimm deinen Regenschirm, **damit (daß) du nicht naß wirst.**
> *Prends ton parapluie pour ne pas te faire mouiller.*

11. Les subordonnées de conséquence.

● *daß* : de sorte que.

● *so..., daß* : si... que.

● *..., sodaß* : si bien que.

> Er war so krank, **daß er nicht aufstehen konnte.**
> *Il était si malade qu'il ne pouvait se lever.*

12. Les subordonnées de comparaison.

> Er ist besser **als man denkt.**
> *Il est meilleur qu'on ne le pense.*

> Er tut, **als ob er nichts gehört hätte.** / Er tut, **als hätte er nichts gehört.**
> *Il fait comme s'il n'avait rien entendu.*

EXERCICE

Traduisez en allemand :

1. Dès que j'aurai fini de manger, je jouerai avec toi.
2. Il est arrivé à l'heure, bien que son train ait eu 10 minutes de retard (Verspätung).
3. Apporte ta scie (die Säge) pour que je puisse scier (sägen) mon bois.
4. Depuis qu'il a une moto, il va se promener tous les dimanches.
5. Pendant qu'ils étaient en train de manger, la terre trembla (beben).

---

66 La conjugaison des verbes : particularités

Pour les tableaux de conjugaison voir A 10.
Pour les verbes forts et faibles voir n° 243.
Pour le subjonctif 1 voir n° 220.
Pour le subjonctif 2 voir n° 222, 223.
Pour les verbes prétérito-présents voir n° 246.
Pour l'impératif voir n° 115.
Pour le choix de *haben* ou *sein* voir n° 108.
Pour le passif voir n° 177.

On peut relever les particularités suivantes dans la conjugaison des verbes allemands :

1. Les alternances vocaliques aux 2ᵉ et 3ᵉ personnes du présent de l'indicatif :

A la 2ᵉ et 3ᵉ personne du singulier du présent de l'indicatif :

● la plupart des verbes forts en *e*, *ä* et *ö* ont un *i* bref ou un *i* long :

> Ich gebe, **du gibst, er gibt,** wir geben... (donner)
> Ich gebäre, **du gebierst, sie gebiert** (engendrer).
> (erlöschen), **es erlischt** (s'éteindre).

Cette règle ne s'applique pas aux verbes *gehen* (aller), *stehen* (être debout), *gären* (fermenter), *genesen* (guérir).

● les verbes en *a* (sauf *schaffen,* créer) ont un *ä* bref ou un *ä* long.

> ich trage, **du trägst, er trägt,** wir tragen... (porter)
> ich halte, **du hältst, er hält,** wir halten... (tenir).

● les verbes en *au* (sauf *hauen,* battre) ont *äu* :

> ich laufe, **du läufst, er läuft,** wir laufen... (courir).

● le verbe *stoßen* a un *ö* :

> ich stoße, **du stößt, er stößt,** wir stoßen... (pousser).

2. **Suppression du** *s* à la deuxième personne du singulier du présent de l'indicatif pour les verbes dont le radical se termine par *s*, *ss* et *tz, z, ß*.

> ich lese, **du liest** (et non pas du lie~~s~~st)
> ich lasse, **du läßt**
> ich sitze, **du sitzt**
> ich heize, **du heizt**
> ich grüße, **du grüßt.**

3. **Suppression du** *e* du radical à la première personne du singulier du présent de l'indicatif des verbes en -*eln,* et souvent des verbes en -*ern* :

> sammeln (rassembler) : **ich sammie** (et non pas *ich sa~~mm~~ele*)
> wandern (se promener à pied) : **ich wandre** (aussi bien que *ich wandere*).

4. **Suppression du** *e* de la terminaison aux 1re et 3e personnes du pluriel de ces mêmes verbes :

> **wir, sie sammeln** (et non pas *sa~~mm~~elen*)
> **wir, sie wandern.**

5. **Ajout d'un** *e* intercalaire au présent et au prétérit de l'indicatif (verbes faibles) pour les verbes dont le radical se termine par *d, t* ou *consonne + m* ou *n* :

présent			
ich	arbeite	ich	zeichne
du	arbeit-**e**-st	du	zeichn-**e**-st
er	arbeit-**e**-t	er	zeichn-**e**-t
wir	arbeiten	wir	zeichnen
ihr	arbeit-**e**-t	ihr	zeichn-**e**-t
sie	arbeiten	sie	zeichnen

prétérit	
ich arbeit-**e**-te	ich zeichn-**e**-te
du arbeit-**e**-test	du zeichn-**e**-test
er arbeit-**e**-te	er zeichn-**e**-te
wir arbeit-**e**-ten	wir zeichn-**e**-ten
ihr arbeit-**e**-tet	ihr zeichn-**e**-tet
sie arbeit-**e**-ten	sie zeichn-**e**-ten

Remarque :

ne suivent pas cette règle au présent les verbes forts qui ont l'alternance vocalique :
treten (marcher) : **du trittst, er tritt** (et non pas ~~trittest et trittet~~).

EXERCICE

Donnez les 2e et 3e personnes de l'indicatif présent des verbes suivants :

1. sehen
2. saufen
3. empfehlen
4. nehmen
5. fahren
6. essen
7. erschrecken (v. fort)
8. wachsen
9. treffen
10. schlafen
11. reden
12. laden (v. fort)
13. atmen
14. raten
15. zittern
16. setzen
17. beißen
18. warten
19. lassen
20. klingeln

67 Donner un conseil

1. *Jmm. raten, etw. zu tun* = « conseiller à qqn. de faire qqch. », « lui recommander de faire qqch. »

> Er hat mir **geraten,** aufs Land zu fahren.
> *Il m'a conseillé de partir à la campagne.*

2. *Jmm. einen Rat geben* = « donner un conseil à qqn. ».

> Wenn ich dir **einen** guten **Rat geben** darf : rufe einen Arzt.
> *Si je peux te donner un bon conseil : appelle un médecin !*

3. *Jmn. (bei, in etw.) beraten* = « conseiller qqn. » ; « guider qqn. en lui conseillant ce qu'il doit faire ».

> Kannst du mich **bei** der Wahl eines Wörterbuchs **beraten**
> *Peux-tu me conseiller dans le choix d'un dictionnaire ?*
> Er ist gut (schlecht) **beraten.**
> *Il est bien (mal) conseillé.*

4. *An deiner Stelle* (+ subjonctif II) = « (si j'étais) à ta place ».

> **An deiner Stelle würde** ich es anders machen / hätte ich es anders gemacht.
> *A ta place je le ferais autrement / je l'aurais fait autrement.*

Traduisez en allemand :
1. Je te conseille de ne rien dire.
2. A votre place, je lui en parlerais.
3. Il se fait conseiller par son avocat (der Rechtsanwalt).
4. Je vous conseille de prendre ce chemin.
5. Peux-tu me conseiller dans mes achats ?
6. A sa place, je serais revenu immédiatement.

68 Comment traduire « (se) considérer comme », « tenir pour » « se prendre pour » ?

1. *Jmn. betrachten als* (+ acc.) ; *sich betrachten als* (+ nom.) = « considérer qqn. comme » ; « se considérer comme ».

> Ich **betrachte ihn als** einen Spezialis**ten**.
> *Je le considère comme un spécialiste.*

> Er **betrachtet sich als** ein Spezialist.
> *Il se considère comme un spécialiste.*

2. *Jmn. ansehen als* (+ acc.) ; *sich ansehen als* (+ nom.) = « considérer qqn. comme » ; « se considérer comme ».

> Wir **sahen ihn als** unser**en** Freund an.
> *Nous le considérions comme notre ami.*

> Er **sah sich als** unser Freund an.
> *Il se considérait comme notre ami.*

Notez :
Après *als,* lorsque l'attribut de l'objet désigne la même personne que le sujet, le nom se met le plus souvent au nominatif.

Remarque :
Le verbe *(sich) bezeichnen als* = « (se) dire » a le même comportement syntaxique :

> Man **bezeichnet ihn als** ein**en guten** Pädagog**en**.
> *On le dit bon pédagogue.*

> Er **bezeichnet sich als** ein guter Pädagoge.
> *Il se dit bon pédagogue.*

3. *Jmn. halten für* (+ acc.) ; *sich halten für* (+ acc.) = « tenir qqn. pour » ; « se prendre pour » « passer pour ».

> Man **hält ihn für** ein**en** Weinkenner.
> *Il passe pour être un connaisseur en vins.*

> Er **hält sich für** ein**en** Weinkenner.
> *Il se prend pour un connaisseur en vins.*

Traduisez en allemand :

1. Il me considère (betrachten) comme son ami.
2. Il se considère comme mon ami.
3. Il passe pour être un médecin compétent (tüchtig).
4. Il se prend pour un bon médecin.
5. Je le considère (ansehen) comme un bon pilote (der Pilot, -en).
6. Il se considère comme un bon pilote (sich halten für).

69 Les contractions « préposition + article défini ».

Au datif et à l'accusatif singulier, certaines prépositions peuvent se contracter avec l'article défini *der, das, die.* Certaines contractions sont très courantes et quasiment obligatoires dans certains emplois, d'autres sont familières, d'autres très familières.

1. Contractions courantes :

am = an dem
Am Montag fahre ich nach Bonn.
Lundi je vais à Bonn.

beim = bei dem
Sie ist **beim** Bäcker.
Elle est chez le boulanger.

im = in dem
Im Sommer fährt er gern in die Alpen.
En été, il aime bien aller dans les Alpes.

vom = von dem
Er ist **vom** Tisch herabgefallen.
Il est tombé de la table.

zum = zu dem
Er schaut **zum** Fenster hinaus.
Il regarde par la fenêtre.

ans = an das
Er läuft bis **ans** Auto.
Il court jusqu'à la voiture.

ins = in das
Gehst du heute Abend **ins** Theater?
Vas-tu au théâtre ce soir ?

zur = zu der
Ich gehe **zur** Post.
Je vais à la poste.

2. Contractions familières.

hinterm = hinter dem
Er ist **hinterm** Baum.
Il est derrière l'arbre.

überm = über dem
Die Hose hängt **überm** Stuhl.
Le pantalon est pendu à la chaise.

unterm = unter dem
Was machst du **unterm** Tisch?
Que fais-tu sous la table ?

vorm = vor dem
Wer steht da **vorm** Auto?
Qui est-ce qui est devant la voiture ?

aufs = auf das
durchs = durch das

fürs = für das
ums = um das

3. Contractions très familières.

hintern = hinter den   gegens = gegen das
übern = über den   hinters = hinter das.
untern = unter den   unters = unter das
vorn = vor den   vors = vor das

Remarque :

● Certaines contractions courantes sont obligatoires ; l'usage les a consacrées : *am Abend*, le soir, *im Winter*, en hiver, *beim Friseur*, chez le coiffeur, *zur Post* (gehen)...
Dans certains cas, elles sont facultatives :

> Die Kinder sitzen **am** (ou **an dem**) Tisch.
> *Les enfants sont assis à table.*

● Certaines contractions familières ont également été consacrées par l'usage et sont devenues obligatoires, par exemple :

> **ums** Leben kommen = périr
> **übers** Wochenende = pendant le week-end
> **aufs** Land gehen = aller à la campagne
> es wird mir leichter **ums** Herz = je me sens soulagé

● La contraction n'est pas recommandée lorsque le groupe nominal est suivi d'une relative, d'un complément de nom...

> Wir kaufen unser Brot **bei dem** Bäcker, **der** sein Geschäft vor drei Monaten eröffnet hat.
> *Nous achetons notre pain chez le boulanger qui a ouvert son magasin il y a trois mois.*

● La contraction est interdite lorsqu'on utilise le démonstratif accentué *der, das, die* :

> Kaufst du dein Brot bei **dem** Bäcker ?
> *Achètes-tu ton pain chez ce boulanger-là ?*

EXERCICE ───────────────────────────────

Contractez préposition et article défini, lorsque c'est possible.

1. Zuerst laufen wir durch den Wald.
2. In dem Wald kann man sich verlaufen.
3. Stell dich vor das Fenster !
4. Kann ich mich auf das Bett setzen ?
5. Er kommt von der Schule zurück.
6. Warum läuft er so um das Haus ?

70 La date

1. En tête de lettre : date du jour.

Normalement, après le nom de la localité, suivi d'une virgule, on indique le jour à l'accusatif avec *den,* suivi d'un point, le mois, suivi d'un point, et l'année, non suivie d'un point.
Köln, den 13.4.1985 (ou 85)
qui se lit : *Köln, den dreizehnten vierten neunzehnhundertfünf-undachtzig* (ou *fünfundachtzig*) et non : *...den dreizehn vier ...*

Cette ponctuation est obligatoire et les chiffres du jour et du mois sont des adjectifs numéraux ordinaux à l'accusatif : le treizième jour du mois, le quatrième mois de l'année. Les points après 13 et 4 indiquent qu'il s'agit d'ordinaux qui prennent les marques de l'adjectif.

On peut rencontrer aussi la formule : **Köln, 13.4.1985**

Les formules : **Köln, am 13.4.1985** ou **Köln, im April 1985**
ne sont employées éventuellement que dans des documents, des annonces officiels ; elles donneraient à une lettre normale un caractère de solennité.

2. Hors en-tête de lettre :

● sans indication de jour : *am...*
> Er ist **am** 3. Mai 1975 gestorben (...am dritten...)
> *Il est mort le 3 mai 1975.*

● avec indication de jour :

soit : *am* + jour, *dem* + ordinal + mois,...
> Er kommt **am** Sonntag, dem 8. März, an.
> *Il arrive dimanche le 8 mars.*

soit : jour, *den* + ordinal + mois (,) ...
> Er kommt Sonntag, **den** 8. März(,)an.

Remarques :

● « Aujourd'hui nous sommes le 15 juin » se dit soit
> Heute haben wir den 15. Juni.

soit
> Heute ist der 15. Juni.

● « de + date...à + date » se traduit :
von... bis... avec indication de jour :
> du lundi 27 novembre au mercredi 5 décembre :

von Montag, dem (ou den) 27. November, **bis** Mittwoch, dem (ou den) 5. Dezember.

vom ... bis zum... sans indication de jour :
> *du 27 novembre au 5 décembre*
> **vom** 27. November **bis zum** 5. Dezember.

EXERCICES

Lisez les dates suivantes :
Berlin, den 2.5.1978
Bonn, den 30.9.1870

Düsseldorf, den 16.12.1980
München, den 1.1.1983
Stuttgart, den 4.7.1966

Traduisez en allemand :
1. Il est mort le 15 janvier 1972.
2. Peux-tu venir le mercredi 3 juillet 1985 ?
3. Du 3 août au 1er septembre, je serai en Allemagne.
4. Samedi le 25 octobre 1986, il fêtera son quarantième anniversaire.
5. Je voudrais trois places pour le jeudi 7 novembre.

---

71 Le datif : emplois

On trouve des groupes nominaux ou des pronoms au datif :

1. Comme complément d'un verbe :

● le datif peut être le seul complément, avec des verbes comme *danken,* remercier, *gratulieren,* féliciter, *helfen,* aider, *folgen,* suivre, *schaden,* nuire, *widersprechen,* contredire, *drohen,* menacer, *dienen,* servir.

> Ich danke **dir.**
> *Je te remercie.*

Attention : certains de ces verbes ont un complément indirect en français !

● le datif est accompagné d'un accusatif, avec des verbes comme *geben,* donner, *schenken,* offrir, *leihen,* prêter, *senden,* envoyer, *bringen,* apporter, *schicken,* envoyer...

> Ich habe **ihm** ein Päckchen geschickt.
> *Je lui ai envoyé un petit paquet.*

● le datif est accompagné d'un accusatif et d'un complément du domaine spatial :

> Er hat **mir** den Ball ins Gesicht geworfen.
> *Il m'a lancé la balle dans la figure.*

● le datif est accompagné d'un complément du domaine spatial :

> Er springt **ihm** auf den Rücken.
> *Il lui saute sur le dos.*

● Le datif dépend de la rection de l'adjectif, par exemple *fremd,* étranger, *bekannt,* connu, *lieb,* cher, *nützlich,* utile, *treu,* fidèle... (voir A 13).

> Sie ist **ihm** treu geblieben.
> *Elle lui est restée fidèle.*

- le datif avec le verbe *sein*

  Mir ist kalt.*ou :* Es ist **mir** kalt.
  J'ai froid.

- le datif équivalent de *für mich :*

  Dieser Film ist **mir** zu langweilig.
  Pour moi, ce film est trop ennuyeux.

2. Comme dépendant d'une préposition (voir n° 183)

Ich bleibe mit **ihm** zu Hause.
Je reste avec lui à la maison.

3. Comme expression du locatif après certaines prépositions (voir n° 137)

Er steht vor **der Tür.**
Il est devant la porte.

4. Comme complément de temps après certaines prépositions (voir n°ˢ 230 à 232)

Ich komme **am Sonntag.**
Je viendrai dimanche.

EXERCICES

Mettre le pronom entre parenthèses au datif :
1. Er ist ... nicht bekannt (ich).
2. Ich habe ... nicht helfen können (sie, *fém. sing.*)
3. Ich habe ... einen Blumenstrauß gebracht. (Sie *forme de pol. sing.*)
4. Ist ... jetzt warm? (du).
5. Ich gratuliere ... zum Geburtstag. (du).
6. Das Wasser ist ... zu kalt. (ich).

2. Traduisez en allemand :
1. Il a menacé mon père avec un couteau (das Messer).
2. A qui as-tu prêté ce livre?
3. Je l'ai suivi jusqu'à la gare.
4. Il me saute sur les épaules (die Schultern).
5. Ce livre t'est-il utile?

72 Comment traduire « décider » ?

L'allemand fait la distinction entre « (se) décider » dans le sens de « faire un choix entre deux ou plusieurs possibilités » = *(sich) entscheiden,* et « décider » dans le sens de « prendre une décision définitive » = *beschließen. Sich entschließen* correspond à l'idée de « se résoudre à ».

1. *(Sich) entscheiden* = « se décider » ; « décider de qqch. » dans le sens de « choisir entre deux ou plusieurs possibilités » permet diverses constructions.

- *sich entscheiden für* (+ acc.) : « se décider pour ».

  Für welches Kleid hast du **dich entschieden?**
  Pour quelle robe t'es-tu décidée?

● *sich entscheiden zwischen* (+ dat.) : « se décider entre, choisir ».

Er mußte sich zwischen zwei Berufen entscheiden.
Il a dû choisir (se décider) entre deux professions.

● *sich entscheiden* + interrogation indirecte : « se décider » + interr. indirecte.

Sie kann sich nicht entscheiden, mit welchem Freund sie tanzen geht.
Elle ne peut pas se décider avec quel ami elle ira danser.

● *über etw.* (+ acc.) *entscheiden* = « décider de qqch. » (entre deux ou plusieurs possibilités ;

Die Wähler werden darüber entscheiden.
Les électeurs en décideront.

● *entscheiden* + interrogation indirecte : « décider » + interr. indirecte.

Heute wird entschieden, ob der Antrag genehmigt wird.
C'est aujourd'hui que l'on décide si la demande est acceptée.

● *eine Entscheidung treffen* = « prendre une décision » (entre deux ou plusieurs possibilités)

In dieser Angelegenheit muß der Direktor eine Entscheidung treffen.
Dans cette affaire, c'est le directeur qui doit prendre la décision.

Notez :
etw. (+ acc.) *entscheiden* correspond à « trancher qqch. », « régler qqch. ».

Er hat diese Frage noch nicht entschieden.
Il n'a pas encore réglé cette question.

Nichts ist entschieden.
Rien n'est décidé.

2. *Sich entschließen* = « se décider à », « prendre la décision de ».

● *sich entschließen zu* : « se décider à ».

Ich kann mich zu dieser Reise nicht entschließen.
Je ne peux pas me décider à faire ce voyage.

● *sich entschließen* + interrogation indirecte : « se décider » + interr. indirecte.

Du mußt dich endlich entschließen, welchen Beruf du wählen willst.
Il faut que tu décides enfin quel métier tu veux choisir.

● *sich entschließen* + groupe infinitif : « décider de + inf. ».

Wir haben uns endlich entschlossen, das Landhaus zu verkaufen.
Nous avons enfin pris la décision de vendre la maison de campagne.

● *den Entschluß fassen* + groupe infinitif : « prendre la décision de ».

Er hat den Entschluß gefaßt, sein Leben zu ändern.
Il a pris la décision de changer sa vie.

● *entschlossen sein zu* (+ dat.) : « être décidé à ».

Er ist zu allem entschlossen.
Il est décidé à tout.

● *entschlossen sein* + groupe infinitif = « être décidé à + inf. ».

Er ist fest entschlossen, sein Leben zu ändern.
Il est fermement décidé à changer de vie.

3. *Beschließen*

● *etw.* (+ acc.) *beschließen ;* = « décider qqch. », « arrêter » (dans le sens d'« adopter une conclusion définitive »).

> Der Chirurg hat die Operation **beschlossen.**
> *Le chirurgien a décidé l'opération.*

● *beschließen* + groupe infinitif : « décider de + inf. »

> Er hat **beschlossen,** Arzt zu werden.
> *Il a décidé de devenir médecin.*

● *einen Beschluß fassen* + groupe infinitif = « prendre la décision de ».

> Alle Anwesenden **faßten den Beschluß,** nicht mehr zu rauchen
> *Toutes les personnes présentes prirent la décision de ne plus fumer.*

Notez :

● « Décider qqn. à faire qqch. » se traduit par
jmn. zu etw. bewegen (verbe fort) ou *jmn. zu etw. bestimmen.*

> Er hat mich dazu **bewogen (bestimmt),** in die Partei einzutreten.
> *Il m'a décidé à entrer au parti.*

● « Décidément » se traduit selon le contexte par un des modalisateurs suivants :
entschieden, eindeutig, gewiß, sicherlich, ganz sicher, ganz bestimmt, ganz offensichtlich, tatsächlich, wahrhaftig.

> Das ist **entschieden (eindeutig)** ein Vorteil.
> *Décidément, c'est un avantage.*

> Das ist **gewiß (sicherlich ; ganz sicher)** das Beste.
> *Décidément, c'est le mieux.*

> Sie ist **tatsächlich (ganz offensichtlich)** verrückt !
> *Décidément, elle est folle !*

> Ich habe **wahrhaftig** kein Glück !
> *Décidément, je n'ai pas de chance !*

EXERCICES

Ajoutez le verbe ou l'expression qui convient :

1. Er kann sich nicht . . ., seine Freundin zu heiraten.
2. Er kann sich nicht . . ., welche Freundin er heiraten soll.
3. Er ist zu allem . . . .
4. Das ist . . . zuviel !
5. Hast du endlich deinen E. . . ?
6. Es wurde . . ., ein neues Schwimmbad zu bauen.
7. Was hat dich dazu . . ., so zu . . . ?

Traduisez en allemand :

1. Cet événement décida de sa vie.
2. Les étudiants décidèrent de faire la grève (streiken).
3. Nous avons décidé (nous nous sommes décidés à) d'acheter une voiture.
4. Pour le moment, rien n'est décidé.
5. C'est à toi de décider si c'est nécessaire.
6. J'ai pu le décider à venir avec nous.

73 Comment traduire « demander » ?

En français, « demander » peut avoir les sens de « poser une question », « poser une question pour se renseigner », « prier » et « exiger ». Il faut distinguer ces sens en allemand.

1. Poser une question

● *Jmn. (acc.) etw. (acc.) fragen* = « demander qqch. à qqn. » ; (poser une question).

> Darf ich **Sie etwas fragen?**
> *Puis-je vous demander qqch.?*

> «Kommen Sie aus der DDR», **fragte** er **sie.**
> *«Venez-vous de la R.D.A.?», leur demanda-t-il.*

● *sich (acc.) etw. fragen* = « se demander qqch. »

> Das **frage** ich **mich.**
> *Je me le demande.*

● *jmn. (acc.) fragen, ob*

> Ich möchte Sie **fragen, ob** Sie etwas Zeit haben.
> *Je voudrais vous demander si vous avez un peu de temps.*

● *sich (acc.) fragen, ob* = « se demander si »

> Ich **frage mich, ob** ich richtig gehandelt habe.
> *Je me demande si j'ai bien agi.*

2. Poser une question pour se renseigner

● *jmn. nach* (+ dat.) *fragen* = « demander qqch. à qqn. » (vouloir obtenir un renseignement).

> Der Fremde **fragte** uns **nach** dem Weg zur Post.
> *L'étranger nous demanda le chemin du bureau de poste.*

> Er **fragte** mich **nach** meinem Namen.
> *Il me demanda mon nom.*

● *nach* (+ dat.) *fragen* est également employé dans le sens de « demander à voir, à parler à qqn. »

> Peter hat angerufen. Er hat **nach** dir **gefragt.**
> *Pierre a appelé. Il a demandé à te parler.*

> Hat jemand **nach** mir **gefragt?**
> *Est-ce que quelqu'un m'a demandé?*

3. Demander dans le sens de « prier »

● *jmn. (acc.) um etw. (acc.) bitten* = « demander » dans le sens de « prier ».

> Darf ich **Sie um** Feuer **bitten?**
> *Puis-je vous demander du feu?*

● *Jmn. bitten, etw. zu tun* = « demander à qqn. de faire qqch. » en formulant une demande polie.

> Ich **bitte Sie,** hier nicht zu rauchen.
> *Je vous demande de ne pas fumer ici.*

4. Exiger

● *Etw. (acc.) von jmm. verlangen* = « demander qqch. à qqn. » dans le sens de « exiger ».

> **Du verlangst** zuviel **von** dem Kind!
> *Tu demandes trop à cet enfant!*
> Diese Arbeit **verlangt** viel Zeit.
> *Ce travail demande beaucoup de temps.*
> Die Polizei **verlangte** meinen Führerschein.
> *La police me demanda mon permis de conduire.*

● *verlangen* est employé également dans le sens de « demander une somme d'argent ».

> Für das Bild **verlangte** er **von** mir 1 000 Mark.
> *Il me demanda 1 000 Mark pour ce tableau.*

● *von jmm. verlangen, daß* = « demander à qqn. de faire qqch. » en formulant une exigence.

> Ich **verlange von** euch, **daß** ihr pünktlich seid.
> *Je vous demande d'être à l'heure.*

EXERCICES

A. Ajoutez bitten, fragen, verlangen *à la forme adéquate :*

1. Er hat mich ..., einen Vortrag zu halten.
2. An der Grenze wurden unsere Papiere ....
3. Ich ... mich, was aus ihm geworden ist.
4. Kommst du mit? — Ja, aber ich muß erst noch um Erlaubnis ....
5. Er hat uns nach unserer Meinung ....
6. Darf ich Sie um den nächsten Tanz ...?

B. Traduisez en allemand :

1. Je me demande si je ne l'ai pas déjà vu.
2. Puis-je vous demander une cigarette?
3. Il me demande une explication (prier et exiger).
4. Il m'a demandé si je voulais venir.
5. Il nous a demandé de l'attendre (auf + *acc.* warten).
6. Ne demande pas l'impossible!

74 Derselbe et der gleiche

(Voir également « selb- », « selbst », n° 215)

1. *Derselbe, dasselbe, dieselbe* = « le même », « la même ». *Derselbe* désigne l'identité d'une personne ou d'une chose. *Der* est décliné comme l'article défini et *selb-* comme l'adjectif. *Derselbe* s'écrit en un mot sauf lorsqu'il y a contraction entre préposition et article.

> Sie trägt **dasselbe** Kleid wie gestern.
> *Elle porte la même robe qu'hier.*
> Wir wohnen **in demselben** Haus wie ihr.
> Wir wohnen **im selben** Haus wie ihr.
> *Nous habitons la même maison que vous.*

2. *Der gleiche, das gleiche, die gleiche* = « le même ».
Der gleiche exprime la <u>similitude</u>.

> Er hat sich **das gleiche** Auto gekauft wie ich.
> *Il s'est acheté la même voiture que moi.*
>
> Ich hatte eben **den gleichen** Gedanken wie du.
> *Je viens d'avoir la même idée que toi.*

EXERCICE ────────────────────────────────

Ajoutez « derselbe *ou* der gleiche » :

1. Meine Großmutter starb im ...
   Jahr wie mein Großvater.
2. Wir haben dieses Jahr den ...
   Winter wie voriges Jahr.
3. Peter und Hans gehen auf die ...
   Schule.
4. Sie haben aber nicht die ... Lehrer.
5. Hast du die ... Meinung darüber?
6. Nein, ich bin nicht der ....
   Ansicht.

75 Comment traduire « devoir » ?

1. *Sollen* (voir n° 218)

2. Nécessité.

● *Müssen* + infinitif = « devoir » dans le sens d'une <u>nécessité due aux circonstances</u>.

> Sie **muß** um fünf Uhr aufstehen, um den 7 -Uhr- Zug zu erreichen.
> *Elle doit se lever à 5 heures pour prendre le train de sept heures.*
>
> Das sind Dinge, die man wissen **muß.**
> *Ce sont des choses que l'on doit savoir.*

3. Probabilité (voir n° 145).

● *Müssen* + infinitif marque la <u>probabilité</u>.

> Jetzt **muß** es im Gebirge schneien.
> *En ce moment, il doit neiger à la montagne.*
>
> Er **muß** weggefahren sein, denn ich habe ihn seit langem nicht gesehen.
> *Il a dû partir (= il doit être parti), car je ne l'ai pas vu depuis longtemps.*

Contrairement au français, ce *müssen* de la probabilité ne peut être mis à un temps composé.

4. Interdiction

● *Nicht dürfen* + infinitif = « devoir » + négation + infinitif correspond à une <u>interdiction</u>.

> Hier **darf** man **nicht** rauchen.
> *Ici, on ne doit pas fumer.*

● *Nicht dürfen* au subjonctif II irréel + infinitif est employé pour exprimer des <u>reproches</u>. (Pour la forme du participe voir n° 172.)

> Das **hättest** du **nicht** vergessen **dürfen.**
> *Tu n'aurais pas dû l'oublier.*

5. Reconnaissance (devoir quelque chose à quelqu'un)

● *Jmm. etw.* (acc. ou *viel, wenig, alles, nichts*) *verdanken* = «devoir qqch. à qqn.» exprime souvent une idée de reconnaissance («grâce à»).

Er **verdankt** ihnen seine Rettung.	Sie **verdankt** ihren Lehrern viel.
Il leur doit d'avoir été sauvé.	*Elle doit beaucoup à ses professeurs.*

6. Avoir une dette

● *Jmm. etw. schulden* = «devoir qqch. à qqn.» dans le sens de «avoir une dette».

Er **schuldet** mir noch hundert Francs.
Il me doit encore 100 francs.
Was **schulde** ich Ihnen?
Qu'est-ce que je vous dois?

EXERCICE

Traduisez en allemand :
1. Tu ne dois pas traverser la rue sans regarder à gauche et à droite.
2. Vous ne me devez plus rien.
3. Il doit tout à ses parents.
4. Pierre doit être à la maison maintenant.
5. Je leur dois une invitation (die Einladung).
6. Tous les hommes doivent mourir.
7. Je leur dois la vie (mein Leben).
8. Tu n'aurais pas dû lui envoyer cette lettre.

76 Le directionnel

Le directionnel s'oppose au locatif (voir n° 137). Il désigne le point de direction d'une action exprimée par le verbe. Il répond souvent à la question *wohin?* vers où? Il peut être exprimé soit par un groupe prépositionnel, soit par un adverbe.

1. Les groupes prépositionnels directionnels
Parmi les groupes prépositionnels directionnels il faut distinguer :

● les groupes prépositionnels dont la marque du directionnel est le cas : l'accusatif. Il s'agit des groupes introduits par l'une des prépositions *in, an, auf, unter, über, vor, hinter, neben, zwischen* (voir n° 185).

Ich stelle den Koffer **unter den Tisch.**
Je mets la valise sous la table.

● les groupes prépositionnels dont la marque du directionnel est la préposition.

Il peut s'agir :
— soit de la préposition *zu* + dat., qui s'utilise avec des noms de personnes ou dans des expressions.

Ich fahre **zu seinem Vater.**
Je vais chez son père.
Er fährt **zum Bahnhof/zur Schule.**
Il va à la gare/à l'école.

— soit de la préposition *nach,* qui s'utilise avec *Hause* et les noms géographiques sans article.

Ich fahre **nach Hause.**
Je rentre à la maison (chez moi).

Ich fahre **nach Griechenland.**
Je vais en Grèce.

Remarque :

Pour les noms géographiques qui ont un article (voir n° 157) on oppose *in* + dat. (locatif) et *in* + acc. (directionnel).

Ich fahre **in die Schweiz.**
Je vais en Suisse

s'oppose à :

Ich bin **in der Schweiz.**
Je suis en Suisse.

2. Les adverbes directionnels (voir n° 12)

● Ils peuvent avoir une valeur pronominale, comme *hin, dorthin* et les composés avec *da : darauf, darüber...*

Peter ist im Schwimmbad ; ich fahre auch **hin.**
Pierre est à la piscine ; j'y vais aussi.

● Ils peuvent simplement indiquer une direction : *nach rechts,* à droite, *nach links,* à gauche, *nach oben,* vers le haut, *nach unten,* vers le bas...

Dann geht die Straße **nach links.**
Puis la route tourne à gauche.

Remarques :

1. Le directionnel peut dépendre non seulement d'un verbe mais aussi d'un nom :

Eine Fahrt **nach Spanien.**
Un voyage en Espagne.

2. Le directionnel peut s'employer avec des verbes ou des noms qui n'expriment pas forcément un mouvement :

Er zielt **auf den Vogel.**
Il vise l'oiseau.

Eine Rede **an das Volk.**
Un discours au peuple.

Attention :

Avec certains verbes qui apparemment sont des verbes de mouvement l'allemand utilise le locatif et non le directionnel :

— *landen auf* + dat.

Das Flugzeug **landet auf dem Flugplatz.**
L'avion atterrit sur l'aérodrome.

— *absteigen in* + dat. (uniquement dans le sens descendre dans un hôtel)

Er **steigt in einem Hotel am Rhein ab.**
Il descend dans un hôtel au bord du Rhin.

— *ankommen in, an...* + dat.

Er **kommt** um 3 Uhr **am Bahnhof an.**
Il arrive à 3 heures à la gare.

3. Le directionnel peut s'employer seul, sans être rattaché explicitement à un verbe.

> Ich muß **in die Stadt** (sous-entendu *gehen* ou *fahren*)
> *Je dois aller en ville.*
>
> **Ins Wasser** mit ihm!
> *Jetons-le à l'eau!*

EXERCICES ───────────────────────────────

Complétez soit par un datif, soit par un accusatif :

1. Ich lege das Buch auf d... Stuhl (der Stuhl).
2. Peter sitzt in sein... Sessel (der Sessel).
3. Ein Mann steht vor d... Tür (die Tür).

4. Kommt er in d... Garten? (der Garten).
5. Fährt er in d... Türkei? (die Türkei).
6. Der Koffer steht auf d... Tisch (der Tisch).

Traduisez en allemand :

1. Il est arrivé chez son oncle.
2. Iras-tu en Alsace? (das Elsaß)
3. Je suis allé dans la forêt (der Wald)

4. Paul est au cinéma; j'y vais aussi.
5. Le chien se promène dans le jardin.
6. Je vais en Italie (Italien).

77 Le discours indirect. Théorie

Le discours direct, qui consiste à exprimer à l'aide de verbes comme *sagen,* dire, *glauben,* croire, *fragen,* demander... les paroles, pensées, opinions... d'autrui ou éventuellement de soi-même, est marqué à l'écrit par la présence de guillemets :

> phrase non-interrogative : « Heute regnet es. »
> *« Aujourd'hui il pleut. »*
>
> phrase interrogative : « Ist Paul krank? »
> *« Paul est-il malade? »*

Lorsqu'on rapporte ce discours direct, on supprime à l'écrit les guillemets et on dispose en allemand de plusieurs moyens pour faire comprendre que ce n'est plus du discours direct, à savoir :

1. Le changement éventuel des systèmes pronominaux : *ich* devient *er, sie* ou *es, wir* devient *sie, mein* devient *sein* ou *ihr* etc. et le remplacement éventuel de quelques adverbes de lieu et de temps comme *hier, heute* lorsqu'ils ne coïncident pas avec le temps et le lieu de celui qui rapporte et qui deviennent *dort* et *an jenem Tag.*

2. Le changement éventuel de mode : au lieu de l'indicatif, on peut utiliser le subjonctif I (voir nᵒˢ 220-221) selon le système de concordance suivant :

Temps et mode du discours direct	Temps et mode du discours indirect
Indicatif présent	subjonctif I présent
ich komme ⟶	**er komme**
Indicatif passé (prétérit, parfait ou plus-que-parfait)	subjonctif I passé
ich kam **ich bin gekommen** } **ich war gekommen** ⟶	**er sei gekommen**
Indicatif futur	subjonctif I futur
ich werde kommen ⟶	**er werde kommen**

3. Conjonctions ou éléments en w- :

● On peut éventuellement utiliser *daß* pour les propositions.

● On doit <u>obligatoirement</u> utiliser *ob,* si, pour les questions globales.

● On doit <u>obligatoirement</u> utiliser un élément en *w- (wer, wo, wann...)* pour les questions partielles.

78 Le discours indirect. Pratique

1. On peut utiliser ces trois moyens en même temps :

<u>Discours direct :</u>

> Peter sagt : **« Ich bin müde. »**
> *Pierre dit : « Je suis fatigué. »*

<u>Discours indirect :</u>

> Peter sagt, **daß er müde sei.**
> *Pierre dit qu'il est fatigué.*

2. On peut utiliser les moyens 1 et 3 et employer le verbe à l'indicatif :

> Peter sagt, **daß er müde ist.**

3. On peut utiliser les moyens 1 et 2 (sans *daß,* l'utilisation du subjonctif I est quasi obligatoire) :

> Peter sagt, **er sei müde.**

Attention ! si l'on n'utilise pas *daß,* l'ordre des mots dans le discours rapporté est identique à celui de la proposition !

4. Dans les cas de questions au discours direct :

● si la question est globale (= commence par le verbe), on utilise *ob* :

Discours direct :

> Peter fragt : « **Ist Paul auch müde ?** »
> *Pierre demande : « Est-ce que Paul est aussi fatigué ? »*

Discours indirect :

> Peter fragt, **ob Paul auch müde sei (ou ist).**
> *Pierre demande si Paul est aussi fatigué.*

● si la question est partielle (= commence par un interrogatif en *w*-), on utilise cet interrogatif :

Discours direct :

> Peter fragt : « **Wann kommt Paul ?** »
> *Pierre demande : « Quand Paul vient-il ? »*

Discours indirect :

> Peter fragt, **wann Paul komme (ou kommt).**
> *Pierre demande quand vient Paul.*

Le plus souvent l'indicatif est utilisé à la place du subjonctif lorsqu'il y a *daß, ob,* ou un élément en *w-*.

Remarques :

● Lorsque l'on veut utiliser le mode subjonctif et que les formes du subjonctif I se confondent avec des formes d'indicatif, on utilise le subjonctif II (voir n°s 222, 223) selon les correspondances suivantes :

Discours direct		Discours indirect
indicatif présent	subjonctif I	subjonctif II
wir kommen	**sie kommen** (= indicatif présent)	**sie kämen**
indicatif parfait	subjonctif I	subjonctif II
wir haben gelacht	**sie haben gelacht** (= indicatif parfait)	**sie hätten gelacht**
indicatif futur	subjonctif I	subjonctif II
wir werden kommen	**sie werden kommen** (= indicatif futur)	**sie würden kommen**

● Lorsque dans le discours direct le verbe est à l'impératif, on transpose cet impératif au discours indirect soit au moyen de *sollen* (ordre), soit au moyen de *mögen* (prière) :

Discours direct :

> « **Brigitte, steh auf !** », sagt Mutti.
> *« Brigitte, lève-toi ! », dit maman.*

Discours indirect :

> Mutti sagt, **daß Brigitte aufstehen solle.**
> *Maman dit que Brigitte doit se lever.*

Discours direct :

«Hole mir bitte eine Flasche Wein!», sagt Vati.
«Va me chercher, s'il te plaît, une bouteille de vin!», dit papa.

Discours indirect :

Vati sagt, **daß er ihm eine Flasche Wein holen möge.**
Papa dit qu'il veuille bien aller lui chercher une bouteille de vin.

5. Exemples de transpositions :

Discours direct		Discours indirect
«Ich war gestern beim Friseur.» *«Hier j'étais chez le coiffeur.»*		Er sagt, **er sei** gestern beim Friseur **gewesen.**
	ou	daß **er** gestern beim Friseur **gewesen sei**
	ou	**daß er** gestern beim Friseur **gewesen ist.**
«Wir hatten einen Spaziergang **gemacht.»** *«Nous avions fait une promenade.»*		Sie sagen, sie **hätten** einen Spaziergang **gemacht.**
	ou	daß **sie** einen Spaziergang **gemacht hätten.**
	ou	daß **sie** einen Spaziergang **gemacht hatten.**
«Ich werde mit meiner Schwester **kommen.»** *«Je viendrai avec ma sœur.»*		Er sagt, **er werde** mit seiner Schwester **kommen.**
	ou	daß **er** mit seiner Schwester **kommen werde.**
	ou	daß **er** mit seiner Schwester **kommen wird.**

EXERCICES

Transposez au discours indirect avec daß, ob *ou un élément en w- et le subjonctif :*

1. «Wo wohnst du?», fragt Hans.
2. «Komm sofort zurück, Inge», sagt ihre Mutter.
3. «Ich habe auf einem Schiff geschlafen.», sagt Paul.
4. «Wir hatten alle Durst.», sagen die Touristen.
5. «Dann ging ich nach Hause.», sagt der Angeklagte (l'accusé).
6. «Hast du meine Schuhe schon gesehen?», fragt Ursula.

Même exercice avec l'indicatif :
Même exercice sans daß, *lorsque c'est possible, mais avec le subjonctif.*

Note :

Attention à la non-correspondance des temps en français et en allemand.
Il m'a dit qu'il m'aimait → Er hat mir gesagt, daß er mich *liebe*
(ou liebt).

79 Comment traduire « dont » ?

En français, « dont », pronom relatif, peut être soit un complément d'un nom, soit un complément d'un verbe, soit un complément d'un adjectif.

1. « Dont », complément d'un nom.

On traduit « dont » selon l'antécédent par *dessen* (antécédent masculin ou neutre singulier) ou par *deren* (antécédent féminin singulier ou antécédent pluriel) ; *dessen* ou *deren* sont suivis immédiatement et obligatoirement du groupe nominal dont ils sont compléments (voir n° 202) :

> Das Haus, **dessen** rotes Dach du dort siehst, gehört meinen Großeltern.
> *La maison dont tu vois là-bas le toit rouge appartient à mes grands-parents.*

2. « Dont », complément d'un verbe.

On traduit « dont » selon la rection du verbe (voir n° A 12) soit par le relatif *der, das, die* précédés de la préposition exigée par le verbe, soit par un relatif adverbial en *wo* + préposition (voir n° 202) :

> Die Frau, **von der** du sprichst, ist meine Nachbarin (cf. sprechen von + *dat.*).
> *La femme dont tu parles est ma voisine.*

> Das ist alles, **woran** ich mich erinnern kann (cf. sich erinnern an + *acc.*).
> *C'est tout ce dont je me souviens.*

3. « Dont », complément d'un adjectif.

On traduit « dont » selon la rection de l'adjectif (voir n° A 13) soit par le pronom relatif seul, soit par le relatif avec une préposition, soit par le relatif adverbial.

> Die Schuld, **deren** ich mir bewußt bin (cf. sich + *gén.* bewußt sein).
> *La faute dont j'ai conscience.*

> Das ist ein Buch, **worauf** (ou : **auf das**) ich stolz bin (stolz auf + *acc.*).
> *C'est un livre dont je suis fier.*

> Das ist ein Kind, **für das** ich verantwortlich bin (cf. verantwortlich für + *acc.*).
> *C'est un enfant dont je suis responsable.*

EXERCICE

Traduisez en allemand.

1. Pierre est un élève dont je suis content (zufrieden mit + *dat.*).
2. C'est une histoire dont on peut rire (lachen über + *acc.*).
3. Dieter, dont tu connais le frère, arrive demain.
4. La maladie dont il est mort (sterben an + *dat.*) se répand (sich verbreiten) de plus en plus.
5. Connais-tu un acteur (der Schauspieler) dont le nom commence par un D ?
6. C'est un chien dont il a peur (Angst haben vor + *dat.*).

80 *Dürfen* : emplois.

Pour la conjugaison de *dürfen* voir p. A 11.
Voir aussi n° 75.

1. Sens de « pouvoir », « avoir la permission de », « avoir le droit de ».

> **Darf** ich heute abend ins Kino gehen?
> *Je peux aller au cinéma ce soir?*

2. Sens de « pouvoir », dans des formules de politesse ou des demandes.

> **Darf** ich Sie um das Salz bitten?
> *Puis-je vous demander le sel?*
> Wenn ich bitten **darf...**
> *Si je puis me permettre...*

3. Sens de forte probabilité, « il y a de fortes chances pour que », « il se peut que ».

> Er **dürfte** um 6 Uhr da sein.
> *Il y a de fortes chances pour qu'il soit là à 6 heures.*

EXERCICE

Traduisez en allemand:

1. Est-ce que je peux (= ai-je le droit) acheter un livre avec mon argent?
2. Il y a de fortes chances pour qu'il vienne demain.
3. Maintenant nous avons le droit de marcher sur le gazon (der Rasen).
4. Ici on n'a pas le droit de fumer.
5. Puis-je vous demander le poivre?

81 L'ellipse du verbe.

1. Dans les cas de coordination de propositions.

Dans deux ou plusieurs propositions coordonnées ou juxtaposées, on peut sous-entendre le verbe si les structures des propositions sont identiques :

> Peter fährt nach Frankreich, Anne (...) nach Italien und Christine (...) nach Spanien.
> *Pierre va en France, Anne en Italie et Christine en Espagne.*
> Hans hat einen Apfel gegessen, Karl (...) eine Birne.
> *Jean a mangé une pomme, Charles une poire.*

On peut même sous-entendre alternativement le verbe conjugué et le participe :

> Hans hat einen Apfel (...), Karl (...) eine Birne gegessen.
> *Jean a mangé une pomme, Charles une poire.*

Dans tous les cas, on ne peut sous-entendre que des formes rigoureusement identiques :

> Hans hat einen Apfel (...), die Kinder haben eine Birne gegessen.
> (*haben* obligatoire).

2. Dans les cas de coordination de subordonnées.

Lorsque des subordonnées introduites par le même subordonnant
sont coordonnées, on peut sous-entendre le verbe conjugué :

> Ich glaube, daß er in Paris gewohnt (...) und daß er dort eine Wohnung
> gekauft hat.
> *Je crois qu'il a habité à Paris et qu'il y a acheté un appartement.*

3. Dans la comparaison.

Lorsque le degré 0 (comparatif d'égalité ou d'infériorité) a une
expansion avec *wie,* lorsque le degré 1 (comparatif de supériorité)
a une expansion avec *als,* on sous-entend généralement le verbe ou
le groupe verbal tout entier :

> In der Schule arbeitet er ebenso gut wie sein Bruder (sous-entendu :
> *arbeitet*).
> *A l'école il travaille aussi bien que son frère.*
> Peter ist größer als seine Schwester (sous-entendu : *groß ist*).
> *Pierre est plus grand que sa sœur.*

4. Avec un directionnel.

Le directionnel peut parfois se suffire à lui-même (voir n° 76) :

> Auf die Plätze! (sous-entendu : *Geht*).
> *A vos marques!*
> Ich muß nach Hause (sous-entendu : *gehen*).
> *Je dois rentrer.*

EXERCICE —————————————————————

*Traduisez en allemand : en faisant l'ellipse d'un élément verbal, lorsque
c'est possible.*

1. Paul a acheté une moto, Henri un
   vélo.
2. Je crois qu'il est arrivé à 8 heures
   et reparti à 11 heures.
3. S'il avait mangé un morceau de
   pain et marché moins vite, il ne
   serait pas fatigué.
4. Il a bu autant de bière que son
   frère.

5. Je cours plus vite que lui.
6. Le voyage est plus long que je ne
   pensais.
7. Pierre a pris congé (von + dat Abschied nehmen) de ses parents,
   Jean a pris congé de son oncle.
8. Veux-tu aller en ville?

82 Comment traduire « en » (pronom) ?

1. Lorsqu'on reprend un élément (nom, groupe nominal, idée...) précédemment exprimé :

● « en » *ne se traduit pas* avec les pronoms indéfinis *ein* et *kein* :

> Hat er **ein** Fahrrad? — Ja, er hat **eins.**
> *A-t-il un vélo? — Oui, il en a un.*

> Nein, er hat **keins.**
> *Non, il n'en a pas.*

● *welch-,* pour les partitifs, surtout au pluriel :

> Das sind Hustenbonbons. Nimm dir **welche!**
> *Ce sont des bonbons pour la toux. Prends-en!*

● *dessen,* avec les verbes ou adjectifs régissant le génitif :

> Ich bin mir **dessen** bewußt.
> *J'en suis conscient.*

● pronom personnel, pour les verbes qui régissent le datif ou l'accusatif :

> Gib ihm das Buch zurück; er braucht **es.**
> *Rends-lui le livre; il en a besoin.*

● *da* + préposition ou préposition + pronom, selon la nature de l'élément repris (être animé ou non), et selon la rection du verbe ou de l'adjectif :

> Er hat einen Sohn; er ist stolz **auf ihn.**
> *Il a un fils; il en est fier.*

> Er hat ein Auto; er ist zufrieden **damit.**
> *Il a une voiture; il en est content.*

> Ich erinnere mich **daran.**   Ich freue mich **darüber.**
> *Je m'en souviens.*   *Je m'en réjouis.*

● *es,* dans des expressions, pour désigner une situation (cf. aussi n° 87) :

> Er ist **es** satt.   Ich habe es satt.
> *Il en a marre.*   *J'en ai marre.*

2. Lorsque l'on montre ce que l'on veut :

● *davon :*

> (A l'étalage du fromager, par ex.) Ich möchte ein Stück **davon.**
>   *J'en voudrais un morceau.*

> (A l'étalage du marchand de   Ich möchte 2 Kilo **davon.**
> fruits)   *J'en voudrais 2 kilos.*

3. Ne se traduit pas dans certains cas.

● lorsqu'il ne reprend pas un élément précédent.

> Sie liebt einen anderen.   Die hat aber Geschichten erzählt!
> *Elle en aime un autre.*   *Elle en a raconté des histoires!*

● dans certains cas, lorsque le nom est sous-entendu.

> **Haben Sie Äpfel?** — Ja, wir haben aber nur grüne.
> *Avez-vous des pommes? — Oui, mais nous n'en avons que des vertes.*

EXERCICE

Traduisez en allemand.

1. J'ai des cigarettes; en veux-tu?
2. Elle en a parlé à son père.
3. Ils ont un chien. J'en ai peur.
4. J'en voudrais une livre.
5. Je t'en remercie.
6. Il en est mort.
7. Sa mère est malade. Il ne s'en occupe pas du tout.
8. Il avait une vieille voiture; il s'en est débarrassé (etw. loswerden).
9. Il lui en est reconnaissant (dankbar für + *acc.*).
10. Tes cigares (die Zigarre) me plaisent; j'en prends un autre.

83 Comment traduire « en + participe présent » ?

1. Lorsque la séquence « en + participe présent » fait partie d'un groupe verbal et que le participe **n'a pas de complément,** elle peut se traduire par le **participe présent seul.**
On utilise cependant rarement cette possibilité.

> Sie kam **weinend** nach Hause.
> *Elle rentra à la maison en pleurant.*

2. Lorsque « en + participe présent » exprime la **simultanéité** par rapport au reste de la proposition, on peut traduire :

● par une subordonnée introduite par *während* (pour un événement qui dure).

> **Während er die Kartoffeln schälte,** dachte er an die kommenden Ferien.
> *En épluchant les pommes de terre, il pensait à ses vacances futures.*

● ou par *als* pour un événement ponctuel.

> **Als wir in München ankamen,** haben wir einen Unfall gesehen.
> *En arrivant à Munich, nous avons vu un accident.*

● par *beim* + infinitif substantivé, dans certains cas, lorsque le verbe n'a pas de complément.

> Sie ist **beim Stricken** eingeschlafen.
> *Elle s'est endormie en tricotant.*

● par une proposition coordonnée avec *dabei.*

> Ich habe meine Suppe gegessen und **dabei die Zeitung gelesen.**
> *J'ai mangé ma soupe en lisant le journal.*

3. Lorsque « en + participe présent » exprime **la conséquence,** on peut également traduire par une **proposition coordonnée** avec *dabei,* ou une subordonnée introduite par *wobei.*

> Er ist vom Zug gesprungen und **hat sich dabei an der Schulter wehgetan.**
> Er ist vom Zug gespungen, **wobei er sich an der Schulter wehgetan hat.**
> *Il a sauté du train en se blessant à l'épaule.*

4. Lorsque « en + participe présent » exprime une **hypothèse** ou une **condition,** on traduit par une **subordonnée** introduite par *wenn.*

> **Wenn wir auf das Dach steigen,** sehen wir besser.
> *En montant sur le toit nous verrons mieux.*

5. Lorsque « en + participe présent » exprime le **moyen,** on peut traduire par *dadurch daß....* ou *indem.*

> **Dadurch daß (indem) du unser Haus gehütet hast,** hast du uns einen großen Dienst erwiesen.
> *En surveillant notre maison, tu nous a rendu un grand service.*

6. « en + participe présent » peut aussi correspondre au **verbe de la proposition allemande,** le verbe de la proposition française traduisant le sens de la préposition ou de la particule (voir n° 239).

> Er **ist** durch den Wald **gelaufen.**   durch → traverser
> *Il a traversé la forêt en courant.*   ist gelaufen → en courant.
>
> Er **läuft** die Treppe hinab.   Er **ist** an mir vorbei**gerannt.**
> *Il descend l'escalier en courant.*   *Il est passé à côté de moi en courant.*

EXERCICE

Traduisez en allemand.

1. On ne peut les voir qu'en montant sur une échelle (die Leiter).
2. Je suis tombé en descendant les escaliers.
3. Il a regardé la télévision en fumant la pipe.
4. N'oublie pas de fermer la porte en partant.
5. En lisant ta lettre, je me suis souvenu des vacances que nous avions passées en Grèce (Griechenland).

---

84 **Endlich** et **schließlich.**

1. *Endlich* = « enfin ».

> **Endlich** bist du da!
> *Enfin, tu es là!*

> Ich habe **endlich** begriffen.
> *J'ai enfin compris.*

2. *Schließlich* = « finalement » ; « en fin de compte » ; « finir par ».

> **Schließlich** hatte er nicht unrecht.
> *Finalement, il n'avait pas tort.*

> Er hat **schließlich** doch begriffen.
> *Il a quand même fini par comprendre.*

EXERCICE

Ajoutez « endlich » *ou* « schließlich » :

1. Zuerst habe ich gelesen, dann habe ich ferngesehen und ... bin ich zu Bett gegangen.

2. Er hat mir ... meine Bücher wiedergegeben.
3. Es hat lange gedauert, aber ... haben wir ihn überzeugen können.
4. Bist du ... fertig?

---

85 Comment traduire « (s')endormir », « (se) réveiller » ?

1. *Einschlafen* = « s'endormir » ;

> **Ich schlafe ein.**
> *Je m'endors.*

> Ich bin **eingeschlafen.**
> *Je me suis endormi.*

● Lorsque « endormir » est un verbe transitif (à complément d'objet direct), il faut utiliser :

● *Jmn. einschläfern* = « endormir qqn ».

> Die Musik hat mich **eingeschläfert.**
> *La musique m'a endormi.*

2. *Aufwachen* (ou *erwachen*) = « se réveiller » ;

> **Ich wache auf.**
> *Je me réveille.*

> **Ich bin aufgewacht.**
> *Je me suis réveillé.*

● Lorsque « réveiller » est un verbe transitif, il faut utiliser : *jmn. (auf)wecken* = « réveiller qqn ».

> Würdest du mich bitte um 7 Uhr **wecken**?
> *Pourrais-tu me réveiller à 7 heures?*

> Der Lärm hat das Baby **aufgeweckt.**
> *Le bruit a réveillé le bébé.*

Notez :

Einschlafen et *aufwachen* ne sont pas des verbes pronominaux en allemand, il ne faut donc pas les employer avec les pronoms réfléchis *mich, dich, sich*. Le verbe utilisé pour former le parfait est *sein*, car ces verbes notent un changement d'état (voir aussi *sein* et *haben* n° 108).

EXERCICE

Ajoutez le verbe qui convient :
1. Er läßt sich immer telephonisch . . . .
2. Wegen des starken Kaffees . . . ich erst um Mitternacht . . . (parfait).
3. Für die Operation wurde er . . . .
4. Mitten in der Nacht . . . ich plötzlich . . . .
5. Der Lärm eines Motorrads hat mich . . . .
6. Ohne leise Musik kann sie nicht . . . .
7. Wann möchten Sie . . . werden ?
8. Ich . . . jeden Morgen zur gleichen Zeit. . . .

86 Erst et nur

Il ne faut pas confondre *erst* et *nur* = « ne.....que », « seulement » qui indiquent, selon le contexte, tous les deux une restriction du temps ou de la quantité.

1. *Erst* temporel est à comprendre à partir d'une certaine attente du locuteur. Ce *erst* note une restriction par rapport à un point du temps.

● *erst* = « pas plus tôt que ».

> Sie kommt **erst** am Sonntag.
> *Elle ne viendra que dimanche.*
> *(On l'aurait attendue plus tôt.)*

> Er kommt **erst** um zwei Uhr.
> *Il ne vient qu'à deux heures.*

● *erst* = « pas plus tard que ».

> Es ist **erst** zehn Uhr.
> *Il n'est que dix heures.*

2. *Erst* quantitatif = « pas plus que » note une restriction provisoire d'une durée ou d'une quantité.

> Er ist **erst** fünf Jahre alt.
> *Il n'a que cinq ans.*
> *(Mais il va grandir.)*

> Ich bin **erst** eine Stunde hier.
> *Je ne suis ici que depuis une heure.*
> *(Je pense rester plus de temps.)*

> Ich habe **erst** zwanzig Seiten gelesen.
> *Je n'ai lu que vingt pages.*
> *(Mais je vais en lire plus.)*

3. *Nur* quantitatif = « uniquement », « en tout et pour tout » indique une restriction définitive par rapport à un point du temps, une durée ou une quantité.

Er kommt **nur** am Sonntag.
Il ne vient que le dimanche.
(à l'exclusion des autres jours.)

Er bleibt **nur** zwei Stunden.
Il ne reste que deux heures.
(en tout et pour tout.)

Ich habe **nur** zwanzig Seiten gelesen.
Je n'ai lu que vingt pages.
(Je m'arrête là.)

Comparez

Sie hat **erst** zwei Kinder.
Elle n'a que deux enfants (pour le moment).

Sie hat **nur** zwei Kinder.
Elle n'a que deux enfants (uniquement).

Er kommt **erst,** wenn er uns braucht.
Il ne vient qu'au moment où il a besoin de nous. (pas plus tôt)

Er kommt **nur,** wenn er uns braucht.
Il ne vient que lorsqu'il a besoin de nous. (uniquement)

EXERCICE

Nur *ou* erst? *Complétez :*
1. Er kam ..., als das Fest vorbei war.
2. Ich komme ... für fünf Minuten.
3. Es ist ... sieben Uhr.
4. Sie sind ... heute abgefahren.
5. Ich habe ... zehn Mark bei mir.

6. Er ist ... seit zwei Tagen unterwegs.
7. Er bleibt ... zwei Wochen in Deutschland.
8. Ich brauche ... fünf Minuten bis zur Schule.

87 Es

On rencontre *es* dans des fonctions très différentes :

1. *Es* pronom personnel au nominatif ou à l'accusatif :

● pour reprendre un groupe nominal énoncé précédemment

Sie hat ein Kind; **es** ist drei Jahre alt.
Elle a un enfant; il a trois ans.

● pour reprendre ce qui a été dit précédemment (équivalent de *das,* pronom démonstratif)

Bist du dann mit dem Zug gefahren? — Ja, **es** stimmt.
As-tu alors pris le train? — Oui, c'est exact.

2. *Es* sujet de verbes impersonnels comme *es regnet,* il pleut, *es schneit,* il neige..., *es handelt sich um* + acc., il s'agit de, *es kommt darauf an,* cela dépend.

3. *Es* d'annonce, pour annoncer une subordonnée :

Ich finde es schade, daß er nicht gekommen ist.
Je trouve dommage qu'il ne soit pas venu.

Attention :

lorsque la subordonnée est en tête, *es* disparaît :

> Daß er nicht gekommen ist, finde ich schade.
> Et non : ... *finde, ~~ich es schade~~.*

4. *Es* occupant de première place, par exemple avec un passif impersonnel :

> **Es** wird jetzt geschlafen!
> *C'est l'heure de dormir!*

ou avec un sujet placé après le verbe :

> **Es** sitzen drei Schüler in diesem Saal.
> *Trois élèves sont assis dans cette salle.*

Attention :

Lorsqu'un autre élément que *es* occupe la première place, *es* disparaît :

Jetzt wird geschlafen!
et non : ~~Jetzt wird es geschlafen!~~
Drei Schüler sitzen in diesem Saal.
et non : ~~Drei Schüler sitzen es in diesem Saal.~~

5. *Es* équivalent de « en » français dans certaines expressions (voir n° 82) :

> Ich bin **es** satt.
> *J'en ai assez.*

> Er ist **es** würdig.
> *Il en est digne.*

EXERCICE ——————————————————————————

Supprimez ou déplacez es *selon les cas (attention à l'ordre des mots) :*

1. Es schneit heute.
2. Es wird jetzt aber gearbeitet!
3. Das Haus ist neu; es ist 1980 gebaut worden.
4. Es kamen dann zwei Polizisten.
5. Es scheint jetzt zu regnen.
6. Es handelt sich in diesem Text um die französische Revolution.

---

88 Comment traduire « être en train de », « être sur le point de » ?

---

1. Être en train de

Pour dire que l'on est en train de faire qqch., on peut utiliser les expressions :

● *beim* + verbe substantivité + *sein*

> Inge ist **beim Abwaschen.**
> *Inge est en train de faire la vaisselle.*

● *am* + verbe substantivité + *sein*

> **Die Stadt war am Verhungern.**
> *La ville était en train de mourir de faim.*

● *(gerade) dabei sein, etw. zu tun*

> **Peter war (gerade) dabei,** sein Auto zu reparieren, als der Nachbar vorbeiging.
> *Pierre était en train de réparer sa voiture lorsque le voisin passa.*

● *gerade etw. tun*

> **Anja sieht gerade fern.**
> *Anja est en train de regarder la télévision.*

2. Être sur le point de.

Pour exprimer qu'un événement est imminent, que l'on est sur le point de faire qqch., on peut employer les tournures :

● *im Begriff sein, etw. zu tun* = « être sur le point de faire qqch. ».

> **Er ist im Begriff abzureisen.**
> *Il est sur le point de partir en voyage.*

● *nahe dabei sein ; nahe daran sein* = « être près de ».

> **Sie ist nahe daran,** das Geheimmis zu verraten.
> *Elle est sur le point de (près de) trahir le secret.*

● *(kurz) bevorstehen* = « être imminent ».

> **Die Veröffentlichung des Gesetzes steht (kurz) bevor.**
> *La loi est sur le point d'être publiée.*

● *gleich* = « tout de suite », est utilisé pour un <u>futur très proche</u>, immédiat (voir aussi « aller faire qqch. » - « venir de » n° 242).

> **Er geht gleich.**
> *Il est sur le point de partir.*

● *(ich) wollte gerade etw. tun* s'emploie pour un événement imminent dans un <u>passé récent</u>.

> **Ich wollte dich gerade anrufen.**
> *J'étais sur le point de t'appeler.*
> *(J'allais t'appeler).*

EXERCICE ────────────────────────────────

Traduisez en allemand :

1. Elle est sur le point d'être licenciée (le licenciement : die Entlassung).
2. Il est en train d'éplucher des pommes de terre (Kartoffeln schälen).
3. Elle était sur le point de s'endormir (am + inf.) lorsqu'un chien aboya (bellen).
4. Les enfants sont en train de lire (beim + inf.).
5. J'étais sur le point d'appeler un médecin (deux solutions).
6. Nous étions en train de réviser notre vocabulaire.

89 Comment traduire « excepté », « à l'exception de », « sauf »

1. *Außer* + datif correspond à « excepté », « sauf ».

Außer ihm wußte niemand Bescheid.
Personne sauf lui n'était au courant.

2. *Außer wenn, außer daß, außer um* introduisent des subordonnées.

Er sieht nie fern, **außer wenn** ein Fußballspiel übertragen wird.
Il ne regarde jamais la télévision, sauf s'il y a retransmission d'un match de football.

Er hat uns alles berichtet, **außer daß** er krank war.
Il nous a tout dit, sauf qu'il était malade.

Großvater geht nie hinaus, **außer um** die Zeitung zu kaufen.
Grand-père ne sort jamais, sauf pour acheter le journal.

3. *Mit Ausnahme* + génitif (ou *mit Ausnahme von*) traduit le français « à l'exception de ».

Alle Redner, **mit Ausnahme des** letzten, erhielten Beifall.
Tous les orateurs, à l'exception du dernier, furent applaudis.

Alle, **mit Ausnahme von** Monika, waren gekommen.
Tous, à l'exception de Monique, étaient venus.

EXERCICE

Traduisez en allemand :
1. Tous sauf moi éclatèrent de rire (in Lachen ausbrechen).
2. Tous dormaient, à l'exception du chat.
3. Il est toujours le premier, sauf s'il s'agit de faire du sport.
4. Tous les arbres sont malades, à l'exception des chênes (die Eiche-n).

90 Les exclamatives

1. Sans verbe et sans introducteur exclamatif :

Herrlich !   Schade !
Magnifique !   *Dommage !*

2. Sans verbe, avec introducteur exclamatif :
Les introducteurs exclamatifs sont *wie* et *welch ein* au singulier (dans ce cas *welch* est invariable), *welch* au pluriel et *was für* (sur le choix de *welch* et *was für* voir n° 252) :

Wie schön !   **Welch eine** herrliche Landschaft !
Que c'est beau !   *Quel paysage magnifique !*

Was für ein glücklicher Zufall !
Quel heureux hasard !

3. Avec verbe sans introducteur exclamatif :

L'ordre des mots est identique à celui des interrogatives ou des propositions, dans lesquelles on peut trouver par exemple *aber* (voir n° 2) :

Ist das ein großer Baum!
Qu'il est grand cet arbre!

Du hast aber Glück!
Tu en as de la chance!

4. Avec verbe et avec les introducteurs exclamatifs :

Les introducteurs exclamatifs sont *wie, welch ein* et *was für*. Dans les exclamatives introduites par *wie* l'ordre des mots est soit celui des interrogatives partielles (voir n° 123), soit celui des subordonnées (voir n° 163) :

Wie schön ist das Wetter!
Comme il fait beau!

Welch einen schönen Mantel hast du heute an!
Quel beau manteau tu as aujourd'hui!

Was für Wörter gebrauchst du da!
Quels mots tu emploies!

EXERCICE

Traduisez en allemand :

1. Qu'elle est belle, cette maison!
2. Comme il court vite!
3. Quelles belles couleurs (die Farben)!
4. Quelles sottises (dummes Zeug) tu racontes (reden) là!
5. Comme il a grandi (groß werden)!
6. Comme il ressemble (gleichen) à sa mère!
7. Tu en as de beaux jouets!

---

91 S'excuser - demander pardon - pardonner - regretter

1. S'excuser

● *Sich (bei jmm.) für etw. (ou wegen etw.) entschuldigen* = s'excuser auprès de qqn. de qqch.

Ich möchte **mich bei Ihnen für** mein Zuspätkommen (ou **wegen** meines Zuspätkommens.) **entschuldigen.**
Je voudrais m'excuser auprès de vous de mon retard.

● *Jmn ; etw. entschuldigen* = excuser qqn. ou qqch.

Entschuldigen Sie bitte diese Frage.
Veuillez excuser cette question.
(Excusez, s'il vous plaît, cette question.)

● *Entschuldigen, daß* = excuser de.

Entschuldigen Sie bitte, **daß** ich Sie störe.
Excusez-moi de vous déranger.

Entschuldige bitte, **daß** ich es vergessen habe.
Excuse-moi de l'avoir oublié.

- *Jmn. um Entschuldigung bitten* = présenter ses excuses à qqn.

  Ich bitte Sie um Entschuldigung!
  Je vous présente mes excuses!

  Entschuldigung, mein Zug hatte Verspätung!
  Excusez-moi, mon train avait du retard.

2. Demander pardon

- *Jmn. um Verzeihung bitten* = demander pardon à quelqu'un.

  Ich bitte dich um Verzeihung.
  Je te demande pardon.

3. Pardonner

- *Jmm. etw. verzeihen* = pardonner quelque chose à quelqu'un.

  Kannst du mir diese Dummheit **verzeihen?**
  Peux-tu me pardonner cette bêtise?

4. Regretter

- *Etw. bedauern* = regretter quelque chose.

  Ich **bedauere** sehr, **daß** du nicht kommen konntest.
  Je regrette beaucoup que tu n'aies pas pu venir.

- *Es tut mir leid, daß* = je regrette; je suis désolé.

  Es tut mir leid, daß ich Sie nicht früher angerufen habe.
  Je regrette de ne pas vous avoir appelé plus tôt.

- *Leider* = malheureusement.

  Leider habe icht jetzt keine Zeit.
  Malheureusement, je n'ai pas le temps maintenant.

- *Es ist schade, daß* = C'est dommage de / que.

  Es ist schade, daß er nichts mehr von sich hören läßt.
  C'est dommage qu'il ne donne plus de ses nouvelles.

Expressions

Entschuldigung!	**Verzeihung!**
Excusez-moi!	*Pardon!*
Es tut mir leid!	**Schade!**
Je regrette!	*Dommage!*

EXERCICE

Traduisez en allemand :

1. Je vous présente mes excuses, j'ai été malade hier.
2. Excusez-moi, pourriez-vous m'aider ?
3. Pardon, quelle heure est-il ?
4. Je regrette de ne pouvoir vous renseigner (eine Auskunft geben).
5. C'est dommage que tu ne sois pas libre cet après-midi !
6. Excusez-moi de vous appeler à cette heure tardive (so spät).
7. Je suis désolé de ne pas vous avoir reconnu (wiedererkennen).
8. Malheureusement, le directeur est absent.
9. Pardon, je ne vous avais pas vu.
10. Je vous demande pardon.

92 Comment traduire « (se) faire + infinitif » ?

1. Action intentionnelle

Lorsque « se faire + infinitif » ou « faire + infinitif » expriment une **action intentionnelle**, on les traduit par
sich (datif ou accusatif selon les cas) + infinitif + *lassen*.
ou infinitif + *lassen*.

> Ich **habe mir** das Auto **waschen lassen.**
> *J'ai fait laver ma voiture.*
>
> Ich **habe mich** am Bahnhof **abholen lassen.**
> *J'ai demandé qu'on vienne me chercher à la gare.*
>
> Ich **habe** eine Garage **bauen lassen.**
> *J'ai fait construire un garage.*

2. Action subie

Lorsque « se faire + infinitif » exprime une **action subie**, la plupart du temps involontairement, on emploie **le passif avec *werden*** (ou la forme active).

> Es **ist** bei mir **eingebrochen worden.**
> *Je me suis fait cambrioler.*
>
> Ich **bin gebissen worden.**
> *Je me suis fait mordre.*

Remarque :

Dans certains cas, « faire + infinitif » se traduit en allemand par un verbe unique ou une périphrase.

> *faire savoir* = mitteilen
> *faire sauter* = sprengen
> *faire manger* (animaux) = füttern
> *faire bouger* = in Bewegung setzen

EXERCICE —————————————————————

Traduisez en allemand :

1. Il se fait expliquer l'exercice.
2. Il a fait tondre (mähen) son gazon (der Rasen).
3. Il a fait venir un livre d'Allemagne.
4. Il s'est fait battre par son frère.
5. Ils ont fait sauter le pont.
6. Il s'est fait arrêter au croisement par la police.

---

93 Féliciter - souhaiter - présenter ses vœux

1. Féliciter

● *Jmm. zu etw. gratulieren* = « féliciter qqn. de qqch. » ; « souhaiter qqch. à qqn. ».

> Ich **gratuliere dir** recht herzlich **zum** Geburststag.
> *Je te souhaite un bon et heureux anniversaire.*
> *(litt. : Je te félicite de tout mon cœur pour ton anniversaire.)*

● *Jmn. zu etw. beglückwünschen* = « féliciter qqn. de qqch. » (pour un succès).

> Ich **beglückwünsche dich zu** deiner bestandenen Prüfung.
> *Je te félicite de ta réussite à l'examen.*

2. Présenter ses vœux

● *Jmm. etw. wünschen* = « présenter ses vœux à qqn. » ; « souhaiter qqch. à qqn. ».

> Ich **wünsche dir** alles Gute zum Geburtstag.
> *Je te souhaite un bon anniversaire.*

> Ich **wünsche Ihnen** ein frohes Weihnachtsfest und ein glückliches und gesundes Neues Jahr!
> *Joyeux Noël et une bonne et heureuse année!*

> Ich **wünsche dir** viel Glück!
> *Je te souhaite bonne chance!*

Expressions

● *Herzlichen Glückwunsch* = « Toutes mes félicitations! »

> **Herzlichen Glückwunsch** / zu deinem Geburtstag / zu eurer Hochzeit / zu Ihrem Erfolg.
> *Toutes mes félicitations / pour ton anniversaire / pour votre mariage / pour votre succès.*

● *Alle guten Wünsche* = « Mes meilleurs vœux! ».

> **Alle guten Wünsche** zur Geburt des Kindes!
> *Meilleurs vœux pour la naissance!*

EXERCICE

Traduisez en allemand :

1. Toutes nos félicitations pour ton anniversaire!
2. Je vous souhaite de bonnes vacances à la mer!
3. Nous te félicitons pour ta réussite au permis de conduire (die Fahrprüfung)!
4. Mes meilleurs vœux pour vos fiançailles (die Verlobung)!
5. Je te souhaite bonne chance dans ton travail!
6. Nous vous souhaitons une joyeuse fête de Noël et une bonne et heureuse année.

94 Comment traduire « finir » ?

(Voir aussi « commencer » n° 58).

1. « Finir quelque chose » ou « finir de faire quelque chose » se traduit en général par *mit etw. fertig sein ; mit etw. fertig werden.*

> **Bist** du endlich **mit** dem Geigespielen fertig ?
> *Est-ce que tu as enfin fini de jouer du violon ?*

> **Kannst** du bis Ende der Woche **mit** deiner Arbeit **fertig werden** ?
> *Pourras-tu finir ton travail jusqu'à la fin de la semaine ?*

2. « Finir » dans le sens de « cesser » se traduit par *mit etw. aufhören* ou *aufhören* + groupe infinitif.

> Es **hört** nicht **auf** zu regnen.
> *La pluie ne finit pas de tomber.*

3. « Finir par » dans le sens de « après une succession de faits » se traduit le plus souvent par *schließlich* ou *zuletzt.*

> Zuerst hat er den Vorschlag abgelehnt, aber **schließlich** hat er ihn doch angenommen.
> *Il a commencé par refuser la proposition, mais il a fini par l'accepter.*

> **Zuletzt** sagte er, daß er einverstanden sei.
> *Il a fini par dire qu'il était d'accord.*

4. « Etre fini » = *aus sein ; zu Ende sein.*

> Die Schule **ist aus.**
> *L'école est finie.*

> Die Ferien **sind zu Ende.**
> *Les vacances sont finies.*

5. Emploi des particules

Fréquemment, l'allemand se sert des particules séparables *auf-* et *aus-* pour exprimer l'idée de « finir », par exemple *etw. aufessen, etw. austrinken* et *etw. auslesen* pour « finir des aliments », « finir des boissons », « finir une lecture ».

> **Iß** bitte dein Brot **auf** und **trink** deinen Apfelsaft **aus.**
> *Finis, s'il te plaît, ton pain et ton jus de pomme.*

> Hast du dein Buch **ausgelesen** ?
> *As-tu fini ton livre ?*

EXERCICE

Traduisez en allemand :

1. Nous avions fini de dîner à minuit.
2. Le film est fini.
3. Je ne veux pas finir ma soupe !
4. Le cinéma finit à 11 heures.
5. Elle a fini par comprendre son devoir de mathématiques (die Mathematikaufgabe).
6. Finis ton verre, s'il-te-plaît !

95 La forme de politesse

Quand on s'adresse à une ou plusieurs personnes que l'on vouvoie, on emploie en allemand la forme de politesse du verbe et éventuellement de l'adjectif possessif et du pronom personnel.

1. Pour le verbe on utilise la troisième personne du pluriel (également pour l'impératif) ; le pronom *Sie* prend une majuscule ainsi que *Ihnen*. Le réfléchi est *sich* avec une minuscule.

>**Trinken Sie** Milch?
>Buvez-vous du lait?
>
>**Kommen Sie** herein!
>*Entrez!*
>
>Hat man **Ihnen** die Wohnung gezeigt?
>*Vous a-t-on montré l'appartement?*
>
>**Setzen Sie sich!**
>*Asseyez-vous!*

2. Pour l'adjectif possessif on utilise également la troisième personne du pluriel, avec une majuscule.

>Wo ist **Ihr** Auto?
>*Où est votre voiture?*

EXERCICE

Traduisez en allemand, en utilisant la forme de politesse.

1. Combien d'enfants avez-vous?
2. Vous a-t-on donné mon adresse?
3. Votre maison est très belle.
4. Dépêchez-vous!
5. Avez-vous déjà mangé?
6. On vous téléphonera ce soir.
7. Donnez-moi votre manteau!

96 Le futur

1. *Werden* + inf.

Le futur simple s'exprime normalement avec *werden* + infinitif :

>Er **wird kommen**.
>*Il viendra.*

Le futur antérieur - rarement employé - se forme en *werden* + infinitif accompli :

>Er **wird** das Buch **gekauft haben**.
>*Il aura acheté le livre.*
>
>Um drei Uhr **wird er angekommen sein**.
>*A trois heures il sera arrivé.*

2. Le présent

Le futur peut s'exprimer aussi à l'aide du <u>présent</u>, surtout lorsque le verbe est accompagné d'indications temporelles concernant le futur.

> **Er kommt** morgen.
> *Il vient (viendra) demain.*

3. Le parfait est souvent utilisé à la place du futur antérieur dans les subordonnées temporelles introduites par *wenn* = « quand » :

> Wenn ich den Brief **geschrieben habe,** rufe ich Paul an.
> *Quand j'aurai écrit la lettre, j'appellerai Paul.*

4. Le présent de l'indicatif + adverbes.

Le futur proche s'exprime aussi à l'aide du <u>présent de l'indicatif</u> avec adjonction d'adverbes comme *sofort, gleich,* (de suite) *bald,* (bientôt) etc. En français, on le traduit parfois à l'aide du verbe « aller ».

> **Ich komme sofort.**
> *J'arrive.*

> **Der Wagen springt bald an.**
> *La voiture va démarrer.*

5. Exclamation avec idée d'injonction.

Le futur avec *werden* s'utilise parfois dans des <u>exclamatives à valeur injonctive</u> (ordre)

> **Wirst** du jetzt still **sein!**
> *Tu vas rester tranquille !*

Attention : la forme du futur en *werden* ne doit pas être confondue avec la forme du passif *werden* + participe II.

- *Werden* + infinitif (futur)

> **Er wird schlagen.**
> *Il battra*

- *Werden* + participe II (passif)

> **Er wird geschlagen.**
> *Il est battu (on le bat)*

EXERCICES ───────────────────────────────

Donnez les formes du futur simple :

1. 2ᵉ pers. sing. : spazierengehen
2. 1ᵉ pers. pl. : trinken
3. 3ᵉ pers. sing. : aufstehen
4. 3ᵉ pers. pl. : anrufen
5. 1ᵉ pers. sing. : schlafen

Traduisez en allemand, en utilisant la forme en werden *du futur :*

1. Demain il aura vendu sa voiture.
2. A Noël ses parents lui offriront une bicyclette.
3. Nous mangerons au restaurant.
4. Quand tu auras lu le journal, tu pourras éteindre la lumière.
5. Nous t'emmenerons au théâtre.

97 Ganz, all-, jeder

Selon le sens, « tout », « tous » peuvent correspondre à *ganz, all-* et *jeder*. Il ne faut pas les confondre.

1. *Ganz* correspond à « tout » dans le sens d'« entier ». Il se décline comme un adjectif.

den **ganzen** Tag	den **ganzen** Winter über
toute la journée	*pendant tout l'hiver*
das **ganze** Brot	auf der **ganzen** Welt
le pain	*dans le monde entier*
die **ganze** Familie	
toute la famille	

● **Avec les noms de villes, de continents et les noms de pays sans article,** *ganz* est invariable : (voir « noms des pays », n° 157)

ganz Berlin	in **ganz** Griechenland	durch **ganz** Afrika
tout Berlin	*dans toute la Grèce*	*à travers toute l'Afrique*

● **Avec les noms de pays qui ont un article,** *ganz* est décliné comme un adjectif :

durch die **ganze** Schweiz	in der **ganzen** Normandie
à travers toute la Suisse	*dans toute la Normandie*

2. *Aller, alle, alles ; alle* correspond à « tout », « tous ». C'est un déterminatif qui se comporte comme l'article défini. *All-* est utilisé de préférence au pluriel. Au singulier, avec des noms dénombrables, on emploie *jeder*.

alle meine Freunde	**alle** Tage	**alles** Gute
tous mes amis	*tous les jours*	*« meilleurs vœux »*
		(litt. tout le bien)
in allen unbekannten Ländern		**alle** Deutschen
dans tous les pays inconnus		*tous les Allemands*

Mais : **alle beide**	**alle drei**	**alle halbe(n)** Stunde(n)
tous les deux	*tous les trois*	*toutes les demi-heures*

Remarque :

● Au génitif singulier masculin et neutre *all-* prend la terminaison *-en :*

trotz **allen** guten Willens.
malgré toute la bonne volonté.

- *Alle* peut être pronom indéfini :

alle sind gekommen
tous sont venus

alles oder nichts
tout ou rien

wir alle
nous tous

ihr alle
vous tous

sie alle
eux tous

alle miteinander
tous ensemble

- *Alle, alles* comme antécédent de relative :

alle, die
tout ceux qui

alles, was
tout ce que

Sie hat **allen, die** sie kennt, geschrieben.
Elle a écrit à tous ceux qu'elle connaît.

Er sagte **alles,** was er wußte.
Il a dit tout ce qu'il savait.

3. *Jeder* correspond à « tout » dans le sens de « chaque ». Il s'emploie au singulier pour les choses ou personnes que l'on peut dénombrer.

- *Jeder* déterminatif se comporte comme l'article défini :

jeder Mensch
tout homme / chaque homme

jeden Abend
tous les soirs / chaque soir

zu **jeder** Stunde
à toute heure

jeden Augenblick
à tout moment

ohne **jeden** Zweifel
sans aucun doute

jeden zweiten Tag (**alle** zwei Tage)
tous les deux jours

- *Jeder* pronom (= « chacun ») se décline comme *der, das, die* :

Jeder weiß es. (**Alle** wissen es.)
Tout le monde le sait.

Jedem seine Chance !
A chacun sa chance !

EXERCICE

Traduisez en allemand :
1. Il se promène tous les après-midi.
2. Il s'est promené toute l'après-midi.
3. Est-ce bien toute la vérité ?
4. Il peut venir à tout moment.
5. Le tramway part tous les quarts d'heure.
6. Elle n'a pas lu tout le livre.
7. Tous les soirs, il lit un poème.
8. Tous les hommes sont mortels (sterblich).
9. Il a vendu tout ce qu'il possédait.
10. Tous les trois jours, il a une piqûre (eine Spritze bekommen).
11. Elle a travaillé toute sa vie.
12. Chacun pense d'abord à soi.

98 Gehören, gehören zu, angehören

1. *Gehören* + dat. = « appartenir », indique la possession.

Dieser Regenschirm gehört mir nicht.
Ce parapluie ne m'appartient pas.

2. *Gehören zu* + dat.

● S'emploie pour indiquer la partie d'un ensemble dans le sens de « faire partie de », « compter parmi ».

Thomas Mann gehört zu den berühmtesten Schriftstellern seiner Zeit.
Thomas Mann est un (fait partie) des écrivains les plus célèbres de son temps.

● Peut se traduire par « il faut (du temps, de l'argent, du courage) » lorsqu'il indique la condition nécessaire à une activité.

Es gehört viel Mut dazu, über diesen See zu schwimmen.
Il faut beaucoup de courage pour traverser ce lac à la nage.

3. *Angehören* + dat. = « faire partie de », « être membre de », « être adhérent » d'un parti, d'une organisation.

Peter gehört dem Briefmarkensammlerverein an.
Pierre est membre du club philatélique.

EXERCICE

Complétez par le verbe qui convient :
1. ... dir dieser Füller?
2. ... dieser Gymnastikübung ... viel Geschicklichkeit.
3. Zehn Jahre lang ... er der Kommunistischen Partei ...
4. ... du auch ... den Grünen?
5. Der Jugend ... die Zukunft.
6. Der Panther ... ... den Raubkatzen.
7. ... euch dieses Haus?
8. Renate...nicht ... den besten Schülerinnen ihrer Klasse.

99 Le génitif : emplois

Les <u>groupes nominaux au génitif</u> traduisent divers types de compléments sous plusieurs formes.

1. Complément de nom dans divers emplois possibles.

● soit pour exprimer la possession

> Das Auto **meines Vaters** (ou *von meinem Vater*).
> *La voiture de mon père.*

● soit, en relation avec un nom de mesure ou de quantité, pour exprimer une totalité

> Ein Korb reifer Äpfel.
> *Un panier de pommes mûres.*

> Einer **meiner Söhne.**
> *L'un de mes fils.*

● soit comme génitif subjectif (= sujet possible)

> Die Ankunft **meiner Freunde** (= *meine Freunde kommen an :* mes amis arrivent)
> *L'arrivée de mes amis.*

● soit comme génitif objectif (= complément d'objet possible)

> Der Verkauf **des Schiffes** (man verkauft das Schiff : on vend le bateau).
> *La vente du bateau.*

2. Complément d'un verbe; ces verbes sont peu nombreux et d'un emploi peu fréquent : *sich bemächtigen,* s'emparer de, *gedenken,* se souvenir de (remplacé le plus souvent par *sich erinnern an* + acc.), *sich annehmen,* s'occuper de (remplacé le plus souvent par *sich kümmern um* + acc.)...

> Sie bemächtigten sich **der Stadt.**
> *Ils s'emparèrent de la ville.*

3. Complément de certains adjectifs;
Les plus fréquents sont : *bewußt, würdig, sicher.*

> Ich bin mir **der Schwierigkeiten** bewußt.
> *J'ai conscience des difficultés.*

> Das ist **seiner** nicht würdig.
> *Cela n'est pas digne de lui.*

> Er ist **seines Erfolges** nicht sicher.
> *Il n'est pas sûr de son succès.*

Dans certains cas l'accusatif est plus fréquent :

> Ich bin **des Redens** müde
> *ou* ich bin **das Reden** müde.
> *J'en ai assez de parler.*

4. Compléments adverbiaux exprimant

● le temps

> **Eines Tages** ging er in den Wald.
> *Un jour il alla dans la forêt.*

- l'opinion

Meines Erachtens.
A mon avis.

5. Après les **prépositions qui exigent le génitif** (voir n° 184)

Er wohnt jenseits **der Grenze.**
Il habite de l'autre côté de la frontière.

EXERCICE ─────────────────────────────────────

Traduisez en allemand :
1. C'est la maison de ma sœur.
2. Un de ses enfants vit en Suisse.
3. Les heures d'ouverture (die Öffnungszeit) des magasins ont été modifiées (ändern).
4. Un jour il frappa à la porte.
5. Le château (das Schloß) du roi (der König) a été détruit (zerstören).
6. Il est conscient de sa faute (die Schuld).
7. Ils s'emparèrent de l'enfant.

100 Le génitif saxon

1. Formation

Dans le groupe nominal, le complément de nom au génitif se place normalement après la base du groupe, c'est-à-dire le nom :

Die bekanntesten Werke Goethes
Les œuvres les plus connues de Goethe.

On peut, en allemand, utiliser la structure dite du « génitif saxon », caractérisée par le fait que le complément au génitif « prend la place » du déterminatif (article défini) et se trouve donc placé devant le nom et ses éventuels adjectifs épithètes (le groupe nominal prend les marques du type II).

Goethes bekannteste Werke.

L'article défini disparaît !

~~die Goethes bekanntesten Werke~~ est impossible !

2. Emploi

Le génitif saxon ne s'emploie plus guère aujourd'hui qu'avec des noms propres (masculins ou féminins), ou des noms de parenté :

Peters Mutter arbeitet in Düsseldorf.
La mère de Pierre travaille à Düsseldorf.

Giselas Vater ist Apotheker.
Le père de Gisèle est pharmacien.

Großvaters Garten
Le jardin de grand-père.

On le rencontre encore dans quelques tournures figées (par exemple dans des proverbes) :

Müßiggang ist **aller Laster** Anfang.
L'oisiveté est la mère de tous les vices.

Ce génitif saxon a la valeur d'un possessif : *Peters Mutter = seine Mutter.* Il est surtout utilisé dans les cas de génitifs possessifs (parfois aussi dans les cas de génitifs objectifs et subjectifs, voir n° 99)

> **Pauls Auto** ist kaputt.
> *La voiture de Paul est cassée (génitif possessif).*

Remarque :

Il n'est pas possible d'utiliser un génitif saxon lorsque le groupe nominal comporte un article indéfini ou un quantitatif ; dans ce cas on n'utilisera pas le génitif mais *von* + datif :

> Ein Gedicht **von Heine :** *une poésie de Heine.*
>
> Heines Gedicht = das Gedicht **von Heine.**
>
> Drei Romane **von Thomas Mann** = *trois romans de Thomas Mann.*
>
> Thomas Manns Romane = *les romans de Thomas Mann.*

EXERCICE ─────────────────────────────

Traduisez en allemand en utilisant un génitif saxon, lorsque c'est possible.

1. Les romans de Heinrich Böll sont très connus.
2. Après la mort de Guillaume, elle quitta la France.
3. J'ai visité quelques églises de Rome.
4. Un ami de Pierre est arrivé hier soir.
5. Depuis la chambre de Jean on aperçoit les montagnes.
6. La bicyclette de ma sœur Hélène a été volée.
7. J'ai vu le maire (der Bürgermeister) de la ville de Cologne.

---

101 Le genre des noms communs

En allemand, il y a trois genres : le masculin, le neutre et le féminin. Il faut, quand on apprend un mot nouveau, l'apprendre avec son genre, c'est-à-dire son article : *der, das* ou *die.* Il faut se méfier du genre des mots français ; la correspondance est rare :

> **die Sonne :** *le soleil*   **der Mond :** *la lune*

On peut cependant donner quelques indications pour aider la mémoire.

1. Les rapports entre le genre et la formation du nom.

Les noms composés :

Le genre des noms composés est fourni par le genre du dernier déterminé (voir n° 155) :

Taschentuch ?   → das Tuch → **das Taschentuch** *(le mouchoir)*
Rundfunkgerät ? → das Gerät → **das Rundfunkgerät** *(l'appareil de radio)*
Musikhochschule ?→ die Schule→ **die Musikhoch-** *(l'école supérieure de*
                              schule *musique)*

LES NOMS DÉRIVÉS :

● A l'aide du préfixe *Ge-* : ils sont neutres lorsqu'ils indiquent un
— collectif :

das Gebirge : *les montagnes*   **das Gestirn** : *la constellation*

— une activité (formation à partir d'un verbe) :

das Geschwätz : *le bavardage (schwatzen : bavarder)*
das Geschrei : *les cris (schreien : crier)*
das Gelächter : *les rires (lachen : rire)*

Mais attention : tous les noms en *Ge-* ne sont pas neutres :

der Geschmack : *le goût*
die Gefahr : *le danger*
die Geburt : *la naissance*

● A l'aide de suffixes
Sont **masculins** les noms terminés par :

-and ou *ant :*	**der Doktorand :**	*le candidat au doctorat*
	der Fabrikant :	*le fabricant*
-är :	**der Legionär :**	*le légionnaire (mais* das Militär : *les militaires, l'armée)*
-ast :	**der Gymnasiast :**	*le lycéen*
-eur ou *ör :*	**der Ingenieur :**	*l'ingénieur*
-ent :	**der Student :**	*l'étudiant*
-ier (prononcé [je]) :	**der Bankier :**	*le banquier*
-ier (prononcé i:r) :	**der Offizier :**	*l'officier*
-iker :	**der Mechaniker :**	*le mécanicien*
-ismus :	**der Kapitalismus :**	*le capitalisme*
-ist :	**der Jurist :**	*le juriste*
-or :	**der Katalysator :**	*le catalyseur*

Sont **neutres** les noms terminés par :

-chen ou *-lein*	**das Mädchen :**	*la petite fille*
(diminutifs) :	**das Fräulein :**	*la demoiselle*
-tel :	**das Drittel :**	*le tiers*
-tum :	**das Christentum :**	*le christianisme*
Mais :	**der Irrtum :**	*l'erreur*
	der Reichtum :	*la richesse*
-in (noms de chimie) :	**das Benzin :**	*l'essence*
-(i)um :	**das Datum :**	*la date*
-ment (prononcé [mɛnt]) :	**das Argument :**	*l'argument*
-ment (prononcé [mã]) :	**das Appartement :**	*l'appartement*

Sont **féminins** les noms terminés par :

-ei :	**die Bücherei :**	*la librairie*
-in :	**die Freundin :**	*l'amie*
-heit :	**die Freiheit :**	*la liberté*
-keit :	**die Höflichkeit :**	*la politesse*
-schaft :	**die Freundschaft :**	*l'amitié*
-ung :	**die Werbung :**	*la publicité*

-anz :	die Bilanz :	le bilan
-ie (prononcé [jə]) :	die Kastanie :	la châtaigne
(prononcé [i:]) :	die Theorie :	la théorie
mais :	das Genie :	le génie
-ik :	die Musik :	la musique
-ion :	die Nation :	la nation
-tät :	die Qualität :	la qualité
-ur :	die Natur	la nature
-ose :	die Tuberkulose :	la tuberculose

2. Les rapports du genre avec le type de nom.

Les infinitifs substantivés sont toujours neutres :

das Lachen : *le rire.*

3. Les rapports du genre avec le sens :

● Les noms de mois, de jours, de saisons sont masculins

der Februar : *le mois de février*   **der Sonntag** : *le dimanche*
der Frühling : *le printemps*

● Les chiffres sont féminins

die Vier : *le chiffre 4*

● Les lettres sont neutres

das A : *la lettre A*

● Les noms d'arbres et de fleurs sont presque tous du féminin

die Eiche : *le chêne*   **die Tanne** : *le sapin*   **die Rose** : *la rose*
Mais : **der Ahorn** : *l'érable*

● Les noms de métaux sont presque tous neutres

das Gold : *l'or*

● Les noms de monnaies sont souvent du masculin

der Dollar : *le dollar*
Mais : **die Mark** : *le mark*
     das Pfund : *la livre*

Remarque : Pour les homonymes à genre différent voir les listes A4, A5.

EXERCICE —————————————————————————

Donnez le genre des mots suivants.
1. Gesundheit (la santé).
2. Politiker (le politicien).
3. Taschenlampe (la lampe de poche).
4. März (le mois de mars).
5. Zeitung (le journal).
6. Silber (l'argent métal).
7. Buche (le hêtre).
8. Bäckerei (la boulangerie).
9. Wirtschaft (l'économie).
10. Schülerin (l'écolière).
11. Dienstag (mardi).
12. Beschleunigung (l'accélération).
13. Fahrschule (l'auto-école).
14. Zeitungsartikel (l'article de journal).
15. Portion (la portion).
16. Lehrerin (l'institutrice).
17. O (la lettre O).
18. Null (le zéro).
19. Lilie (le lis).
20. Testament (le testament).

102 Genug et ziemlich

1. Genug est invariable et signifie « assez » au sens de « suffisamment ». Il se place généralement après l'adjectif ou l'adverbe.

> Er ist alt **genug,** um zu wissen, was er tun soll.
> *Il est suffisamment grand pour savoir ce qu'il doit faire.*

● *genug,* selon qu'il est placé avant ou après le substantif, présente une légère différence de sens :

> Hast du **genug** Geld für deine Reise ?
> *As-tu assez d'argent pour ton voyage ?*
> Er hat Geld **genug.**
> *De l'argent, il en a assez.*

2. Ziemlich signifie « assez » au sens de « passablement », « relativement ».

● Il se place devant l'adjectif ou l'adverbe.

> Sie ist **ziemlich** reich.
> *Elle est assez riche.*

● *Ziemlich* devant un substantif s'associe à *viel* ou *wenig* ou à un adjectif.

> **Ziemlich viele** Menschen waren auf dem Platz versammelt.
> *Pas mal de gens s'étaient réunis sur la place.*
> Da stand früher ein **ziemlich hohes** Haus.
> *Là, il y avait autrefois une maison relativement haute.*

Remarque :
« En avoir assez de » se dit :
von etw., von jmm. genug haben ou *etw., jmn. satt haben*

> Ich **habe genug von** seinen Reden. ou Ich **habe** seine Reden **satt.**
> *J'en ai assez de ses discours.*

EXERCICE

Complétez les phrases en ajoutant genug *ou* ziemlich *à la place qui convient :*

1. Ist das Wasser ... heiß ... zum Baden ?
2. Unser Lehrer ist ... nett ....
3. Er ist ein ... guter Schauspieler.
4. Hast du ... Zeit ... für diese Arbeit ?
5. Ja, ich habe ... Zeit ....
6. Das Buch ist ... gut ....

---

103 Les groupes infinitifs subordonnés

Um ... *zu* + inf. = pour + inf.
Ohne ... *zu* + inf. = sans + inf.
Anstatt ... *zu* + inf. = au lieu de + inf.
Ces groupes infinitifs peuvent avoir une valeur de subordonnée ; on distingue :

1. *Um* ... *zu* + inf. = pour, afin de + inf.

> Er verbringt ein Jahr in Deutschland, **um Deutsch zu lernen.**
> *Il passe un an en Allemagne pour apprendre l'allemand.*

2. *Ohne* ... *zu* + inf. = sans + inf.

> Er macht seine Hausaufgaben, **ohne zu überlegen.**
> *Il fait ses devoirs sans réfléchir.*

3. *Anstatt* ... *zu* + inf. = au lieu de + inf.

> Er arbeitet, **anstatt sich auszuruhen.**
> *Il travaille au lieu de se reposer.*

Remarques :

● La place de *zu* est déterminée par la règle générale (voir n° 260).

● L'ordre des mots dans le groupe infinitif est défini (voir n° 162).

● Comme en français, l'emploi de ces groupes infinitifs à valeur de subordonnées n'est possible que si le sujet de la proposition et le sujet implicite de l'infinitive sont identiques ; lorsque ce n'est pas le cas, pour *um* ... *zu* et *ohne* ... *zu,* il faut employer :

— *damit* + indicatif :

> Der Vater gibt seinem Sohn 10 Mark, **damit er** ins Kino gehen kann.
> *Le père donne 10 mark à son fils pour qu'il puisse aller au cinéma.*

— *ohne daß* + indicatif :

> Der Schüler liest einen Brief, **ohne daß der** Lehrer es merkt.
> *L'élève lit une lettre sans que le professeur ne s'en aperçoive.*

— idem pour *anstatt daß* + indicatif

EXERCICE

Traduisez en allemand :

1. Il se lève de bonne heure pour pouvoir mieux travailler.
2. Au lieu d'aller à l'école, il est allé chez un ami.
3. Il est parti sans me remercier (danken + dat.).
4. Il est arrivé à 3 heures sans que je ne m'en aperçoive.
5. Pour lire le journal, j'ai besoin de lunettes (die Brille).

104 Le groupe nominal avec adjectif épithète : les deux types

Le groupe nominal comporte obligatoirement une base N (nom, adjectif, participe ou infinitif substantivés). Cette base peut être précédée d'un adjectif épithète A ; ce groupe A/N peut à son tour être précédé d'un déterminatif D (article, adjectif possessif, démonstratif, indéfini).

On peut donc avoir des groupes A/N ou D/A/N. Ces deux groupes fonctionnent selon deux types.

1. Le type I est caractérisé par :

● la présence d'un déterminatif D

● la présence sur ce déterminatif de l'une des 5 marques possibles *er, en, em, es, e*

● la présence sur l'adjectif de l'une des 2 marques possibles *e, en* (voir n° 8).

Tableau des marques du type I :

	masculin		neutre		féminin		pluriel	
	D	A	D	A	D	A	D	A
nominatif	er	e	a(e)s	e	e	e	e	en
accusatif	en	en	a(e)s	e	e	e	e	en
datif	em	en	em	en	er	en	en	en
génitif	es	en	es	en	er	en	er	en

Wie alt ist **deine kleine Schwester?**
Quel âge a ta petite sœur?
Hast du **den ganzen Tag** gearbeitet?
As-tu travaillé toute la journée?

Les déterminatifs du groupe nominal du type 1 peuvent être :

● l'article défini *der, das, die*

● l'article indéfini *ein* (et *kein*) et les adjectifs possessifs *mein, dein, sein, ihr, unser, euer, ihr, Ihr,* sauf à trois cas (nominatif masculin singulier, nominatif et accusatif neutre singulier)

● les adjectifs démonstratifs *dieser, dieses, diese, jener, jenes, jene*

● *jeder, jedes, jede*

● *alle, welche...* (voir n° 105).

2. Le type II est caractérisé par :

● soit l'absence de déterminatif

● soit la présence de *ein, kein* et des possessifs à l'un des cas suivants : nominatif masculin singulier, nominatif et accusatif neutre singulier

● le transfert sur l'adjectif (ou les adjectifs, s'il y en a plusieurs) de l'une des 5 marques *er, en, em, es, e.*

type I :

meine lieben Eltern
mes chers parents

der schöne Wagen
la belle voiture

type II :

liebe Eltern
chers parents

ein schöner Wagen
une belle voiture

Remarque :

Attention! Au génitif masculin et neutre singulier, on ne transfère pas *es* (de *des*), mais *en :*

> Er ging **frohen Herzens** spazieren.
> *Il alla se promener le cœur joyeux.*

EXERCICES ─────────────────────────────────

Indiquez le type du groupe nominal souligné :

1. Hast du meine neuen Schuhe geputzt?
2. Lieber Onkel!
3. Sie wohnen in einem schönen Haus.
4. Sie haben zwei große Söhne.
5. Unser neuer Lehrer ist krank.
6. Hast du meinen blauen Hut gesehen?
7. Wo hast du diesen grauen Anzug gekauft?
8. Er hat sich die Glasfenster der alten Kirche angeschaut.
9. Welche deutschen Städte kennst du?
10. Hast du schon ein interessanteres Buch gelesen?

Complétez les marques manquantes, s'il y a lieu.

1. Sein... ehemalig... Nachbarn sind heute zu Besuch.
2. Unser... best... Freund ist im Krankenhaus.
3. Er hat ein... lang... Mantel aus schwarz... Leder an.
4. Das war ein... schlimm... Unfall.
5. Wo hast du mein... blau... Jacke hingelegt?

105 Les groupes nominaux avec : all-, ander-, beid-, einig-, folgend-, manch-, mehrer-, solch-, sämtlich-, viel-, welch-.

all- (tous les), *ander-* (d'autres), *beid-* (les deux), *einig-* (quelques), *folgend-* (les... suivants), *manch-* (plus d'un), *mehrer-* (plusieurs), *solch-* (de tels), *sämtlich-* (tous les, l'ensemble de), *viel-* (beaucoup de), *welch-* (quels).

Selon les cas et selon le singulier ou le pluriel, ces éléments peuvent prendre les marques de l'article défini et former des groupes nominaux du type n° 1 (voir n° 104), ou bien ils sont considérés comme des adjectifs, et ils forment alors des groupes nominaux du type n° 2.

Les règles suivantes sont une simplification, mais en les observant, on est à l'abri de reproches éventuels...

1. Prennent les marques de l'article défini
(→ groupe nominal type I) :

● *all-*

> **Alle anwesenden Kinder** waren begeistert.
> *Tous les enfants présents étaient enthousiasmés.*

● *beid-*

> Ich kenne **beide jungen Damen.**
> *Je connais les deux jeunes dames.*

● *solch-*

> Wir haben **solches schöne Wetter!**
> *Nous avons si beau temps!*

On peut dire aussi : *solch ein schönes Wetter*
(*solch* invariable! → groupe nominal type II)
　　　　　　ou　　　　　　*so ein schönes Wetter*

● *welch-*

> **Welcher gute Schachspieler** möchte gegen mich spielen?
> *Quel bon joueur d'échecs voudrait jouer contre moi?*

On peut dire aussi : *welch guter Schachspieler*
(*welch* invariable! → groupe nominal type II).

2. Sont considérés comme des adjectifs
(groupe nominal type II) :

● *ander-*

> Ich habe noch **andere interessante Bücher.**
> *J'ai encore d'autres livres intéressants.*

● *mehrer-*

> Sie haben **mehrere kleine Kinder.**
> *Ils ont plusieurs petits enfants.*

3. Au singulier (emploi rare) prennent les marques de l'article ; au pluriel sont considérés comme des adjectifs.

● *einig-*

> Bei **einigem guten Willen** wirst du es schaffen!
> *Avec un peu de bonne volonté tu y arriveras!*
>
> Sie haben **einige alte Bäume** im Garten.
> *Ils ont quelques vieux arbres dans le jardin.*

● *folgend-*

> Soll ich Ihnen **folgenden interessanten Satz** vorlesen?
> *Dois-je vous lire la phrase intéressante suivante ?*
>
> **Folgende französische Werke** habe ich gelesen.
> *J'ai lu les œuvres françaises suivantes.*

● *manch-*

> Aus **mancher schwierigen Situation** hat er einen Ausweg gefunden.
> *Il s'est sorti de plus d'une situation délicate.*
>
> **Manche Angestellte** haben gestreikt.
> *Quelques employés ont fait grève.*

On peut dire aussi : *aus manch schwieriger Situation*
manch Angestellter
(*manch* invariable! → groupe nominal type II)

● *sämtlich-*

> Sie sind mit **sämtlichem gestohlenen Geld** verschwunden.
> *Ils ont disparu avec la totalité de l'argent volé.*
>
> Er besitzt **sämtliche klassische Werke** der deutschen Literatur.
> *Il possède la totalité des œuvres classiques de la littérature allemande.*

● *viel-*

> Mit **vielem heißen Wasser** könnte man das Eis zum Schmelzen bringen.
> *Avec beaucoup d'eau chaude on pourrait faire fondre la glace.*

On peut dire aussi : *mit viel heißem Wasser*
(*viel* invariable! → groupe nominal type II)

> Dort sieht man **viele hohe Häuser.**
> *Là-bas on voit beaucoup de maisons hautes.*

EXERCICES

Complétez :

1. All... gut... Restaurants befinden sich in diesem Viertel.
2. Dort sind einig... deutsch... Bücher zu kaufen.
3. Bei solch... schlecht... Wetter gehe ich nicht spazieren.
4. Ich habe in Deutschland schon manch... gut... Bier getrunken.
5. Welch... bekannt... Weine gibt es in dieser Gegend?

Traduisez en allemand :

1. J'ai vu d'autres films intéressants.
2. Quelques amis allemands m'ont rendu visite.
3. En Italie il y a plusieurs villes agréables à visiter.
4. As-tu beaucoup de timbres étrangers ?
5. J'ai lu toutes les poésies connues de Heine.

---

106 Le groupe verbal (G.V.)

Les propositions et les subordonnées comportent un **groupe verbal**, c'est-à-dire **un verbe conjugué auquel peuvent être associés des infinitifs, des participes, des groupes nominaux, des adverbes...** Le groupe verbal est l'équivalent, dans les propositions et les subordonnées, du groupe infinitif (voir n° 162).

> Er ist gestern nach England gefahren.
> G.V. = **nach England gefahren ist**
> *Hier il est parti en Angleterre.*
>
> Ich glaube, daß er gestern nach England gefahren ist.
> G.V. de la subordonnée = **nach England gefahren ist.**
> *Je crois qu'hier il est parti en Angleterre.*
>
> Heute nacht hat er nur drei Stunden geschlafen.
> G.V. = **nur drei Stunden geschlafen hat**
> *Cette nuit il n'a dormi que trois heures.*

EXERCICES ————————————————

Donnez le groupe verbal des propositions suivantes.
1. Morgen gehe ich vielleicht zu meiner Tante.
2. Peter läuft sehr schnell.
3. Das Haus ist ziemlich groß.
4. Er braucht einen Mantel.
5. Ich glaube es dir.

Donnez le groupe verbal des subordonnées suivantes.
1. Ich hoffe, daß der Zug keine Verspätung hat.
2. Er ist heute krank, weil er zu viel Wein getrunken hat.
3. Ich glaube, daß sein Vater jetzt in München arbeitet.
4. Ich weiß nicht, ob er wirklich gesund ist.
5. Ich frage mich, warum sie ein Auto gekauft haben.

107 Les groupes verbaux résultatifs

1. Type *sich* + adjectif + verbe
Dans certaines expressions verbales du type *sich* + adjectif + verbe) », le verbe aboutit à un résultat exprimé par l'adjectif :

> Er hat **sich heiser geschrien.**
> *Il s'est enroué à force de crier. (= il a crié si fort qu'il s'est enroué).*
> Du hast **dich heiser geschrien.**
> *Tu t'es enroué à force de crier.*

Expressions ————————————————

kaputt : **sich kaputt lachen**	: *mourir de rire*
tot : **sich totlachen**	: *(noter l'attachement de tot à lachen) :*
	mourir de rire
müde : **sich müde laufen**	: *courir à s'en fatiguer*
warm : **sich warm laufen**	: *se réchauffer en courant*

2. Type avec groupe nominal

La ·même idée de résultat se rencontre dans les expressions du type *sich* ou datif + groupe nominal + adjectif + verbe ; mais c'est le groupe nominal qui subit la conséquence de l'action exprimée par le verbe.

> Er hat **sich die Füße wund gelaufen.**
> *A force de courir il s'est blessé les pieds.*
> Er hat **mir die Ohren voll geschrien.**
> *Il m'a rebattu les oreilles.*

Mais attention : *sich* est ici un datif ! Donc :

> Du hast **dir** die Füße wund gelaufen.
> *A force de courir tu t'es blessé les pieds.*

Expressions

voll : **sich die Taschen vollstopfen**	: *se bourrer les poches de...*
kurz : **sich die Haare kurz schnei-den lassen**	: *se faire couper les cheveux courts*

EXERCICES

Traduisez en allemand :

1. Dans la forêt il s'est réchauffé en courant.
2. Devant ses élèves il s'est enroué à force de crier.
3. Il m'a rebattu les oreilles avec ses histoires.
4. Je me suis bourré les poches de prunes (die Pflaume).
5. Quand il raconte des histoires, on meurt de rire.

---

108 *Haben* ou *sein* au parfait et aux autres temps composés ?

Le parfait se forme avec *haben* ou *sein* selon les verbes.

1. On emploie *sein* avec

● les verbes *sein, werden, bleiben.*

> Ich **bin** krank **gewesen.**   Er **ist** bleich **geworden.**
> *J'ai été malade.*   *Il a pâli.*
> Wie lange **bist** du dort **geblieben?**
> *Combien de temps y es-tu resté ?*

● les verbes intransitifs (= qui n'ont pas de complément d'objet à l'accusatif) qui expriment un changement d'état.

> Er **ist erschrocken.**
> *Il s'est effrayé.*

● les verbes intransitifs qui expriment un changement de lieu ou mouvement.

> Ich **bin** dann nach Hause **gegangen.**
> *Puis je suis rentré.*

2. On emploie *haben* avec :

● les verbes transitifs (= qui ont un complément d'objet à l'accusatif).

> **Sie haben die Tür geöffnet.**
> *Ils ont ouvert la porte.*

● les verbes pronominaux et réfléchis.

> **Ich habe mich beeilt.**   **Hast du dich gewaschen?**
> *Je me suis dépêché.*   *T'es-tu lavé?*

● les verbes de position (voir n° 245)

> **Ich habe zwei Stunden lang gestanden.**
> *J'ai été debout deux heures durant.*

● les verbes intransitifs qui expriment un processus qui dure.

> **Wie lange hast du geschlafen?**
> *Combien de temps as-tu dormi?*

Remarque :

● **Les verbes comme** *reiten,* aller à cheval, *segeln,* faire de la voile, *schwimmen,* nager, *tanzen,* danser, *klettern,* escalader, *laufen,* courir, *springen,* sauter s'emploient avec *sein* lorsqu'ils sont accompagnés d'un complément directionnel (ils sont alors considérés comme des verbes intransitifs de mouvement), mais aussi avec *haben* lorsqu'ils sont considérés comme exprimant un processus qui dure (ils sont alors employés sans directionnel). Comparer :

> **Er ist bis ans andere Ufer geschwommen.**
> *Il a nagé jusqu'à l'autre rive.*
> **Er hat zwei Stunden geschwommen.**
> *Il a nagé deux heures.*

● **Attention au verbe** *fahren !* Il peut être transitif.

Comparer :

> **Ich bin in die Schweiz gefahren.**
> *Je suis allé (en voiture) en Suisse.*

Mais :

> **Ich habe den Wagen in die Garage gefahren.**
> *J'ai rentré la voiture dans le garage.*

EXERCICES ────────────────────────

Complétez par haben *ou* sein.
1. Bis wann ... ihr dort geblieben?
2. Ich ... die ganze Nacht geträumt (rêver).
3. Er ... gestern bei uns gewesen.
4. Sie ... dann in einen anderen Saal hineingetanzt.
5. Sie ... ein Kilo Fleisch gekauft.
6. Wir ... den ganzen Tag gesegelt.
7. Ich ... im Wartesaal eine Stunde gesessen.
8. Das Paket ... angekommen.

Traduisez en allemand.
1. T'es-tu peigné (sich kämmen) ce matin?
2. J'ai traversé la rivière à cheval.
3. J'ai bu le vin qui restait (übrigbleiben).
4. J'ai couru jusqu'à la maison.
5. As-tu écrit à ta mère?
6. Combien de temps a duré l'opération (die Operation)?
7. Qui a construit cette maison?
8. A-t-il déjà eu une voiture?

109 Halb - die Hälfte

Halb signifie « demi, la moitié »

1. *Halb* décliné comme un adjectif.

ein **halbes** Jahr
6 mois (= une demi-année)

in einem **halben** Jahr
dans 6 mois (= dans une demi-année)

eine **halbe** Stunde
une demi-heure

während einer **halben** Stunde
pendant une demi-heure

alle **halbe(n)** Stunde(n)
toutes les demi-heures

ein **halbes** Kilo
un demi-kilo

ein **halber** Liter
un demi-litre

ein **halbes** Pfund
une demi-livre

Er ist auf **halbem** Wege umgekehrt.
Il est retourné à mi-chemin.

● *halb* (décliné) peut correspondre à « la moitié de » :

Die **halbe** Stadt war unterwegs.
La moitié de la ville était dans la rue.
Die **halbe** Klasse fehlte.
La moitié de la classe manquait.

2. *Halb* invariable

● *halb* = « demi », « demie » est invariable dans l'indication de l'<u>heure</u> :

Es ist **halb** 12 Uhr.
Il est 11 heures et demie.
Es ist fünf Minuten vor **halb** zehn.
Il est 9 h 25.
Es ist fünf Minuten nach **halb** zehn.
Il est 9 h 35.

● **A partir de** *anderthalb* le nom se met au pluriel.

Er bleibt **anderthalb** Stunden.
Il reste une heure et demie.
Die Vorstellung dauert **zweieinhalb** Stunden.
La représentation dure deux heures et demie.

● *halb* est invariable avec des <u>adjectifs, des adverbes et des verbes</u> : « à demi », « à moitié ». *Halb* s'attache à l'adjectif épithète, mais ni à l'attribut, ni au verbe.

eine **halboffene** Tür
une porte à moitié ouverte
Die Tür steht **halb offen**.
La porte est à moitié ouverte.

Er **macht** die Tür **halb auf**.
Il ouvre la porte à moitié.

● *halb* dans des comparatives :

halb so + adj. + wie = « moitié moins + adj. + que »

> Gisela ist **halb so groß wie** Peter.
> *Gisela est moitié moins grande que Pierre.*

halb soviel + verbe + wie = « verbe + moitié moins + que »

> Sie ißt **halb soviel wie** ihr Bruder.
> *Elle mange moitié moins que son frère.*

● *halb* est invariable avec des noms de <u>villes</u> et de <u>pays</u>

> **Halb Berlin** war im Olympiastadion.
> *La moitié de la population de Berlin était au stade olympique.*
> **Halb Deutschland** war ohne Strom.
> *La moitié de l'Allemagne était sans électricité.*

● *halb* entre souvent comme déterminant dans des noms composés

der Halbbruder	**die Halbinsel**
le demi-frère	*la presqu'île*
der Halbschlaf	**das Halbdunkel**
le demi-sommeil	*la pénombre*
der Halbskreis	**die Halbkugel**
le demi-cercle	*l'hémisphère*
halbautomatisch	
semi-automatique	

● *halb .... halb* = « à demi ... à demi » ; « moitié .... moitié »

> Sie empfing ihn **halb** erfreut, **halb** ärgerlich.
> *Elle n'était qu'à moitié contente de le recevoir.*
>
> (litt. : *Elle le reçut moitié contente, moitié contrariée.*)

3. *Die Hälfte* =, « la moitié », est généralement suivi d'un génitif.

> In der zweiten **Hälfte des** Monats.
> *Dans le seconde quinzaine (= moitié) du mois.*
> Die Kinder zahlen die **Hälfte des** Preises.
> *Les enfants payent demi-place.*

Notez :

le verbe se met en général au singulier, mais peut se mettre au pluriel, surtout s'il s'agit d'un attribut.

> **Die Hälfte der Studenten fehlte.**
> *La moitié des étudiants manquaient.*
> **Die Hälfte der Studenten waren** abwesend.
> *La moitié des étudiants étaient absents.*

- *zur Hälfte* = «à moitié», «à demi» :

  Er hat sein Glas nuz **zur Hälfte** ausgetrunken.
  Il n'a vidé son verre qu'à moitié.

- *mehr als die Hälfte* = «plus de la moitié» :

  Mehr als die Hälfte der Zuschauer waren Ausländer.
  Plus de la moitié des spectateurs étaient des étrangers.

EXERCICE

Traduisez en allemand :

1. La bouteille est à moitié vide (deux solutions).
2. Je te présente ma demi-sœur.
3. Je suis resté éveillé la moitié de la nuit.
4. Plus de la moitié des enfants avaient la grippe (die .Grippe).
5. Il travaille moitié moins que sa sœur.
6. La moitié du village était venue au bal.
7. J'ai un rendez-vous (die Verabredung) à 5 heures et demie.
8. Il est 5 h 35.
9. J'ai moitié moins de temps libre (die Freizeit) que l'année dernière.
10. Il y a un demi-siècle, l'air était moitié moins pollué (verschmutzt) qu'aujourd'hui.

---

110 Her et hin

1. Dans le domaine spatial, « *her* » indique généralement un **mouvement vers celui qui parle** :

Komm **her**!
Viens là!

Bring den Wein **her**!
Apporte le vin par ici!

2. Dans ce même domaine spatial, *hin* indique généralement un **mouvement inverse (à partir de celui qui parle vers un autre point)** :

Geh **hin**!
Vas-y!

Bring ihm die Zeitung **hin**!
Va lui apporter le journal!

3. *Her* et *hin* peuvent s'associer à des adverbes de lieu, des interrogatifs de lieu ou des prépositions et exprimer la direction ou la provenance (voir n° 12) :

Direction	Provenance
Gehst du **dorthin**?	Er kommt von **dorther**.
Y vas-tu?	*Il en vient.*
Wohin gehst du?	**Woher** kommt er?
ou **Wo** gehst du **hin**?	*ou* **Wo** kommt er **her**?
Où vas-tu?	*D'où vient-il?*
Er ist **hingefallen**.	Er ist vom Dach **herabgefallen**.
Il est tombé par terre.	*Il est tombé du toit.*

4. Dans la langue courante, les composés en *her* et *hin* sont souvent contractés :

°*rauf* = *herauf* et *hinauf*   °*raus* = *heraus* et *hinaus*
°*nein* = *hinein* et *herein*   °*naus* = *hinaus* et *heraus*

Geh °**raus**!   Komm °**raus**!
Sors!   *Sors!*

EXERCICE ————————————————————————————

Traduisez en allemand :
1. Où est-il allé hier soir ?
2. Entre !
3. D'où vient ce chien ?
4. Tu vois cet arbre là-bas ? Le chat y est grimpé (klettern).
5. Descend de l'échelle !

111 Hören, hören von, hören auf, anhören, zuhören

1. *Jmn, etw.* (acc.) *hören* = « entendre », « écouter ».

Ich **höre** gern Musik. Ich **höre** Radio.   Er **hört** schlecht.
J'aime écouter   *J'écoute la radio.*   *Il entend mal.*
de la musique.

Hast du die Rede des Direktors **gehört**?
As-tu entendu le discours du directeur ?

● Verbe à l'infinitif + *hören* = « entendre »

Ich **höre** ihn **kommen**   Ich habe ihn **kommen hören (gehört).**
Je l'entends venir.   *Je l'ai entendu venir.*

2. *Von jmm., einer Sache* (dat.) *hören* = « entendre parler », « apprendre une nouvelle » (voir n° 21).

Schon lange habe ich nichts mehr **von ihm gehört.**
Depuis longtemps je n'ai plus de ses nouvelles.

Wir haben **davon gehört.**
Nous en avons entendu parler.

● *von sich (dat.) hören lassen* = « donner de ses nouvelles ».

Seit Jahren hat er nichts **von sich hören lassen.**
Depuis des années il n'a pas donné de ses nouvelles.

● *(davon) hören, daß...* = « entendre dire », « apprendre que ».

Ich habe (davon) **gehört, daß** er umgezogen ist.
J'ai appris qu'il avait déménagé.

3. *Auf jmn., etw.* (acc.), *hören* = « écouter qqn. », « suivre les conseils de qqn. ».

Warum hast du nicht **auf mich gehört?**
Pourquoi ne m'as-tu pas écouté ?

Du hättest **auf meinen Rat hören** sollen!
Tu aurais dû écouter mes conseils !

4. Sich (dat.) *etw.* (acc.) *anhören* = « écouter qqch. avec attention ».

> Gestern habe ich **mir** ein Konzert im Radio **angehört.**
> *Hier, j'ai écouté un concert à la radio.*

5. Jmm., einer Sache (dat.) *zuhören* = « écouter qqn., qqch. avec attention », « prêter l'oreille à ».

> Sie **hörte** ihm aufmerksam **zu,** wenn er von seinen Reisen erzählte.
> *Elle l'écoutait attentivement lorsqu'il racontait ses voyages.*

EXERCICE

Complétez par le verbe qui convient :

1. Hast du dir den Vortrag über Afrika... ?
2. ...du den Hund bellen?
3. Ich habe..., daß Fritz das Rennen gewonnen hat.
4. Kannst du mir nicht wenigstens fünf Minuten... ?
5. Sie werden bald wieder...mir....
6. Der Junge will nicht...mich....
7. Schon seit drei Wochen haben sie nichts...sich...lassen.
8. Ich habe...dem Arzt viel Gutes....
9. Haben Sie ihn singen... ?
10. Seine Musik kann ich nicht....

---

112 Comment traduire « il y a » (temporel) ?

1. « Il y a » marque un point sur la ligne du temps.

Vor + complément de temps au datif :

> Sein Vater ist **vor** zehn Jahren gestorben.
> *Son père est mort il y a dix ans.*

> Ich habe sie **vor** einer Woche getroffen.
> *Je l'ai rencontrée il y a une semaine.*

> Er ist **vor** einem Monat weggefahren.
> *Il est parti il y a un mois.*

2. « Il y a » marque, à partir d'un point sur la ligne du temps, le temps écoulé.

Es ist (sind) + compl. de temps à l'accusatif + *her, daß...*

> **Es ist** zehn Jahre **her, daß** sein Vater gestorben ist.
> *Il y a dix ans que son père est mort.*

> **Es ist** drei Jahre **her, daß** ich sie das letzte Mal getroffen habe.
> *Il y a trois ans que je l'ai rencontrée la dernière fois.*

> **Es ist** einen Monat **her, daß** er weggefahren ist.
> *Il y a un mois qu'il est parti.*

3. « Il y a » insiste sur le début d'une période et sur la durée du temps écoulé.

Seit + compl. de temps au datif ou *schon* + complément de temps à l'accusatif.

> Sein Vater ist **seit** zehn Jahren tot.
> Sein Vater ist **schon** zehn Jahre tot.
> *Il y a dix ans que son père est mort. (= Il est mort depuis dix ans.)*
>
> Er ist schon **seit** einem Monat weg.
> Er ist **schon** einen Monat weg.
> *Il y a déjà un mois qu'il est parti. (= Il est déjà absent depuis un mois.)*
>
> Ich habe dich **seit langem** nicht gesehen.
> Ich habe dich **schon lange** nicht gesehen.
> *Il y a longtemps que je ne t'ai pas vu. (= Je ne t'ai pas vu depuis longtemps.)*
>
> Wir kennen uns **erst seit** vierzehn Tagen.
> *Il n'y a que quinze jours que nous nous connaissons.*
> *(= Nous nous ne connaissons que depuis quinze jours.)*
>
> Wir kennen uns **schon** vierzehn Tage.
> *Il y a déjà quinze jours que nous nous connaissons.*

EXERCICE ────────────────────────────

Traduisez en allemand :

1. Nous avons fait sa connaissance (kennenlernen) il y a un an.
2. Il y a trois semaines que nous nous connaissons.
3. Il y a longtemps que tu m'as promis de m'emmener (jmn. mitnehmen) au cinéma.
4. Elle s'est mariée il y a une semaine.
5. Il y a cent ans, on ne connaissait pas la télévision.
6. Il y a cent ans que l'on a inventé (structure passive) le téléphone.
7. Il y a trois jours qu'il m'a parlé de ce projet (der Plan).
8. Il y a un mois que ce pont est en construction (es wird gebaut an + dat.).

113 Comment traduire « il y a » (non temporel) ?

1. « Il y a » présentatif sert à **introduire**, à **présenter,** des faits ou des personnes.

Il ne se traduit pas. En allemand, les propositions commencent souvent par *es* ou par un pronom indéfini. Le terme présenté peut porter un accent.

● *es occupant la première place* (voir n° 87) :

> **Es** möchte dich ein °Herr sprechen.
> *Il y a un monsieur qui voudrait te parler.*
>
> **Es** hat jemand angerufen.
> *Il y a quelqu'un qui a appelé.*
>
> **Es** ist ein °Igel im Garten.
> *Il y a un hérisson dans le jardin.*
>
> **Es** waren 3000 °Menschen auf dem Platz.
> *Il y avait 3 000 personnes sur la place.*

● *pronom indéfini occupant la première place :*
- exemple au nominatif :

> °**Niemand** möchte anfangen.
> *Il n'y a personne qui voudrait commencer.*

- exemple à l'accusatif :

> °**Eines** habe ich nicht verstanden.
> *Il y a quelque chose que je n'ai pas compris.*

> °**Einen** kann ich nicht ausstehen : den Mathematiklehrer.
> *Il y a quelqu'un que je ne supporte pas : le professeur de mathématiques.*

2. « Il y a » **présentatif** peut correspondre à des **verbes de position** (voir n° 245).

Il se traduit alors par *stehen, sitzen, liegen, hängen* et *sein*. La proposition commence souvent par le complément circonstanciel.

> Vor dem Haus **steht** eine Linde.
> (Ou : Es **steht** eine Linde vor dem Haus.)
> *Il y a un tilleul devant la maison.*

> Hinter dem Busch **sitzt** ein Hase.
> *Il y a un lapin derrière le buisson.*

> **Liegt** eine Decke auf dem Tisch ?
> *Y a-t-il une nappe sur la table ?*

> An der Wand **hängen** mehrere Uhren.
> *Il y a plusieurs pendules au mur.*

> Draußen **ist** jemand, der dich sprechen möchte.
> *Il y a quelqu'un dehors qui voudrait te parler.*

3. « Il y a » **indiquant une existence** peut se traduire par *es gibt* + <u>accusatif</u>. Pour savoir si *es gibt* est possible ou non, il faut substituer « il existe » à « il y a ».

> **Es gibt** einen Gott.
> *Il y a un dieu.*
> *(Il existe un dieu.)*

> **Es gibt** nur eine Frau in seinem Leben.
> *Il n'y a qu'une femme dans sa vie.*
> *(Il n'existe qu'une femme dans sa vie.)*

> In diesem Teich **gibt es** Karpfen.
> *Il y a des carpes dans cet étang.*
> *(Il existe des carpes dans cet étang.)*

> **Es gibt** Leute, die des Gegenteil behaupten.
> *Il y a des gens qui affirment le contraire.*
> *(Il existe des gens qui affirment le contraire.)*

Expressions

Das gibt es.	**Was gibt's Neues ?**
Cela existe.	*Quoi de neuf ?*

4. « Il y a » indiquant quelque chose qui **va arriver** se traduit par *es gibt* + <u>accusatif</u>. Ces expressions peuvent également se mettre au passé. On trouve *es gibt* avec :

● des phénomènes météorologiques (*Regen, Schnee, Sturm, Gewitter, Hagel, etc.*) :

> Heute **gibt es** ein Gewitter
> *Il va y avoir un orage aujourd'hui*

> Gestern **gab es** Schnee.
> *Hier, il y a eu de la neige.*

● des plats servis à table :

> Morgen mittag **gibt es** Sauerkraut.
> *Demain, à midi, il y aura de la choucroute.*

> Gestern abend **gab es** nur Suppe.
> *Hier soir, il n'y a eu que du potage.*

● des termes négatifs tels que *Ärger, Streit, Unglück :*

> **Es hat** Streit **gegeben.**
> *Il y a eu une dispute.*

Traduisez en allemand :
1. Y a-t-il du vin sur la table ?
2. Il y a quelqu'un devant la porte (deux solutions).
3. Il va y avoir une tempête.
4. Il y avait un chat dans le jardin (deux solutions).
5. Y a-t-il quelqu'un qui voudrait faire un exposé (ein Referat halten) ?
6. Il y a des gens qui aiment les serpents (die Schlange-n).
7. Il y a eu beaucoup de monde à la réunion (deux solutions).
8. Est-ce qu'il y a un cinéma par ici ?

114 Immer noch nicht, (... nichts, ... niemand, ... kein)

1. *immer noch nicht* = ne ... toujours pas
immer noch nichts = ne ... toujours rien
immer noch niemand = ne ... toujours personne

> Ich sehe **immer noch nichts.**
> *Je ne vois toujours rien.*

> Ich kenne **immer noch niemand (en).**
> *Je ne connais toujours personne.*

> Er arbeitet **immer noch nicht.**
> *Il ne travaille toujours pas.*

2. *immer noch kein...* = ne ... toujours pas (de)

> Sie haben **immer noch keinen** Fernseher.
> *Ils n'ont toujours pas la télévision.*

> Ich habe **immer noch keinen** Hunger.
> *Je n'ai toujours pas faim.*

Traduisez en allemand :
1. Il n'y a toujours personne dans la salle.
2. Il ne fait toujours pas de sport (Sport treiben).
3. Il n'a toujours pas trouvé de travail.
4. Je ne vois toujours personne sortir de la maison.
5. Tu ne fumes toujours pas ?

115 L'impératif

- L'impératif des verbes se forme sur le radical de l'infinitif :
  2e pers. sing. : *singen* → *sing* → *sing(e)* ! (-e facultatif)
  2e pers. pluriel : *singen* → *sing* → *singt* !

- A la 2e personne du singulier le *-e* est facultatif, sauf pour les verbes faibles dont le radical se termine par *-er, -el, -n* :
  handeln → **handle** (e obligatoire).

- La 2e pers. du plur. est identique à celle du présent de l'indicatif.

- Les verbes qui présentent l'alternance vocalique *e/i* au présent de l'indicatif, prennent aussi *i* à la 2e pers. du singulier :
  nehmen → **nimm** ! mais 2e pers. du pluriel : *nehmt* !

- Cas particulier du verbe *sein* :
  2e pers. sing. : **sei** !
  2e pers. plur. : **seid** !

- Pour les autres personnes, on utilise les formes du subjonctif I :

  Gehen wir ! : Allons !

- La forme de politesse (envers une ou plusieurs personnes) se forme sur le subjonctif (3e pers. du pluriel) avec le pronom *Sie* placé après la forme verbale.
  Kommen Sie ! : *Venez !*

EXERCICES

Donnez la forme demandée :
1. 2e pers. sing. : helfen.
2. 2e pers. plur. : tragen.

3. Forme de politesse : bringen.
4. 2e pers. sing. : schreien.
5. 2e pers. plur. : geben.

Traduisez en allemand :
1. Ne t'effraie pas !
2. Jette la pomme !
3. Ne sois pas triste !

4. Mange ta soupe !
5. Apportez-moi le journal ! (forme de politesse).
6. Allons nous promener !

---

116 L'infinitif et le groupe infinitif : formes, fonctions

1. Formes :

infinitif présent en *-en* ou *-n* : *leben*, vivre, *lächeln*, sourire
infinitif passé : *gelebt haben*, avoir vécu,
gekommen sein, être venu
infinitif passif : *geändert werden*, être changé

2. Fonctions :

● L'infinitif sujet :

Lorsque l'infinitif ou le groupe infinitif sujet sont en tête de proposition, *zu* est facultatif :

> **Auf kurvenreichen Straßen (zu) fahren** macht mir Spaß.
>
> *sujet*
> *Rouler sur des routes sinueuses me fait plaisir.*

Mais lorsque l'infinitif ou le groupe infinitif ne sont pas en tête, on utilise *es* en première place et *zu* est obligatoire :

> **Es macht mir Spaß, auf kurvenreichen Straßen zu fahren.**
>
> *Cela me fait plaisir de rouler sur des routes sinueuses.*

● L'infinitif complément :

Pour la présence ou l'absence de *zu,* voir n° 261.

Pour la place de *zu,* voir n° 260.

En français l'infinitif ou le groupe infinitif peuvent être introduits par « de », « à » ou ni « de », ni « à » ; en allemand, lorsque *zu* est employé, il se met devant le verbe à l'infinitif.

> **Er versucht, den Text zu übersetzen.**
>
> *infinitif complément*
> (et non : Er versucht ~~zu den Text übersetzen !~~)
> *Il essaie de traduire le texte.*

> **Es fängt an zu regnen.**
>
> *Il commence à pleuvoir.*

> **Er hofft, bald nach Deutschland fahren zu können.**
>
> *Il espère pouvoir bientôt aller en Allemagne.*

Attention aux verbes qui exigent une préposition !

träumen von : Er träumt davon, **einen Monat auf einer Insel zu verbringen.**

> *Il rêve de passer un mois sur une île.*

117 L'infinitif et le groupe infinitif français : traductions

Un infinitif ou groupe infinitif en français <u>ne correspond pas forcément</u> à un infinitif ou un groupe infinitif en allemand.

1. Ils se traduisent obligatoirement par une subordonnée, dans les cas suivants :

● avec *daß*

DIRE

> **Er hat mir gesagt, daß ich die Tür aufmachen soll.**
>
> ~~Il m'a dit d'ouvrir la porte.~~
> ~~(Er hat mir gesagt die Tür aufzumachen est impossible !)~~

IL ARRIVE DE...

> **Es kommt vor, daß ich ein Mittagsschläfchen mache.**
>
> *Il m'arrive de faire la sieste.*

À CONDITION DE

> Er wird nur unter der Bedingung gesund werden, **daß er viel Wasser trinkt.**
> *Il ne guérira qu'à condition de boire beaucoup d'eau.*

AU POINT DE

> Er arbeitet so sehr, **daß er nicht mehr schlafen kann.**
> *Il travaille au point de ne plus pouvoir dormir.*

● avec *nachdem* ou *bevor* : voir n°s 23, 35

● avec *da* : faute de...

> **Da er nicht schwimmen kann,** muß er am Strand liegen bleiben.
> *Faute de savoir nager, il est obligé de rester allongé sur la plage.*

● Lorsqu'il s'agit d'une relative

le premier à..., le seul à..., le dernier à... (voir aussi n° 181)

> Er ist der einzige (der erste, der letzte), **der es weiß.**
> *Il est le seul (le premier, le dernier) à le savoir.*

2. Ils se traduisent par une proposition dans les cas suivants :

● Le mieux, c'est de...

> Das Beste ist, **wir bleiben heute zu Hause.**
> *Le mieux, c'est de rester à la maison aujourd'hui.*

● L'essentiel, c'est de...

> Die Hauptsache ist, **man ist glücklich.**
> *L'essentiel, c'est d'être heureux.*

3. Il faut en faire **le verbe conjugué,** le verbe conjugué français se traduisant par un adverbe, dans les cas suivants (voir les n°s 53 et 84) :

> Er **arbeitet** weiter.
> *Il continue à travailler.*

EXERCICE

Traduisez en allemand :

1. Il lui arrive parfois de ne pas me reconnaître.
2. Il croit tout savoir mieux que les autres.
3. Il est le seul à connaître mon numéro de téléphone.
4. Cela me fait de la peine de le laisser tout seul.
5. Il s'est habitué à boire du vin.
6. Elle m'a dit de téléphoner à sa mère.
7. Nous espérons avoir du beau temps.
8. Ils continuent à jouer.

118 L'infinitif substantivé

1. Un infinitif peut être employé comme nom : il est alors du neutre et prend une majuscule. Il peut exprimer :

- « le fait de... » :

> **Das Lesen :** *la lecture (= le fait de lire).*
> **Das Sitzen :** *la position assise (= le fait d'être assis).*

- un collectif :

> Ich höre **das Miauen** einer Katze.
> *J'entends les miaulements d'un chat.*

2. L'infinitif substantivé peut être :

- sujet ou complément d'objet :

> **Das Sitzen** macht mich müde.
> *La position assise me fatigue.*
>
> Ich erinnere mich noch an **sein Lachen.**
> *Je me souviens encore de son rire.*

- employé avec *am* ou *beim* et *sein* au sens de être « être en train de » (voir n° 88) :

> Sie ist **am Kochen** (ou **beim Kochen**).
> *Elle est en train de faire la cuisine.*

- employé avec *beim* au sens de « en + participe présent » (voir n° 83) :

> Er ist **beim Lesen** eingeschlafen.
> *Il s'est endormi en lisant.*

EXERCICE

Traduisez en allemand :
1. Son sourire ne me plaît pas.
2. Elle est en train de laver.
3. Le fait de rester debout me fatigue.
4. Il s'est refroidi (sich erkälten) en se baignant.
5. Participera-t-il à notre rencontre (das Treffen) ?

---

119 Les interrogatifs autonomes déclinables

Il existe deux types de pronoms interrogatifs déclinables ; ils introduisent des interrogations partielles.

1. *Wer...?* Qui... ?

Masculin et féminin		Neutre	
N	*Wer?*	qui est-ce qui ?	*Was ?* qu'est-ce qui ?
A	*Wen?*	qui est-ce que ?	*Was ?* qu'est-ce que ?
D	*Wem?*	à qui ?	
G	*Wessen?*	de qui ?	

Wer hat geklopft?
Qui a frappé?

Wen hast du gesehen?
Qui as-tu vu?

Wem hast du das Geld gegeben?
A qui as-tu donné l'argent?

Wessen Buch ist das?
A qui est ce livre? (familier: c'est le livre de qui?)

Was ist das?
Qu'est-ce que c'est?

Was nimmst du?
Que prends-tu?

2. *Welch-...?* Lequel...?

Masculin		Neutre	
N welcher?		welches?	lequel?
A welchen?		welches?	lequel?
D welchem?		welchem?	auquel?

Féminin		Pluriel	
N welche?	laquelle?	welche?	lesquels?
A welche?	laquelle?	welche?	lesquels?
D welcher?	à laquelle	welchen?	auxquels?

Er hat drei Söhne; **welchen** hat er am liebsten?
Il a trois fils; lequel préfère-t-il?

Remarques :

● Sur la distinction *welch-/was für* voir n° 252.

● Le génitif de *welch-* est quasiment inusité.

● Attention à la traduction de « Quel est...? » « Quel » est attribut, donc au nominatif, et toujours neutre en allemand quels que soient le genre et le nombre du sujet. (Voir n° 204.)

Welches ist dein Name?
Quel est ton nom?

Welches sind die schönsten Häuser?
Quelles sont les plus belles maisons?

● La forme *wessen* est rarement employée; la question *Wessen Buch ist das?* est remplacée le plus souvent par la question au sens identique : *Wem gehört dieses Buch?* A qui appartient ce livre?

● Dans la langue familière, *Was* peut signifier « pourquoi »? :

Was bleibst du denn zu Hause?
Pourquoi donc restes-tu à la maison?

● *Wer...* et *welch-...* peuvent être précédés de prépositions :

An wen denkst du?
A qui penses-tu?

Von welchem träumt sie (z. B. Schauspieler)?
Duquel rêve-t-elle (par ex. acteur)?

EXERCICE

Traduisez en allemand :
1. Quel était le titre du film?
2. De qui te souviens-tu?
3. Ils ont deux enfants; auquel ont-ils offert une moto (das Motorrad)?
4. Que fais-tu ici?
5. Quelles sont ses intentions (die Absichten)?

120 Les interrogatifs autonomes invariables

Comme les pronoms interrogatifs déclinables, les interrogatifs invariables introduisent des questions partielles (voir n° 123). On distingue deux groupes :

1. Les interrogatifs en *wo* + préposition ou *wo* + *r* + préposition (lorsque la préposition commence par une voyelle, on intercale un *r*).

● On les emploie avec les verbes ou les adjectifs régissant un complément prépositionnel (voir A 12 et A 13) :

Woran denkst du ?
A quoi penses-tu ?

Worum handelt es sich ?
De quoi s'agit-il ?

Wofür ist er verantwortlich ?
De quoi est-il responsable ?

Worauf ist er stolz ?
De quoi est-il fier ?

● Ils peuvent aussi être utilisés pour des questions concernant :
— la finalité : *wozu*

Wozu nimmst du die Gabel ?
Pourquoi prend-tu la fourchette ? (= pour quoi faire ?)

— l'instrumental : *womit*

Womit hast du das gemacht ?
Avec quoi as-tu fait cela ?

Remarque :
ces interrogatifs en *wo* ne portent jamais sur des personnes :

Woran erinnerst du dich ?
De quoi te souviens-tu ?

An **wen** erinnerst du dich ?
De qui te souviens-tu ?

2. Les interrogatifs en *w*- portant sur :

● le locatif (voir n° 137) : *wo ?*

Wo wohnst du ?
Où habites-tu ?

● Le directionnel (voir n° 76) : *wohin ?*

Wohin gehst du ? (ou : **Wo** gehst du **hin** ?)
Où vas-tu ?

● L'origine : *woher ?*

Woher kommst du ? (ou : **Wo** kommst du **her** ?)
D'où viens-tu ?

● Le temps : *wann ?* (quand ?) *seit wann ?* (depuis quand ?) *bis wann ?* (jusqu'à quand ?)

Wann fährst du weg ?
Quand pars-tu ?

Seit wann schläft er ?
Depuis quand dort-il ?

Bis wann bleibt er hier ?
Jusqu'à quand reste-t-il ici ?

- La cause : *warum ?* (pourquoi ?) *wieso ?* (comment se fait-il ?)

> **Warum** bist du so naß ?
> *Pourquoi es-tu si mouillé ?*

> **Wieso** bleibt er zu Hause ?
> *Comment se fait-il qu'il reste à la maison ?*

- La manière : *wie ?* (comment ?)

> **Wie** fährt er nach Deutschland ? Mit dem Zug ?
> *Comment va-t-il en Allemagne ? Par le train ?*

- La mesure : *wie* + adjectif

> **Wie alt** bist du ?
> *Quel âge as-tu ?*

> **Wie spät** ist es ?
> *Quelle heure est-il ?*

> **Wie hoch** ist es ?
> *Quelle est sa hauteur ?*

- La durée : *wie* + *lange ?*

> **Wie lange** dauert der Film ?
> *Combien de temps dure le film ?*

- La périodicité : *wie* + *oft ?*

> **Wie oft** spielst du in der Woche Tennis ?
> *Combien de fois joues-tu au tennis dans la semaine ?*

- La quantité : *wieviel ?*

> Hier sind meine Fische. - **Wieviel** hast du gefischt ?
> *Voici mes poissons. - Combien en as-tu pêchés ?*

- La distance : *wie weit ?*

> **Wie weit** ist es bis zum Bahnhof ?
> *Quelle distance y a-t-il jusqu'à la gare ?*

EXERCICES ————————————————————

Complétez par un élément en w-simple ou complexe.
1. ... fährst du nach Frankreich ?
2. ... ... bleibst du auf dem Lande ?
3. ... lang ist der Tisch ?
4. ... denkst du ?
5. ... ... dauert das Spiel ?

Traduisez en allemand :
1. Quel âge ont tes parents ?
2. Combien de temps te faut-il (brauchen) pour aller en ville ?
3. D'où vient le train ?
4. Qu'est-ce que cela sent (riechen) ?
5. De quoi est-il mort ?

121 Les interrogatifs non autonomes

Les interrogatifs non autonomes font partie d'un groupe nominal ; ils déterminent un nom. On distingue :

1. *Welch-?* « quel »?, qui se décline comme l'article *der* :

Singulier	Masculin	Neutre	Féminin
	N welcher	welches	welche
	A welchen	welches	welche
	D welchem	welchem	welcher
	G welches	welches	welcher
	ou welchen	ou welchen	

Pluriel	
	N welche
	A welche
	D welchen
	G welcher

Welchen Film hast du gesehen ?
Quel film as-tu vu ?

Bei **welchem** Freund warst du gestern ?
Chez quel ami étais-tu hier ?

Remarques :

● Le génitif est rarement employé ; au masculin et au neutre singulier, on utilise *welchen* avec un nom terminé par *(e)s* (fort), et *welches* avec un nom terminé par *(e)n* (faible).

Die Unterschrift **welchen Schülers** ?
La signature de quel élève ?

Die Unterschrift **welches Zeugen** ?
La signature de quel témoin ?

● Attention aux groupes nominaux avec adjectif : le groupe nominal avec *welch-* est du type 1 :

Welche berühmten Weine kennst du ?
et non : ~~welche berühmte Weine...~~
Quels grands vins connais-tu ?

2. *Was für ein, was für ? Ein* se décline comme l'article indéfini *ein*.

Was für ein Baum ist das ?
Quelle sorte d'arbre est-ce ?
Was für Briefmarken sammelst du ?
Quelle sorte de timbres collectionnes-tu ?

Remarque : pour la distinction entre *welch-* et *was für* voir n° 252.

3. *Wieviel?* «combien de...»? *Wieviel* est généralement invariable.

Wieviel Kilo hast du gekauft?
Combien de kilos as-tu achetés?

Wieviel Kinder hat er?
Combien d'enfants a-t-il?

EXERCICE

Traduisez en allemand :
1. Pour quel ami as-tu acheté ce disque (die Schallplatte)?
2. Combien d'argent as-tu reçu?
3. Quel élève français pourrait répondre à cette question?
4. Avec combien de voitures y sont-ils allés?
5. Quelles langues parles-tu?

122 Comment traduire «Comment traduire...?» et les interrogatives du type : interrogatif + infinitif?

Il est impossible, en allemand, de traduire l'infinitif par un infinitif dans ce genre de question : «Comment + infinitif». On utilisera, selon le contexte :

1. Soit l'un des verbes de modalité *kann, soll,* éventuellement *könnte, müßte :*

Wie **soll** man dieses Wort übersetzen?
Comment traduire ce mot?

Ich weiß nicht, wie man (ich) dieses Wort übersetzen **soll (kann).**
Je ne sais pas comment traduire ce mot.

2. Soit l'association «verbe de modalité + infinitif passif» :

Wem **soll** dieses Buch **gegeben werden?**
A qui donner ce livre?

Ich frage mich, wem dieses Buch **gegeben werden soll.**
Je me demande à qui donner ce livre.

3. Soit un adverbe comme *denn* avec un verbe conjugué :

Warum **fahren** wir **denn** so früh weg?
Pourquoi partir si tôt?

EXERCICE

Traduisez en allemand :
1. Je ne connais personne. Je me demande qui prévenir (benachrichtigen).
2. Il n'y a pas de voleurs (der Dieb) ici. Pourquoi fermer la porte?
3. Tout le monde est parti. Que faire?
4. Comment traduire le mot «gemütlich» en français?
5. Je ne sais pas où aller pendant les vacances de Pâques.

123 L'interrogation

Une interrogation peut être directe ou indirecte.

1. L'interrogation directe.

● L'interrogation directe globale : il s'agit de l'interrogation qui exige une réponse par oui, non, peut-être..., si l'on met à part les interrogations rhétoriques (fausses questions). L'interrogation directe globale peut être marquée par :
- le verbe conjugué placé en tête de proposition.

> **Bist** du krank?
> *Es-tu malade?*

- l'intonation seule, soit avec une proposition (l'ordre des mots est alors identique à celui des propositions), soit avec n'importe quel élément isolé se rattachant au contexte précédent.

> **Du bist krank?**
> *Tu es malade?*
>
> Ich war gestern in Frankfurt. - **In Frankfurt?**
> *Hier j'étais à Francfort. - A Francfort?*
>
> Ich habe in Frankfurt Brigitte getroffen. - **Tatsächlich?**
> *A Francfort j'ai rencontré Brigitte. - C'est vrai? (litt. vraiment?)*

● L'interrogation directe partielle : elle porte sur un élément de la proposition; elle est toujours introduite par un interrogatif en *w-* :

> **Wann** kommst du zurück?
> *Quand reviens-tu?*
>
> Er hat keinen Hunger. - **Warum?**
> *Il n'a pas faim. - Pourquoi?*

2. L'interrogation indirecte, après des verbes comme *(sich) fragen,* (se) demander, *nicht wissen,* ne pas savoir, *wissen wollen,* vouloir savoir, *die Frage stellen,* poser la question...

● L'interrogation indirecte globale : elle est introduite par *ob,* « si. »

> Ich frage mich, **ob** sie noch in Berlin wohnen.
> *Je me demande s'ils habitent encore à Berlin.*

● L'interrogation indirecte partielle : elle est introduite par un interrogatif en *w-* :

> Ich weiß nicht mehr, **wo** sie arbeitet.
> *Je ne sais plus où elle travaille.*

EXERCICE

Traduisez en allemand :

1. Te rappelles-tu à quelle heure il est parti? A dix heures?
2. As-tu fait un cadeau à Paul?
3. Demande-lui s'il a acheté des fleurs.
4. Je ne sais pas où il est allé.
5. A qui as-tu donné la clef?
6. Je me demande qui je vais y voir.
7. Quelle est la plus belle ville d'Italie?

Pour des compléments sur l'interrogation, voir :

n° 168 : la place du verbe ;
n°ˢ 119, 120, 121 : les interrogatifs ;
n°ˢ 119, 204 : comment traduire « Quel est... » ?
n° 253 : *wenn* ou *ob* ?

124 Comment traduire « jamais » ?

1. *Nie* ou *niemals,* au sens de « pas une seule fois », seuls ou avec *noch, mehr* ou *wieder.*

Nach dem Essen trinkt er **nie (niemals)** Kaffee.
Après le repas, il ne boit jamais de café.

Ich habe ihn **noch nie** gesehen.
Je ne l'ai encore jamais vu.

Ich habe ihn **nie mehr (wieder)** gesehen.
Je ne l'ai plus jamais revu.

Remarque :
« jamais rien » se traduit par *nie etwas* ou *nie was*
« jamais personne » se traduit par *nie jemand.*

Er hat **nie etwas (was)** gesagt.
Il n'a jamais rien dit.

Dort habe ich **nie jemand** gesehen.
Là-bas je n'ai jamais vu personne.

2. *Je* ou *jemals* (jamais), au sens de « un jour » (sens positif).

Niemand hat mich **je (jemals)** angehalten.
Personne ne m'a jamais arrêté.

Ich glaube nicht, daß er **jemals** zu uns zu Besuch kommen wird.
Je ne crois pas qu'il viendra jamais nous rendre visite.

Haben Sie **je** etwas (was) Schöneres gesehen ?
Avez-vous jamais vu quelque chose de plus beau ?

Werde ich **je** eine Reise um die Welt machen ?
Ferai-je jamais un voyage autour du monde ?

Attention ! Cette question est différente de :

Werde ich **nie** eine Reise um die Welt machen ?
Ne ferai-je jamais de voyage autour du monde ?

3. « Jamais » ne se traduit pas en allemand dans certaines expressions figées comme :

Wer weiß ? = Qui sait ? ou Sait-on jamais ?

EXERCICE

Traduisez en allemand :

1. As-tu jamais bu du vin allemand ?
2. Je n'ai jamais vu personne d'autre ici.
3. Aura-t-il jamais son bac (das Abitur) ?
4. Il ne m'a plus jamais regardée.
5. Ne viendras-tu jamais en Allemagne ?
6. Irai-je jamais aux États-Unis ?

125 Je + comparatif..., **desto** (ou **um so**) + comparatif... (plus..., plus...)

La première partie de la comparaison est une subordonnée : le verbe conjugué se trouve donc en dernière placé.
Dans la deuxième partie de la comparaison le verbe conjugué se place immédiatement après *desto* + comparatif.

> **Je größer** er wird, **desto dümmer** wird er.
> *Plus il grandit, plus il devient bête.*

Remarques :
— « plus » se traduit en allemand par *« je mehr »* lorsqu'il n'y a pas d'adjectif.
— « moins » se traduit par *« je weniger »* ou *« desto weniger »*.

> **Je mehr** er ißt, **desto (um so) dicker** wird er.
> *Plus il mange, plus il grossit.*

> **Je weniger** Geld er verdient, **desto (um so) mehr** möchte er ausgehen.
> *Moins il gagne d'argent, plus il voudrait sortir.*

EXERCICE ─────────────────────────────────

Traduisez en allemand :
1. Plus j'ai du travail, plus je suis fatigué.
2. Plus il fait chaud, plus je bois.
3. Plus il neige, plus nous aurons de difficultés (die Schwierigkeiten) sur la route.
4. Moins il travaille, moins il gagne (verdienen) d'argent.

126 Comment traduire « jusque », « jusqu'à » ?

« Jusque » se traduit par *bis* qui est employé seul ou avec une autre préposition selon les compléments qui le suivent.

1. Sens temporel :

● *Bis* (+ acc.) = « jusque », « jusqu'à » s'emploie seul lorsqu'il est suivi d'un <u>complément de temps sans article :</u> (des adverbes comme *morgen, bald ;* les interrogatifs temporels *wann, wie lange ;* indications de l'heure comme *10 Uhr ;* les jours de la semaine, précédés ou non de *vorig-, nächst-, kommend- ;* les mois et les fêtes).

> Apotheken sind von morgens **bis abends** geöffnet.
> *Les pharmacies sont ouvertes du matin jusqu'au soir.*

bis morgen	**bis 12 Uhr**	**bis Mittwoch**
jusqu'à demain	*jusqu'à midi*	*jusqu'à mercredi*
bis Mai	**bis Weihnachten**	**bis wann ?**
jusqu'en mai	*jusqu'à Noël*	*jusqu'à quand ?*

> Von Ostern **bis Pfingsten** sind es sieben Wochen.
> *De Pâques jusqu'à la Pentecôte il y a sept semaines.*

Ich kann dir das Buch **bis nächsten Montag** leihen.
Je peux te prêter ce livre jusqu'à lundi prochain.

● Lorsqu'il est suivi d'un complément de temps avec article, il s'emploie avec la préposition *zu* (+ dat.) ou une préposition adéquate.

Der erste Weltkrieg dauerte **bis zum** Jahre 1918.
La première guerre mondiale dura jusqu'en 1918.

Sie diskutierten **bis zum** Abend und tanzten **bis in die** Nacht hinein.
Ils discutèrent jusqu'au soir et dansèrent jusque tard dans la nuit.

2. Sens spatial :

● Suivi d'un complément directionnel sans article (des adverbes, l'interrogatif directionnel *wohin,* les villes, les pays, les continents), *bis* est employé seul ou combiné avec *nach :*

Bis dorthin sind wir noch nie gegangen.
Nous ne sommes jamais allés jusque là-bas.

Erst fuhren wir **bis (nach)** Köln und dann **bis (nach)** Bremen.
D'abord nous sommes allés jusqu'à Cologne et ensuite jusqu'à Brême.

Glaubst du, daß diese Vögel **bis nach** Afrika fliegen?
Crois-tu que ces oiseaux vont jusqu'en Afrique ?

● Suivi d'un complément directionnel avec article, il est employé avec *zu* (+ dat.) ou avec une autre préposition (+ acc.) :

Ist es noch weit **bis zum** Bahnhof?
Est-ce encore loin jusqu'à la gare.

Sie begleiteten ihn **bis an** die Grenze.
Ils l'accompagnèrent jusqu'à la frontière.

Er fährt mit dem Auto **bis vor** das Haus.
Il va en voiture jusque devant la maison.

3. Sens quantitatif : indication d'une mesure extrême. On emploie *bis zu* (+ dat.).

Sein Auto fährt **bis zu** 220 km pro Stunde.
Sa voiture roule jusqu'à 220 km à l'heure.

4. *bis auf* = « jusqu'à » inclusivement.

Sie wurden **bis auf** den letzten Mann gerettet.
Ils furent sauvés jusqu'au dernier.

Attention :
Bis auf peut également avoir le sens de « sauf », « excepté ».

Bis auf die Küche habe ich alle Zimmer malen lassen.
J'ai fait repeindre toutes les pièces, excepté la cuisine.

Remarque :
Lorsque « jusque » a le sens de « même », il se traduit par *sogar.*

Alle, **sogar** seine Frau, haben ihn verlassen.
Tous, jusqu'à sa femme, l'ont abandonné.

Traduisez en allemand :

1. Je vous attendrai jusque vers sept heures.
2. Jusqu'à quand durera notre réunion ?
3. Je te suivrai jusqu'au bout du monde (das Ende der Welt).
4. Cette usine produit jusqu'à mille voitures par jour.
5. Peux-tu m'accompagner jusque chez moi (nach Hause) ?
6. Elle a dormi jusqu'au soir.
7. Les maisons furent démolies jusqu'à la dernière.

127 Comment traduire « juste »

(Voir « tout juste » n° 128.)
Pour les traductions de « juste » par *richtig* et *gerecht* voir n° 208.

1. Juste, associé souvent à un **complément de temps,** insiste sur un **moment précis :**

● « Juste », placé après le complément de temps, au sens de « précis », « exact » : *genau.*

> **Genau** um 8 Uhr klingelte es.
> *A 8 heures juste, on sonna.*

● « Juste », placé devant le complément de temps, au sens de « juste à l'instant » : *gerade.*

> Es war **gerade** 8 Uhr, als er klingelte.
> *Il était juste 8 heures lorsqu'il sonna.*
>
> Sie ist **gerade** weggegangen.
> *Elle vient tout juste de partir.*
>
> Ich war **gerade** dabei, einen Brief zu schreiben, als ich sein Telegramm erhielt.
> *J'étais juste en train d'écrire une lettre lorsque j'ai eu son télégramme.*
>
> **Gerade** im Augenblick, wo ich mich duschte, gab es einen Stromausfall.
> *Juste au moment où je prenais ma douche, il y eut une panne d'électricité.*

● « Juste », placé devant le groupe nominal, avec une nuance d'irritation : *ausgerechnet.*

> **Ausgerechnet** beim Essen muß er uns stören.
> *C'est juste au moment du repas qu'il nous dérange.*

2. « Juste » dans le sens de **« seulement »** apporte une **restriction** ou indique **une durée très courte :** *nur.*

> Ich bin nicht krank, ich habe **nur** einen Schnupfen.
> *Je ne suis pas malade, j'ai juste un rhume.*
>
> Darf ich Sie **nur** einen Augenblick stören ?
> *Puis-je vous déranger juste un instant ?*
>
> Ich komme **nur** auf einen Sprung bei dir vorbei.
> *Je ferai juste un saut chez toi.*

128 Tout juste

(Voir « juste » n° 127.)

« Juste », « tout juste » dans le sens de « à peine suffisant » : *gerade noch ; gerade so.*

> Ich habe **gerade noch** genug Mehl, um einen Kuchen zu backen.
> *J'ai tout juste assez de farine pour faire un gâteau.*
>
> Das Benzin reicht **gerade noch** für 20 Kilometer.
> *L'essence suffit tout juste pour 20 km.*
>
> Er kommt **gerade so** aus.
> *Il a tout juste de quoi vivre.*
>
> Er hat seine Prüfung **gerade noch (gerade so)** geschafft.
> *Il a réussi à passer son examen tout juste.*

129 Justement

(Voir « juste » n° 127 et « tout juste » n° 128.)

1. « **Justement** » au sens de « **exactement** », « **précisément** » est un élément de mise en relief qui se trouve souvent **dans des exclamations.** Il se traduit par :
eben das, genau das, gerade das ou par *eben, genau, gerade* + complément (avec un accent sur *das,* sur le groupe qui suit, ou sur *ge°nau* ou *ge°rade*).

> **Eben °das** dachte ich auch.
> *C'est justement ce que je pensais aussi.*
>
> **Genau °das** (ou **gerade °das**) durfte man nicht tun.
> *C'est justement ce qu'il ne fallait pas faire.*
>
> Danke, das ist **ge°nau die Platte** (ou **ge°rade die Platte**), die ich mir wünschte !
> *Merci, c'est justement le disque que je souhaitais !*

2. « **Justement** » avec une **nuance d'irritation** : *ausgerechnet*

> **Ausgerechnet °mir** muß das passieren !
> *Il faut que cela tombe sur moi !*
> *(litt. : C'est justement à moi que cela arrive !)*

EXERCICE

Traduisez en allemand :

1. C'est justement de cela que je voulais te parler (mit jmm. über etw. sprechen).
2. C'est tout juste si le pain a suffi.
3. Il est minuit juste.
4. J'arrive juste de Berlin.
5. C'est justement ma voiture qui a eu une contravention ! (einen Strafzettel bekommen).
6. Il a juste assez d'argent pour une semaine.
7. Puis-je vous parler juste une seconde ?
8. C'est justement le livre que je voulais avoir.

130 Kaum

1. *Kaum* = «à peine», «ne...guère».
Kaum se place devant le terme sur lequel il porte.

> Heute nacht habe ich **kaum** geschlafen.
> *Cette nuit je n'ai guère dormi.*
>
> Das Kind ist in einem Jahr **kaum** gewachsen.
> *L'enfant n'a guère grandi en un an.*
>
> **Kaum** die Hälfte der Anwesenden hat für das Projekt gestimmt.
> *A peine la moitié des présents ont voté pour le projet.*
>
> Sie ist **kaum** älter als 16 Jahre.
> *Elle a à peine plus de 16 ans.*

2. *Kaum* = «avoir (de la) peine à», «avoir du mal à»; «avoir des difficultés à faire qqch.».

> Ich kann es **kaum** glauben.
> *J'ai de la peine à le croire.*
>
> Er kann **kaum** laufen.
> *Il a du mal à marcher.*

3. Pour l'expression «à peine... que», trois constructions sont possibles :

● *kaum* . . . . , *als* . . . . verbe

> **Kaum** waren die Kinder im Auto, **als** sie einschliefen.
> *A peine les enfants étaient-ils dans la voiture qu'ils s'endormirent.*

● *kaum* . . . . , *da (so)* verbe . . . .

> **Kaum** waren die Kinder im Auto, **da** schliefen sie ein.
> **Kaum** waren die Kinder im Auto, **so** schliefen sie ein.
> *(même sens)*

● *kaum daß* . . . . , verbe . . . .

> **Kaum daß** die Kinder im Auto waren, schliefen sie ein.
> *(même sens)*

EXERCICE

Traduisez en allemand :

1. A peine eut-il raccroché (den Hörer auflegen) que le téléphone sonna de nouveau (1ʳᵉ solution : als).
2. Il a du mal à suivre les cours (die Vorlesungen).
3. A peine endormie, on la réveilla (2ᵉ solution da/so).
4. Je les ai à peine connus.
5. A peine avait-il cambriolé la maison (im Haus einbrechen) que la police arriva (3ᵉ solution : kaum daß).
6. On ne peut guère s'imaginer une autre solution (die Lösung).

131 Können : emplois

Pour la conjugaison de *können* voir A 11.
Voir aussi n° 246.

1. Sens de « pouvoir », « être capable de », « savoir » (dans le domaine physique)

Kannst du dieses Paket tragen?
Peux-tu porter ce paquet?

Kann er schwimmen?
Sait-il nager?

2. Sens de « être capable de », « savoir » (dans le domaine intellectuel)

Er **kann** Deutsch.
Il sait l'allemand.

3. Sens de « pouvoir » dans la demande ou la réponse à la demande, au sens de « être d'accord pour » (souvent au subjonctif II)

Könnten Sie bitte die Tür aufmachen?
Pourriez-vous, s'il vous plaît, ouvrir la porte?

Ich **kann** hier halten, wenn Sie wollen.
Je peux m'arrêter ici, si vous voulez.

Notez :

dans ce sens *Kann ich...?* signifie « Puis-je...? » = « Êtes-vous d'accord pour que je...? »

4. Sens de « il se peut que » (éventualité)

Das **kann** sein.
C'est possible.

Er **kann** um 7 oder um 10 kommen.
Il se peut qu'il vienne à 7 heures ou à 10 heures.

On peut dire aussi : *Es kann sein, daß er um 7 oder um 10 kommt.*

EXERCICE ——————————————————————

Traduisez en allemand :
1. Sait-il le français?
2. Il se peut qu'il pleuve dans dix minutes.
3. Puis-je vous aider?
4. Il sait jouer aux échecs (Schach spielen).
5. Pourriez-vous aller chercher ma valise?
6. Pouvez-vous me prêter (leihen) votre crayon (der Bleistift)?

132 Lang, lange

1. *Lang*

● *lang* = « long », adjectif exprimant une étendue dans l'espace ou dans le temps.
(Comparatif : *länger ;* superlatif : *am längsten*)

Dieses Kleid ist zu **lang.**
Cette robe est trop longue.

Das war ein sehr **langer** Winter.
C'était un hiver très long.

● *lang* précédé d'un complément de <u>mesure</u> à l'<u>accusatif</u> : « long de ».

einen Meter **lang**	drei Kilometer **lang**
long d'un mètre	*long de trois kilomètres.*

Der Stoff ist einen Meter **lang** und 90 Zentimeter breit.
Le tissu a un mètre de long et 90 centimètres de large.

● *lang* précédé d'un complément de <u>temps</u> à l'<u>accusatif</u> = « pendant », « durant ».

einen Monat **lang**	drei Tage **lang**
pendant un mois	*pendant trois jours*
ein Jahr **lang**	mein ganzes Leben **lang**
pendant une année	*toute ma vie durant*

Einen ganzen Sommer **lang** wanderten sie im Gebirge.
Pendant tout un été, ils ont fait de la marche en montagne.

● *-lang* sert à former des adverbes composés = « durant ».

tagelang	**wochenlang**
qui dure des journées entières	*des semaines durant*
monatelang	**jahrelang**
des mois durant	*des années durant*

2. *Lange*

● *lange* = « longtemps »

lange warten	**länger** bleiben
attendre longtemps	*rester plus longtemps*
am **längsten** dauern	
durer le plus longtemps	

Wir haben auf den Bus **lange** warten müssen.
Nous avons dû attendre le bus longtemps.

Von allen Versammlungen hat die letzte am **längsten** gedauert.
De toutes les réunions, c'est la dernière qui a duré le plus longtemps.

● *schon lange, seit langem* = depuis longtemps
es ist schon lange her, daß = il y a longtemps que

Schon lange habe ich dich nicht gesehen.
Es ist schon lange her, daß ich dich gesehen habe.
Il y a longtemps que je ne t'ai pas vu.

- *lange vor* (+ GN au datif)
  longtemps avant (+ GN)

lange bevor (+ subordonnée)
longtemps avant de (+ infinitif)

nicht lange vor
(+ GN au datif)
peu de temps avant (+ GN)

nicht lange bevor (+ subordonnée)

peu de temps avant de (+ infinitif)

- *lange nach* (+ GN au datif)
  longtemps après (+ GN)

lange nachdem (+ subordonnée)
longtemps après (+ infinitif)

- *lange darauf / danach*
  longtemps après

nicht lange darauf / danach
peu de temps après

> **Lange bevor** ich mit meiner Arbeit fertig war, habe ich ihn angerufen.
> *Longtemps avant d'avoir fini mon travail, je l'ai appelé.*
>
> **Nicht lange darauf** kam er.
> *Peu de temps après, il arriva.*

- *wie lange?*
  combien de temps?

> **Wie lange** müssen wir noch warten?
> *Combien de temps faut-il attendre encore?*

EXERCICE

Traduisez en allemand :

1. Il y a longtemps qu'il ne m'a pas écrit (deux solutions).
2. Peu de temps après son départ, il eut un accident.
3. Il a cru l'espace d'une seconde que l'avion allait s'écraser au sol (ab-stürzen).
4. La chambre a 4 m de long et 2 m 50 de haut.
5. Il a un long nez.
6. C'est le pont le plus long du monde.
7. Nous avons dû attendre plus long-temps que la dernière fois.
8. Pendant toute sa vie, il a lutté pour la justice.
9. Il m'a écrit une longue lettre.
10. Elle a été absente pendant un mois.

133 Längs, längst, längstens

Il ne faut pas confondre *längs, längst* et *längstens* qui correspondent à des sens bien différents.

1. Längs = « le long de », <u>préposition + génitif ou + datif</u>. (En langue courante, on emploie très souvent *an* + <u>dat</u>. + *entlang* à la place de « längs ».)

> **Längs** des Baches (ou : **dem Bach**) standen Weiden.
> (= **Am** Bach **entlang** standen Weiden)
> *Le long du ruisseau il y avait des saules.*

2. Längst

● *längst* = « depuis longtemps » (= *seit langem*).

> Das habe ich **längst** (ou : **seit langem**) vergessen.
> *Je l'ai oublié depuis longtemps.*
> Er hätte **längst** schreiben sollen.
> *Il aurait dû écrire depuis longtemps.*

● *längst* = « loin de » (ou : *bei weitem*) dans des phrases contenant une négation ou une restriction.

> Sie spielt **längst** (ou : **bei weitem**) nicht so gut Klavier wie ihre Schwester.
> *Elle est loin de jouer aussi bien du piano que sa sœur.*
> Das ist **noch längst nicht** alles, was ich sagen wollte.
> *C'est loin d'être tout ce que je voulais dire.*

Attention :

« de loin » ayant un sens positif se traduit uniquement par *bei weitem.*

> Das ist **bei weitem** der beste Roman des Jahres.
> *C'est de loin le meilleur roman de l'année.*

3. Längstens

● *längstens* = « tout au plus » (= *höchstens*).

> Bis zum Bahnhof braucht man **längstens** (ou : **höchstens**) 10 Minuten.
> *On met tout au plus 10 minutes jusqu'à la gare.*

● *längstens* = « au plus tard » (= *spätestens*).

> In **längstens** (ou : **spätestens**) einer Stunde bin ich mit meiner Arbeit fertig.
> *Dans une heure au plus tard, j'aurai fini mon travail.*

EXERCICE

Complétez par le terme qui convient :
1. Er müßte schon ... ... da sein.
2. In ... 14 Tagen fliege ich nach Amerika.
3. ... der Autobahn stirbt der Wald ab.
4. Er hat ... eine halbe Stunde warten müssen.
5. Ich bin ... nicht so geschickt wie du.

134 Leihen, ausleihen, verleihen

Ces verbes ont le sens de « prêter », d'« emprunter » ou de « louer » selon leur construction et le contexte.

1. *Leihen*

- *sich von (bei) jmm. etw. leihen* = « emprunter qqch. à qqn. ».

  Peter hat sich **von (bei) mir** 100 Mark geliehen.
  Pierre m'a emprunté 100 marks.

- *jmm. etw. leihen* = « prêter qqch. à qqn. ».

  Würdest du **mir** bis morgen deinen Plattenspieler **leihen**?
  Pourrais-tu me prêter ton tourne-disque jusqu'à demain?

2. *Ausleihen*

- *sich (dat.) bei jmm. etw. ausleihen* = « emprunter qqch. à qqn. ».

  Ich habe **mir bei** meinem Freund das Fahrrad **ausgeliehen**.
  J'ai emprunté le vélo à mon ami.

- *sich (dat.) etw. ausleihen* a aussi le sens de « prendre en location » (contre paiement).

  Ich möchte **mir** für den Nachmittag ein Fahrrad **ausleihen**.
  Je voudrais louer un vélo pour l'après-midi.

- *etw. ausleihen* se dit du prêt des livres dans les bibliothèques.

  Die Bücherei **leiht** nur am Montag **aus**.
  Der **Buchausleih** ist nur am Montag geöffnet.
  Le prêt n'est ouvert que le lundi.

Notez :
der Buchausleih : le prêt des livres.

3. *Verleihen*

- *Etw. (an jmn.) verleihen* = « prêter qqch. (à qqn.) ».

  Ich habe alle meine Platten **verliehen**.
  J'ai prêté tous mes disques.

  An wen hast du deinen Fotoapparat **verliehen**?
  A qui as-tu prêté ton appareil photo?

- *etw. verleihen* = « louer » contre paiement; « donner en location » (location de vélos, de voitures ou de bateaux)
  (pour « louer » voir aussi n° 143.)

  Hier werden Boote stundenweise **verliehen**.
  Ici on loue des bateaux à l'heure.

Expressions

der Bootsverleih	der Fahrradverleih
la location de bateaux	*la location de vélos*
der Autoverleih	der Leihwagen
la location de voitures	*la voiture de location*

Traduisez en allemand :
1. Pourrais-tu me prêter ton journal?
2. Je te le prête si tu me le rends (wiedergeben).
3. La location de skis est ouverte à partir de 9 heures.
4. Je voudrais louer des skis (Skier) pour une semaine.
5. Je lui ai emprunté (2 solutions) sa machine à écrire (die Schreibmaschine).
6. On ne prête qu'aux riches.

135 Comment rédiger une lettre en allemand?

1. L'adresse (sur l'enveloppe).

● Si on s'adresse à des personnes, les noms et titres éventuels sont à l'accusatif (sous-entendu : *An* + accusatif) :

Herrn Albrecht Roth.
Monsieur Albert Roth.

● Si l'on s'adresse à une firme, administration... on utilise obligatoirement : *An* + accusatif :

An die Firma...
Maison...

2. La date. Voir n° 70

3. La ponctuation dans les formules de début de lettre.

Il y a deux possibilités :

● ou bien on met un point d'exclamation après la formule d'adresse et alors le mot qui suit prend une majuscule :

Sehr geehrter Herr Roth!   **Liebe Eltern!**
Ich danke Ihnen für...   Ich schreibe Euch aus...
Cher Monsieur Roth,   *Chers parents,*
Je vous remercie pour...   *Je vous écris de...*

● ou bien on met une virgule, comme en français, et alors le mot qui suit prend une minuscule :

Sehr geehrter Herr Roth,
ich danke Ihnen für...

Notez :
— la distinction entre les formules *Lieb...* (personnes tutoyées...) et *Sehr geehrt...* (personnes vouvoyées),
— la majuscule pour les pronoms personnels (voir n° 199/7).

4. La ponctuation dans les formules de fin de lettre.
Dans les formules de fin de lettre il ne doit y avoir aucun signe de ponctuation :

Mit herzlichen Grüßen   **Hochachtungsvoll**
Dein Michael   **Ihr Peter Meyer**

Notez : le nom est précédé de l'adjectif possessif avec majuscule.

Traduisez en allemand¹ :

1. Cher Monsieur Müller,
   J'ai bien reçu votre lettre du...
2. Monsieur Herbert Schmitt.
3. Centre des Impôts (das Finanzamt).
4. Mademoiselle Ursula Schulz,
   Je vous remercie pour...
5. Cher Pierre,
   J'espère que tu vas bien...

136 Comment traduire « se lever », « se coucher » ?

Selon qu'il s'agit de personnes ou d'astres, ces verbes se traduisent différemment. En allemand, ce ne sont pas des verbes réfléchis, ils ne s'emploient donc pas avec *sich*. Le verbe utilisé pour la formation des temps composés est toujours *sein*.

1. Se lever

● Pour les personnes :
  Aufstehen = « se lever ».

  Ich stehe auf.
  Je me lève.

  Ich bin aufgestanden.
  Je me suis levé.

● Pour les astres :
  Aufgehen = « se lever ».

  Der Mond geht auf.
  La lune se lève.

  Der Mond ist aufgegangen.
  La lune s'est levée.

  der Sonnenaufgang
  le lever du soleil

2. Se coucher

● Pour les personnes :
  Zu Bett gehen ou *schlafen gehen* = « se coucher ».

  Ich gehe zu Bett ou **Ich gehe schlafen.**
  Je vais me coucher.

  Ich bin zu Bett gegangen ou **Ich bin schlafen gegangen.**
  Je suis allé me coucher.

● Pour les astres :
  Untergehen = « se coucher ».

  Die Sonne geht unter.
  Le soleil se couche.

  Die Sonne ist untergegangen.
  Le soleil s'est couché.

  der Sonnenuntergang
  le coucher du soleil

Traduisez en allemand :

1. Vas-tu déjà te coucher?
2. Le soleil se lève à 4 heures du matin.
3. A quelle heure voulez-vous vous lever (forme de politesse)?
4. Toutes les étoiles se sont déjà couchées.
5. Pierre se couche tous les jours à minuit.
6. As-tu vu ce magnifique coucher de soleil?
7. Je n'aime pas me lever très tôt.
8. Au lever du soleil (bei), il était déjà levé.

137 Le locatif

Le locatif s'oppose au directionnel (voir n° 76). Il désigne une localisation dans l'espace : le lieu où l'on est, où l'on fait quelque chose, où quelque chose se passe... Il répond souvent à la question *wo ?* Il peut être exprimé soit par un groupe prépositionnel, soit par un adverbe.

1. Les groupes prépositionnels locatifs

Parmi les groupes prépositionnels locatifs il faut distinguer :

● les groupes prépositionnels dont la marque du locatif est le cas : le datif (qui peut s'opposer à l'accusatif)
Il s'agit des groupes introduits par l'une des prépositions *in, an, auf, unter, über, vor, hinter, neben, zwischen* (voir n° 185).

> Die Katze ist **unter dem Auto.**
> *Le chat est sous la voiture.*

● les groupes prépositionnels dont la marque du locatif est la préposition.
Soit l'une des prépositions régissant le génitif (voir n° 184) :

> Ihr Haus liegt **jenseits der Grenze.**
> *Leur maison se trouve de l'autre côté de la frontière.*

Soit la préposition *bei* + datif, « chez », qui s'oppose à *zu,* et qui s'utilise avec des noms de personnes :

> Sie wohnt **bei ihrem Onkel.**
> *Elle habite chez son oncle.*

Soit la préposition *zu* + datif, qui s'oppose à *nach,* uniquement en liaison avec *Hause* :

> Um wieviel Uhr bist du **zu Hause** ?
> *A quelle heure seras-tu chez toi ?*

Attention : pour des verbes comme *ankommen, landen, absteigen...* il faut le locatif (voir n° 76).

2. Les adverbes locatifs

● Ils peuvent être liés au locuteur :
hier, ici, *da,* là, *dort,* là-bas, *links,* à gauche, *rechts,* à droite, *draußen,* dehors :

> **Hier** gibt es keine Autos.
> *Ici, il n'y a pas de voitures.*

● Ils peuvent être liés à un élément de référence :
dort, là, *oben,* en haut, *unten,* en bas, *links,* à gauche, *rechts,* à droite, *vorn,* devant, *hinten,* derrière :

> Inge wohnt in Italien ; ich möchte auch **dort** wohnen.
> *Inge habite en Italie ; moi aussi j'aimerais y habiter.*

> Das ist unser Wohnzimmer ; **oben** sind drei Zimmer.
> *C'est notre salle de séjour ; en haut il y a trois chambres.*

● Ces adverbes peuvent se combiner entre eux ou avec des groupes prépositionnels :

> **Dort oben** sieht man eine Kapelle.
> *Là-haut on voit une chapelle.*

> **Dort oben** auf dem Berge kann man Ski laufen.
> *Là-haut sur la montagne on peut faire du ski.*

● Ils peuvent reprendre un élément exprimé antérieurement : il s'agit des démonstratifs adverbiaux comme *daneben,* à côté, *davor,* devant... (voir n° 195).

> Siehst du das Auto ? **Davor** steht der Hund, der Uwe gebissen hat.
> *Vois-tu la voiture ? Devant il y a le chien qui a mordu Uwe.*

EXERCICES ────────────────────────

Traduisez en allemand :
1. Habites-tu chez tes parents ?
2. A droite, on voit une ferme (der Bauernhof).
3. Devant l'église, il y a un tilleul (der Lindenbaum).
4. Autour de la maison, on a construit un mur.
5. Un enfant était assis à côté de moi.

Complétez par une préposition ou une marque de cas.
1. ... Hause haben wir einen Hund.
2. Jenseits d... Flusses sieht man einen großen Wald.
3. Draußen ... der Tür liegt eine Katze.
4. Wir essen heute ... meinen Eltern.
5. Sie sitzt auf ein ... weißen Stuhl.

138 Les masculins et neutres forts

La caractéristique des noms masculins et neutres forts est de présenter la marque *-(e)s* au génitif singulier, et pour certains d'entre eux la marque *-e* facultative au datif singulier.

der Tiger *(le tigre)* → **des Tigers**
der Tag *(le jour)* → **des Tages** → **dem Tag(e)**
der Tisch *(la table)* → **des Tisches**

das Haus *(la maison)* → **des Hauses** → **dem Haus(e)**
das Tier *(l'animal)* → **des Tieres**
das Buch *(le livre)* → **des Buches**

Notez :

la déclinaison particulière de *das Herz*, le cœur :

	Singulier	Pluriel
N.	das Herz	die Herzen
A.	das Herz	die Herzen
D.	dem Herzen	den Herzen
G.	des Herzens	der Herzen

139 Les masculins faibles

La caractéristique des masculins faibles est de présenter la marque *-(e)n* à tous les cas sauf au nominatif singulier.

	Singulier		Pluriel			Singulier		Pluriel	
N.	der	Mensch	die	Menschen		der	Junge	die	Jungen
A.	den	Menschen	die	Menschen		den	Jungen	die	Jungen
D.	dem	Menschen	den	Menschen		dem	Jungen	den	Jungen
G.	des	Menschen	der	Menschen		des	Jungen	der	Jungen

La plupart des masculins faibles désignent des noms d'êtres animés.

● Exemples de noms d'origine germanique :

- noms d'animaux :

der Bär : l'ours   *der Affe :* le singe   *der Löwe :* le lion
der Rabe : le corbeau   *der Falke :* le faucon   *der Fink :* le pinson
der Ochs : le bœuf

- noms d'êtres humains :

der Mensch : l'être humain   *der Hirt :* le berger
der Fürst : le prince   *der Prinz :* le prince
der Bote : le messager   *der Graf :* le comte
der Narr : le fou   *der Held :* le héros
der Bube : le garçon   *der Junge :* le garçon
der Bayer : le bavarois

- noms d'habitants de pays : *der Däne :* le Danois, etc. (voir n° 158).

● Exemples de noms d'origine étrangère : noms en *-ant, -ent, -ist, -arch, -oge, -soph, -ose,* etc.

der Pädagoge : le pédagogue   *der Philosoph* : le philosophe
der Student : l'étudiant   *der Pilot* : le pilote
der Komponist : le compositeur   *der Polizist* : le policier

Quelques rares noms ne désignent pas des êtres animés :
der Diamant : le diamant   *der Komet* : la comète

Notez :
La déclinaison particulière de *der Herr,* le monsieur

	Singulier		Pluriel	
N.	der	Herr	die	Herren
A.	den	Herrn	die	Herren
D.	dem	Herrn	den	Herren
G.	des	Herrn	der	Herren

EXERCICE

Traduisez en allemand :
1. Connais-tu l'étudiant qui habite au-dessus de chez-nous ?
2. Ils ont vendu leur appartement à un suédois.
3. On a retrouvé la partition (die Partitur) du compositeur.
4. Les Bavarois sont joyeux.
5. Il a peur du singe.

140 Les masculins mixtes

La déclinaison de certains noms masculins a des particularités des masculins forts : la marque *-s* au génitif singulier, et des masculins faibles : la marque *-(e)n* à tous les cas sauf au nominatif et génitif singulier.

	Singulier		Pluriel	
N.	der	Name	die	Namen
A.	den	Namen	die	Namen
D.	dem	Namen	den	Namen
G.	des	Namens	der	Namen

Sur ce modèle se déclinent : *der Funke* (on rencontre aussi *Funken*), l'étincelle, *der Gedanke,* la pensée, *der Glaube* (ou *Glauben*), la foi, *der Wille,* la volonté, *der Friede* (ou *Frieden*), la paix, *der Buchstabe,* la lettre (dans l'écriture).

Les mots suivants sont plus fréquents avec *-en* au nominatif qu'avec *-e* :

der Haufen, le tas, *der Samen,* la semence, *der Schaden,* le dommage.

EXERCICE

Complétez les marques manquantes :

1. Kennst du den Nam... der Firma?
2. Sie kann schon alle deutschen Buchstab... schreiben.
3. Er kämpft für den Fried... .
4. Er blieb vor dem Hauf... Kartoffeln stehen.
5. Das war bei bestem Will... nicht möglich.

---

141 Meist - meistens - am meisten

1. *Meist* = « la plupart de(s) », « la plus grande partie de(s) », « le plus grand nombre de », « le plus de », comme adjectif :

> Die **meisten** Schüler hatten die Grippe.
> *La plupart des élèves avaient la grippe.*

Meist peut s'employer sans nom :

> Die Kinder spielen am Strand; die **meisten** können schwimmen.
> *Les enfants jouent sur la plage ; la plupart d'entre eux savent nager.*

2. *Meist* ou *meistens* = « la plupart du temps », « le plus souvent »

> Er kommt **meistens** erst um 5.
> *La plupart du temps, il ne vient qu'à 5 heures.*

3. *Am meisten* = « le plus » comme superlatif de *viel,* « beaucoup » :

> Paul ißt **am meisten.**
> *C'est Paul qui mange le plus.*

EXERCICE

Traduisez en allemand :

1. Dans la plupart des grandes villes, il faut se dépêcher (sich beeilen).
2. C'est en novembre qu'il pleut le plus.
3. La plupart du temps, nous restons sur la plage.
4. C'est notre voisin qui a le plus de vaches.
5. C'est lui qui a eu le plus de voix (die Stimmen).

142 Mesures et quantités

1. Quantité + unité de mesure + élément mesuré

zwei	**Pfund**	**Zucker**
deux	*livres*	*de sucre*

● Les unités de mesure *Kilo, Pfund, Stück* (morceau), *Glas* (verre), *Zentner* (quintal), *Meter* (mètre), *Sack* (sac), *Grad* (degré), *Liter* (litre), *Dutzend* (douzaine)... sont normalement invariables au pluriel.

● Les unités terminées par *-e* (*die Tonne, die Flasche,* la bouteille, *die Dose,* la boîte...) prennent, en revanche, *-n* au pluriel :

drei Tonnen Kartoffeln
trois tonnes de pommes de terre

● A tous les cas, sauf au génitif singulier, que l'élément mesuré soit accompagné d'un adjectif épithète ou non, ce groupe (adjectif + élément mesuré), est le plus souvent au même cas que l'unité de mesure :

mit drei Kilo Äpfeln
avec trois kilos de pommes
mit drei Kilo grünen Äpfeln
avec trois kilos de pommes vertes
nach zwei Glas gutem Wein
après deux verres de bon vin

Attention : ne confondez pas : *zwei Glas Wein :* deux verres de vin
zwei Weingläser : deux verres à vin

● Au génitif, lorsque l'élément mesuré n'est pas accompagné d'un adjectif épithète, on a le choix entre les deux possibilités :

soit : **der Preis eines Pfundes Mehl**
soit : **der Preis eines Pfund Mehls**
le prix d'une livre de farine

Lorsque l'élément mesuré est accompagné d'un adjectif épithète, ce groupe nominal (adjectif + élément mesuré) se met aussi au génitif (donc l'unité de mesure est invariable).

der Preis eines Pfund rohen Schinkens
le prix d'une livre de jambon cru

2. Élément mesuré + quantité + unité de mesure

ein Brot von	**zwei**	**Pfund**
un pain de	*deux*	*livres*

Là aussi, l'unité de mesure est en principe invariable ; mais, au datif pluriel, après des prépositions, on rencontre plutôt :

eine Mauer von zehn Metern
un mur de dix mètres

3. Élément + quantité + unité de + nom de
mesuré   mesure   la mesure

ein Haus von   **zehn**   **Meter**   **Höhe**
une maison de   *dix*   *mètres de*   *hauteur*

Unité de mesure invariable (sauf les unités en -*e*) : de même avec les noms de la mesure : *Länge,* longueur, *Breite,* largeur, *Gewicht,* poids...

4. Nom de la mesure + quantité + unité de mesure

    eine Länge von   **zwanzig**   **Metern**

L'unité de mesure peut être invariable ou non (sauf les unités en -*e*).

5. Quantité + unité de + adjectif de   +   élément
mesure   mesure   mesuré

   ein   **zehn Meter**   **hohes**   **Haus** (voir n° 203)
     une maison haute de dix mètres

Unité de mesure invariable (sauf les unités en -*e*, et *Jahr* pour l'indication de l'âge).

EXERCICE ————————————————————————————

Traduisez en allemand :

1. Ils ont vendu un porc (das Schwein) d'un poids de 200 livres.
2. Le jardin est long de 350 mètres.
3. As-tu bu les trois verres de bière ?
4. J'ai acheté trois bouteilles de bon vin.
5. Combien coûtent deux douzaines d'œufs ?
6. J'ai vu un bateau long de dix mètres.
7. Il a mangé trois morceaux de gâteau.
8. Pendant la guerre, on demandait (nach + dat. fragen) le prix d'un morceau de pain.

---

143 Mieten et **vermieten**

Selon que l'on veut exprimer « prendre en location » ou « donner en location », il faut utiliser *mieten* ou *vermieten ;* (voir aussi n° 134).

1. *Etw. mieten* = « louer qqch. », « prendre en location ». On l'utilise surtout pour des maisons et des appartements, mais également pour des voitures et des bateaux.

    Ab September möchte ich in Berlin ein Zimmer mieten.
    A partir de septembre, je voudrais louer une chambre à Berlin.

2. *Etw. vermieten* = « louer qqch. », « donner en location ».

    Sämtliche Räume der Wohnung waren vermietet.
    Toutes les pièces de l'appartement étaient louées.

EXERCICES—

Complétez par le terme qui convient :
1. In den Ferien haben wir ein Berghaus in der Schweiz... .
2. Alle Dorfbewohner...einen Teil ihres Hauses.

Traduisez en allemand :
1. Je voulais louer une chambre, mais elles étaient toutes déjà louées.
2. Il est difficile de louer (prendre en location) un appartement à Munich.

144 Mögen : emplois

Pour la conjugaison de *mögen,* voir n° A 10.

1. Sens de « aimer » *(gern haben)*

Unser Sohn **mag** kein Fleisch.
Notre fils n'aime pas la viande.

2. *Ich möchte...* : « désirer », « vouloir bien » (souhait, désir...)

Ich **möchte** ein Stück Kuchen.
Je voudrais un morceau de gâteau.

3. Sens de « devoir probablement », « pouvoir », dans le domaine de l'éventualité, de la supposition, le plus souvent avec *wohl.*

Du **magst** wohl Recht haben.
Tu dois avoir raison.
Wo **mag** er wohl sein?
Où peut-il bien être ?

4. Sens concessif

Du **magst** noch so schreien, ich gebe dir keine Schokolade.
Tu as beau crier, je ne te donnerai pas de chocolat.
Mag kommen, was da will, ich bleibe.
Quoi qu'il arrive, je reste.

5. Dans le style direct ou indirect, expression de la prière, du souhait, de l'ordre poli

Möge er doch Glück haben! (subjonctif 1).
Puisse-t-il avoir de la chance !
Sag ihm, er **möge** doch das Buch so schnell wie möglich zurückbringen.
Dis-lui de rapporter le livre aussi vite que possible.

Traduisez en allemand :

1. Que peut-il bien faire à cette heure-ci ?
2. Je voudrais une livre de tomates.
3. Quoi qu'il fasse, il sera obligé d'avouer (gestehen) à qui appartient ce vélo.
4. Je n'aime pas les oranges (die Apfelsine).
5. Il doit probablement connaître les meilleurs restaurants de la ville.
6. Voulez-vous une tasse de thé ? (forme de politesse).

145 Müssen : emplois.

Pour la conjugaison de *müssen* voir A 11.
Voir aussi n°ˢ 51, 75, 80.

1. Sens de « devoir », « être obligé de », « il faut que » (nécessité absolue)

> Er **muß** um 6 aufstehen.
> *Il doit se lever à 6 heures.*
> Ich **muß** zum Friseur (sous-entendu : *gehen*).
> *Il faut que j'aille chez le coiffeur.*

Pour la négation de *müssen* voir *dürfen* n°ˢ 75, 80.

2. Sens de « devoir », « il est très probable que », « il est quasiment sûr que » (très forte probabilité)

> Er **muß** krank sein.
> *Il est très probablement malade.*

Notez :

« ne pas être obligé de » se rend par *nicht* + *zu* + infinitif + *brauchen* (voir n° 51).

> Er **braucht nicht hinzugehen.**
> *Il n'est pas obligé d'y aller.*

Traduisez en allemand :

1. Il faut que j'achète du lait.
2. Cela doit être vrai.
3. Tu n'es pas obligé de travailler ce matin.
4. Maintenant ils doivent être arrivés.

146 La négation : nicht

Il y a deux sortes de négations *nicht :*

1. La négation partielle :
Nicht porte sur un élément de la phrase : ce *nicht* est toujours placé devant cet élément et n'est jamais accentué ; c'est au contraire cet élément qui porte l'accent. On « rectifie » le plus souvent par *sondern...*

> **Nicht** °Peter lebt in Frankreich, **sondern** sein Bruder Hans.
> *Ce n'est pas Pierre qui vit en France, mais son frère Jean.*

> Peter lebt **nicht** in °Frankreich, **sondern** in England.
> *Pierre ne vit pas en France, mais en Angleterre.*

2. La négation globale :
Nicht porte sur toute la phrase : ce *nicht* se place juste devant les éléments du groupe verbal.

> Ich weiß, daß Peter **nicht** in Frankreich lebt.
> (groupe verbal = in Frankreich lebt)
> *Je sais que Pierre n'habite pas en France.*

> Das Haus ist **nicht** zu verkaufen.
> (groupe verbal = zu verkaufen ist ;
> *ist* est en 2e place dans une proposition)
> *La maison n'est pas à vendre.*

EXERCICES

Introduisez une négation globale dans les phrases suivantes :
1. Herr Weber fährt heute nach Düsseldorf.
2. Am Sonntag bleibe ich zu Hause.
3. Sein Sohn arbeitet sehr gut.
4. Morgen darf ich ins Kino gehen.
5. Sein Lehrer ist sehr beliebt.

Traduisez en allemand :
1. Il n'est pas né à Bonn, mais à Cologne.
2. N'es-tu pas allé chez ta sœur ?
3. Il ne vient pas aujourd'hui, mais dans trois jours.
4. La maison n'est pas très belle.
5. Je n'ai pas trouvé ce livre intéressant.

---

147 Nicht ou kein ?

On emploie *kein* à la place de *nicht :*

1. Lorsque le groupe nominal qui suit est introduit par l'article indéfini :

● Négation globale :

> Inge hat einen Hund.   Inge hat **keinen** Hund.
> *Inge a un chien.*   *Inge n'a pas de chien.*

● Négation partielle :

> Das ist **keine** Buche, sondern eine Eiche.
> *Ce n'est pas un hêtre, mais un chêne.*

Attention : lorsque *ein* signifie un seul, il est maintenu avec *nicht* :

> Sie hat **nicht einen** Hund, sondern zwei.
> *Elle n'a pas un seul chien, mais deux.*

2. Lorsque le groupe nominal qui suit est au pluriel sans article.

> Ich habe ihr Blumen geschenkt.
> *Je lui ai offert des fleurs.*

> Ich habe ihr **keine** Blumen geschenkt.
> *Je ne lui ai pas offert de fleurs.*

3. Lorsque le groupe nominal non prépositionnel qui suit comporte un nom de matière :

● Négation globale :

> Das ist Gold.   Das ist **kein** Gold.
> *C'est de l'or.*   *Ce n'est pas de l'or.*

● Négation partielle :

> Das ist **kein** Gold, sondern Kupfer.
> *Ce n'est pas de l'or, mais du cuivre.*

4. Dans certaines expressions qui comportent un groupe nominal sans article :

> Ich habe Hunger.   Ich habe **keinen** Hunger.
> *J'ai faim.*   *Je n'ai pas faim.*

EXERCICE

Niez les phrases suivantes (négation globale) :
1. Mir ist kalt.
2. Zu Hause haben wir einen Fernseher.
3. Das ist Silber.
4. Ich esse Fleisch.
5. Ich trinke gern Wein.

---

148 Nicht mehr - kein mehr

1. *Nicht mehr* = « ne...plus »

> Seine Eltern sind nicht zufrieden, weil er **nicht mehr** arbeiten will.
> *Ses parents ne sont pas contents, parce qu'il ne veut plus travailler.*
> Er schläft **nicht mehr**.
> *Il ne dort plus.*

2. *Kein... mehr* = « ne... plus de »

> Er hat mir gesagt, daß er **kein** Fleisch **mehr** ißt.
> *Il m'a dit qu'il ne mangeait plus de viande.*
> Er kauft **keine** Schallplatten **mehr**.
> *Il n'achète plus de disques.*

Traduisez en allemand :
1. Je n'ai plus d'argent.
2. Pourquoi ne va-t-il plus à l'école ?
3. Il n'habite plus ici.
4. Je n'ai plus de voiture.
5. Il n'y a plus de neige sur les routes.
6. Il ne travaille plus ; il est à la retraite (pensioniert sein).

149 Nichts/etwas + adjectif

Nichts + adjectif = « rien de » + adjectif
Etwas (ou *was*) + adjectif = quelque chose de + adjectif
L'adjectif qui suit *nichts* ou *etwas* est un adjectif substantivé ; il prend donc une majuscule et les marques de l'adjectif du type II (voir n° 104), puisqu'il n'est pas précédé d'un déterminatif. Il est neutre et se met au même cas que *nichts* ou *etwas*.

Hast du **etwas (ou was) Schönes** gesehen ?
      acc.   acc.
As-tu vu quelque chose de beau ?

Diese Dose öffnet man mit **etwas Spitzem.**
Cette boîte s'ouvre avec quelque chose de pointu.

Ich habe **nichts Interessantes** gefunden.
Je n'ai rien trouvé d'intéressant.

Remarques :

● *ander-* est le seul adjectif qui ne prend pas la majuscule après nichts, etwas ou was :

Wollen Sie **was anderes ?**
Voulez-vous quelque chose d'autre ?

Ich brauche **nichts anderes.**
Je n'ai besoin de rien d'autre.

● *nichts, etwas, was* ne sont éventuellement séparés de leurs adjectifs substantivés que par des éléments qui déterminent ces adjectifs substantivés comme *sehr, viel...*

Gestern habe ich **etwas viel Schöneres** gesehen.
Hier j'ai vu quelque chose de bien plus beau.

Mais : Ich darf **nichts Schweres** tragen.
Je ne dois <u>rien</u> porter <u>de lourd</u>.

Traduisez en allemand :
1. Je n'ai rien entendu d'autre.
2. C'était quelque chose de noir.
3. N'avez-vous rien de plus grand.
4. J'ai vu quelque chose de très intéressant hier soir.
5. Avez-vous quelque chose d'autre ?
6. Je lui ai offert quelque chose d'utile (nützlich).
7. Je n'ai rien acheté de très cher.
8. Rien de neuf ?

150 Nicht..., sondern...
nicht nur..., sondern auch...

1. *Nicht..., sondern...* traduit le français « ne (non)... pas..., mais »

> Er wohnt **nicht** in Bonn, **sondern** in München.
> *Il n'habite pas à Bonn, mais à Munich.*

2. *Nicht nur..., sondern auch...* traduit le français « non seulement..., mais aussi (également)... »

> Sie haben **nicht nur** einen Hund, **sondern** seit einem Monat **auch** eine Katze.
> *Ils ont non seulement un chien, mais depuis un mois également un chat.*
> Er hat **nicht nur** viel gegessen, **sondern** er hat **auch** viel Wein getrunken.
> *Non seulement il a beaucoup mangé, mais il a aussi bu beaucoup de vin.*

EXERCICE

Traduisez en allemand :
1. Elle joue non seulement de la flûte (Flöte), mais aussi du piano (Klavier).
2. Non seulement ils ont démoli (abreißen) la maison, mais ils ont aussi abattu (fällen) les arbres.
3. Il ne viendra pas demain, mais seulement jeudi prochain.
4. Ma montre n'est pas en or, mais en argent.
5. Le magasin n'est pas au centre, mais en dehors (außerhalb) de la ville.

151 Noch nicht - noch kein

1. *Noch nicht* + **verbe** = « ne + verbe + pas encore »

> Ich glaube, daß er **noch nicht** arbeitet.
> *Je crois qu'il ne travaille pas encore.*
> Er kann **noch nicht** schwimmen.
> *Il ne sait encore pas nager (ou... pas encore...)*

2. *Noch kein* + **verbe** = « ne + verbe + pas encore (de) »

> Es gibt **noch keine** Trauben.　　Ich habe **noch keinen** Durst.
> *Il n'y a pas encore de raisins.*　　*Je n'ai pas encore soif.*

EXERCICE

Traduisez en allemand :
1. Je ne peux pas encore vous dire quand il viendra.
2. Je crois qu'il n'a pas encore de voiture.
3. Il n'a pas encore trouvé d'appartement.
4. Avez-vous déjà faim ? — Non, pas encore.
5. Mon frère ne va pas encore à l'école.
6. Il n'a pas encore de dents.
7. Il n'est pas encore réveillé.
8. Ce livre, il ne l'a pas encore lu.

152 Les nombres cardinaux

1. Pour dénombrer une quantité exacte :

● De 1 à 12 :
eins, zwei, drei, vier, fünf, sechs, sieben, acht, neun, zehn, elf, zwölf.

● De 20 à 90 (les dizaines) :
zwanzig, dreißig, vierzig, fünfzig, sechzig, siebzig, achtzig, neunzig.

● De 13 à 19 : on indique d'abord le chiffre de l'unité puis la dizaine
dreizehn, vierzehn, fünfzehn, sechzehn (et non ~~sechszehn~~ *!*), *siebzehn* (et non ~~siebenzehn~~ *!*), *achtzehn, neunzehn.*

● A partir de 21 : l'unité puis *und* puis la dizaine, le tout attaché
einundzwanzig (et non ~~einsundzwanzig~~ *!*), *zweiundzwanzig...*

● A partir de 100 : la centaine (*hundert* invariable) puis le reste, le tout attaché
132 = **(ein)hundertzweiunddreißig**
576 = **fünfhundertsechsundsiebzig**

● A partir de 1000 : mille (*tausend* invariable) puis le reste, le tout attaché
8931 = **achttausendneunhundert(und)einunddreißig**

● A partir du million : *eine Million* non attaché, pluriel : *Millionen* et le reste attaché
4.265.702 = **vier Millionen zweihundertfünfundsechzigtausendsiebenhundert(und)zwei**

2. Pour désigner une quantité approximative :

● *ungefähr, etwa, an die* (plus littéraire)
> Sie waren **ungefähr (etwa, an die)** zwanzig.
> *Ils étaient (à peu près) une vingtaine.*

● *ein paar, einige, mehrere...* avec *hundert, tausend*
> **Mehrere tausend** Personen standen auf der Straße.
> *Plusieurs milliers de personnes étaient dans la rue.*

● *Hundert et Tausend* (avec une majuscule) **substantivés** (pluriel : *Hunderte, Tausende*)
> **Viele Hunderte** fanden keinen Platz.
> *Plusieurs centaines de personnes ne trouvèrent pas de place.*

153 Les nombres ordinaux

1. De 1 à 19 : chiffre + *t* + marque de l'adjectif :

der erste : le premier
der zweite : le deuxième
der dritte : le troisième
der vierte : le quatrième
der fünfte : le cinquième
der sechste : le sixième
der siebente (parfois *der siebte*) :
le septième

der achte : le huitième
der neunte : le neuvième
der zehnte : le dixième
der elfte : le onzième
der zwölfte : le douzième
der dreizehnte : le treizième
der vierzehnte : le quatorzième,
etc.

Notez les particularités : *der erste (eins), der dritte (drei).*

2. A partir de 20 : chiffre + *st* + marque de l'adjectif :

der zwanzigste : le vingtième

der hundertste : le centième

der einundzwanzigste : le vingt
et unième
der tausendste : le millième

Attention : pour les dates et les titres (roi, empereur, pape...)
on emploie en allemand les nombres ordinaux! (voir n° 70 et
n° 236).

Heute haben wir Donnerstag, den **8.** (se lit : *achten*) Mai 1986.
Aujourd'hui nous sommes le jeudi 8 mai 1986.

Wissen Sie, wann König Ludwig XIV. (se lit : *der vierzehnte*) gestorben ist?
Savez-vous quand est mort le roi Louis XIV?

En allemand, le point après les chiffres est obligatoire dans ces cas.

154 Le nominatif : emplois

On trouve des groupes nominaux ou des pronoms au nominatif dans plusieurs situations.

1. Comme sujet du verbe :

Er geht spazieren.
Il va se promener.

Der große Baum dort ist eine Eiche.
Le grand arbre là-bas est un chêne.

2. Comme attribut du sujet (voir n° 29)

Peter ist **der beste Schüler** der Klasse.
Pierre est le meilleur élève de la classe.

3. Comme vocatif, pour interpeler (dans ce cas, il est suivi d'une virgule)

Du, komm mal her !
Dis-donc, viens voir là !

Mein lieber Freund, hast du das gemacht ?
Mon cher ami, c'est toi qui as fait ça ?

4. Comme apposition à un autre nominatif (voir n° 20)

Sein Vater, **ein ehemaliger Offizier,** arbeitet jetzt in Düsseldorf.
Son père, un ancien officier, travaille à présent à Dusseldorf.

EXERCICE

Traduisez en allemand :
1. C'est un brave *(brav)* chien.
2. Cela semble être une maison inhabitée *(unbewohnt)*.
3. Notre ancien maire *(der Bürger-* *meister)* est mort il y a deux semaines.
4. Mon cher Pierre, je t'ai apporté un livre sur l'Allemagne.
5. C'est Paul, un ami de ma sœur.

---

155 Noms composés

1. Pour former un nom composé, on place devant un nom servant de mot de base, ou <u>déterminé</u>, un autre terme qui est le <u>déterminant</u>. C'est le <u>déterminé</u>, donc le dernier terme, qui impose le <u>genre</u> et le <u>pluriel</u> au nom composé tout entier. Le <u>déterminant</u> porte l'accent principal.

| *(das) Haus* | + | *die Tür(en)* | → | *die °Haustür (en)* |
| la maison | + | la porte | | la porte de la maison |

| déterminant | + | déterminé |

La composition entre deux noms peut se faire **sans ou avec un élément de liaison.**

2. Sans élément de liaison :

● juxtaposition :

der Stadtpark
le parc municipal

der Autounfall
l'accident de voiture

● réduction de l'infinitif des verbes au radical ou au radical + *-e* :

das Kochbuch
le livre de cuisine

das Lesebuch
le livre de lecture

● élision du *-e* de certains féminins :

das Schulsystem
le système scolaire

der Kirchturm
le clocher

3. Avec élément de liaison :

● marque de génitif :

-s (-es) :   **die Jahresproduktion**
la production d'une année

die Staatsgrenze
la frontière (d'un Etat)

-en (des masculins faibles) :

die Präsidentenwahl
l'élection du président

das Bärenfell
la peau d'ours

-en (pour certains féminins) :

der Sonnenuntergang
le coucher du soleil

der Wochentag
le jour de la semaine

● marque de pluriel :

-e/ ⸚e :   **die Hundehütte**
la niche du chien

die Städteplanung
l'urbanisme

-(e)n :   **die Frauenzeitschrift**
le magazine féminin

der Rosenstrauß
le bouquet de roses

-er / ⸚er :   **das Kinderzimmer**
la chambre d'enfants

der Bücherschrank
la bibliothèque (l'armoire)

● *-s* phonétique (pour faciliter la prononciation) :
- avec les suffixes *-ing, -ling, -tum :*

der Frühlingsanfang
le début de printemps

die Eigentumswohnung
l'appartement en copropriété

- avec les suffixes féminins *-heit, -keit, -schaft, -ung, -ion, -tät* :

der Freiheitskampf
le combat pour la liberté

der Zeitungsartikel
l'article de journal

- avec *Geschichte, Liebe, Hilfe* et très souvent avec *Arbeit* comme déterminant :

das Geschichtsbuch
le livre d'histoire

der Liebesbrief
la lettre d'amour

der Hilfsarbeiter
le manœuvre

der Arbeitslohn
le salaire

4. Toutes sortes de relations sémantiques peuvent être exprimées dans les noms composés.
Entre autres :

● la localisation :
das Berghaus = das Haus in den Bergen (le châlet)

● la direction :
die Moskaureise = die Reise nach Moskau (le voyage à Moscou)

● le temps :
die Nachtfahrt = die Fahrt in der Nacht (le voyage de nuit)

● le sujet de l'action :
die Kinderarbeit = die Arbeit der Kinder (le travail des enfants)

● l'appartenance :
das Direktorenbüro = das Büro des Direktors (le bureau du directeur)

● la matière :
die Porzellantasse = die Tasse aus Porzellan (la tasse de porcelaine)

● la cause :
der Krankheitsurlaub = der Urlaub wegen Krankheit (le congé de maladie)

● le but :
die Waschmaschine = die Maschine zum Waschen (la machine à laver)

Attention au déterminé! Il ne faut pas confondre :

der Bundesstaat l'Etat fédéral	et	*der Staatenbund* la fédération d'Etats
der Lederschuh la chaussure en cuir	et	*das Schuhleder* le cuir pour chaussures
die Kuhmilch le lait de vache	et	*die Milchkuh* la vache à lait

die Kaffeetasse la tasse à café	et	*die Tasse Kaffee* la tasse de café
das Weinglas le verre à vin	et	*das Glas Wein* le verre de vin

EXERCICES

Faites des noms composés à partir des deux noms indiqués, le premier étant le déterminé :

1. der Markt, das Gemüse (le marché aux légumes)
2. der Direktor, das Krankenhaus (le directeur de l'hôpital)
3. der Garten, die Rose (la roseraie)
4. die Zeit, das Jahr (la saison)
5. die Schule, der Pilot (l'école de pilotage)
6. der Besuch, die Höflichkeit (la visite de politesse)
7. der Minister, die Wirtschaft (le ministre de l'économie)
8. das Regal, das Buch (les rayonnages à livres)
9. der Professor, die Universität (le professeur d'Université)
10 der Platz, die Kirche (la place de l'église)

Faites des noms composés à partir des explications suivantes :

1. die Maschine zum Schreiben
2. die Bank aus Holz
3. die Reise des Präsidenten
4. der Weg zur Schule
5. der Kiosk für Zeitungen
6. der Flug auf den Mond
7. das Spielzeug für Kinder
8. die Zeit der Arbeit
9. das Glas für Bier
10. die Bar zum Tanzen

156 Les noms d'habitants de villes

Dans la plupart des cas, on rajoute le suffixe *-er* au nom de la ville :

Berlin → **ein Berliner**   Hamburg → **ein Hamburger**
Essen → **ein Essener**

Remarques :

1. On peut parfois supprimer un *e* intercalaire :

München → **ein Münchner**

2. Pour certains noms de villes en *-en,* cet *-en* tombe lorsqu'on rajoute *-er* :

Tübingen → **ein Tübinger**   Saarbrücken → **ein Saarbrücker**
Bremen → **ein Bremer**

3. Pour certains noms de villes en *-er,* on rajoute le suffixe *-aner* :

Münster → **ein Münsteraner**
Hannover → **ein Hannoveraner**

EXERCICE

Indiquez le nom de l'habitant à partir du nom de la ville :

1. Paris
2. Zweibrücken
3. Frankfurt
4. Bonn
5. Köln
6. Dresden
7. Göttingen
8. Salzgitter
9. Meißen
10. Dortmund

157 Les noms de pays : article et genre

1. En règle générale, les noms de pays (ou de région, ou de continents) **ne prennent pas d'article** :

Frankreich : *la France*   **Deutschland :** *l'Allemagne*
Hessen : *la Hesse*   **Afrika :** *l'Afrique*

2. Il y a cependant des **exceptions** :

● Prennent l'article masculin :

der Sudan : *le Soudan*   **der Libanon :** *le Liban*   **der Irak :** *l'Irak*

● Prennent l'article neutre :

das Elsaß : *l'Alsace*   **das Engadin :** *l'Engadine*   **das Tessin :** *le Tessin*

● Prennent l'article féminin :

die Türkei : *la Turquie*   **die Tschechoslowakei :** *la Tchécoslovaquie*
die Schweiz : *la Suisse*   **die Pfalz :** *le Palatinat*
die Sowjetunion : *l'Union Soviétique.*

● Prennent l'article pluriel :

die USA : *les USA*   **die Niederlande :** *les Pays-Bas.*
die Vereinigten Staaten : *les États-Unis.*

Remarques :

● Les noms de pays, régions ou continents qui ne prennent pas d'article sont employés également sans article avec « *ganz,* tout et *halb,* la moitié de » :

ganz Europa : *toute l'Europe*   **halb Frankreich :** *la moitié de la France.*

● Lorsque ces mêmes noms sont déterminés par un adjectif épithète, ou par un complément de nom, ou par une relative... ils prennent l'article neutre *das :*

das schöne Österreich : *le beau pays d'Autriche.*
das Deutschland, von dem ich träume : *l'Allemagne dont je rêve.*
das Frankreich von heute : *la France d'aujourd'hui.*

EXERCICE ───────────────────────────────

Traduisez en allemand :
1. Il est né en Suisse.
2. Toute la Belgique le sait.
3. Il a connu l'Allemagne wilhelminienne (wilhelminisch).
4. En Angleterre il a rencontré un de ses amis.
5. J'ai passé une semaine en Alsace.
6. Je vais aux États-Unis.

---

158 Les noms de pays et les nationalités

Les noms d'habitants de pays se classent en 3 grandes catégories :

1 Noms d'habitants masculins forts en -ER :

- sans déplacement d'accent (l'accent est marqué par °) :

nom du pays	nom de l'habitant	adjectif
die °Schweiz (la Suisse)	der °Schweizer	°schweizerisch
°England (l'Angleterre)	der °Engländer	°englisch
°Österreich (l'Autriche)	der °Österreicher	°österreichisch
°Belgien (la Belgique)	der °Belgier	°belgisch
Al°gerien (l'Algérie)	der Al°gerier	al°gerisch
Tu°nesien (la Tunisie)	der Tu°nesier	tu°nesisch

- avec déplacement d'accent :

nom du pays	nom de l'habitant	adjectif
I°talien (l'Italie)	der Ita°liener	ita°lienisch
A°merika (l'Amérique)	der Ameri°kaner	ameri°kanisch
Eu°ropa (l'Europe)	der Euro°päer	euro°päisch
Ma°rokko (le Maroc)	der Maro°kkaner	maro°kkanisch

2. Noms d'habitants masculins faibles (voir n° 139)

- sans déplacement d'accent :

nom du pays	nom de l'habitant	adjectif
°Schweden (la Suède)	der °Schwede	°schwedisch
°Dänemark (le Danemark)	der °Däne	°dänisch
°Finnland (la Finlande)	der °Finne	°finnisch
°Polen (la Pologne)	der °Pole	°polnisch
°Ungarn (la Hongrie)	der °Ungar	°ungarisch
Jugo°slavien (la Yougoslavie)	der Jugo°slave	jugo°slavisch
°Irland (l'Irlande)	der °Ire	°irisch
°Griechenland (la Grèce)	der °Grieche	°griechisch
°Rußland (la Russie)	der °Russe	°russisch

- avec déplacement d'accent

nom du pays	nom de l'habitant	adjectif
°Frankreich (la France)	der Fran°zose	fran°zösisch
°China (la Chine)	der Chi°nese	chi°nesisch
die Tschechoslowa°kei (la Tchécoslovaquie)	der °Tscheche	°tschechisch

3. Nom d'habitant adjectif substantivé (voir n° 11) :
1 seul exemple :

°Deutschland	der °Deutsche	°deutsch
(l'Allemagne)	ein °Deutscher	

EXERCICE

Donnez le nom d'habitant avec l'accent à partir du nom du pays (chercher dans un dictionnaire au besoin !)

Norwegen :	die Türkei :	Spanien :	Luxemburg :
Portugal :	Afrika :	Holland :	Schottland :
Korsika :	Preußen :	Rumänien :	Argentinien :
Australien :	Japan :	Kanada :	Togo :

159 Déclinaison des noms propres

Le seul problème qui se pose est celui du **génitif**; à tous les autres cas, les noms propres sont invariables. Au génitif, il faut distinguer deux cas. :

1. Le nom propre est employé seul (sans déterminatif, article, adjectif possessif...) : alors le nom propre prend une marque, *-s* le plus souvent :

> **Schillers Werke :** *les œuvres de Schiller.*
> **die Eltern Herberts :** *les parents de Herbert.*

Remarques :

● lorsqu'on a un prénom et un nom, ou un nom complexe, c'est en principe l'élément le plus proche du terme de base qui prend la marque :

> **Friedrich von Schillers** *Werke*
> ou *die Werke* **Friedrichs von Schiller**
> *les œuvres de Friedrich von Schiller.*

Mais :

> **Thomas Manns** *Romane* ou *die Romane* **Thomas Manns**
> *Les romans de Thomas Mann*
> (car le s de Thomas n'est pas une marque de génitif).

● les noms terminés par *s, ß, x, z, tz* prennent une apostrophe seule (sans *s* !) :

> **Marx'** Werk «das Kapital»
> *l'œuvre de Marx «Le Capital».*

● on peut toujours remplacer les génitifs par la préposition *von* + datif :

> **Das Werk von Marx** «das Kapital».

2. Le nom propre est employé avec un déterminatif (article, adjectif possessif...) : alors le nom propre est invariable :

> die Werke des jungen **Goethe** : *les œuvres du jeune Goethe.*
> die Erfolge unseres Sohnes **Heinrich** : *les succès de notre fils Henri.*

Traduisez en allemand :
1. Les symphonies de Ludwig van Beethoven (3 traductions).
2. Les châteaux de Louis II (2 traductions).
3. C'est la chambre de notre grand Wolfgang.
4. Etait-il le seul frère de Louis XIV ?
5. Connais-tu les parents de Fritz ? (2 traductions).

160 Les notes de musique

Correspondance des notes entre le français et l'allemand :

do = *c* (prononcer tsé)
ré = *d*   fa = *f*   la = *a*
mi = *e*   sol = *g*   si = *h*

dièse (*Kreuz*)   bémol (*be*)

do dièse = *cis* (prononcer tsis) = *des* = ré bémol
ré dièse = *dis*   = *es*   = mi bémol
fa dièse = *fis*   = *ges* = sol bémol
sol dièse = *gis*   = *as*   = la bémol
la dièse = *ais*   = *b*   = si bémol

mineur = *Moll*   majeur = *Dur*

> Die Messe in **h-Moll**
> *La messe en si mineur.*

Traduisez en français :
1. Eine Sonate in f-Dur.
2. Ein Konzert *(concerto)* in c-Moll.
3. Eine Symphonie in es-Dur.
4. Eine Sonate in e-Moll.
5. Das Klarinetten-Quintett in a-Dur.

161 L'expression de l'ordre

L'ordre peut s'exprimer de plusieurs manières en allemand :

1. Par l'impératif (voir n° 115) :
>**Steh auf !** *Lève-toi !*

2. Par le participe II (passé) :
>Parken **verboten !**
>*Interdit de stationner !*

>**Stillgestanden !**
>*Garde à vous !*

3. Par l'infinitif :
>Nicht **rauchen !**
>*Interdit de fumer !*

>Bitte nicht **rauchen !**
>*Prière de ne pas fumer !*

4. Par le passif impersonnel (voir n° 176) :
>Jetzt **wird geschlafen !**
>*Maintenant on dort !*

5. Par l'indicatif (présent, futur...), avec une intonation particulière et souvent *jetzt* ou *bald* :
>Du **gehst** jetzt ins Bett !
>*Tu vas te coucher ! (C'est l'heure !)*

>Wirst du **bald** aufhören !
>*Tu vas t'arrêter !*

6. Par les verbes de modalité :
>Du **sollst** jetzt den Mund halten !
>*Vas-tu la fermer ! (familier)*
>*Vas-tu te taire !*

>Sie **dürfen** hier nicht parken !
>*Vous n'avez pas le droit de stationner ici !*

7. Par des phrases elliptiques, avec des noms, adverbes, directionnels, particules...
>**Achtung ! Vorsicht !**
>*Attention !*

>**Nicht so schnell !**
>*Pas si vite !*

>**Langsam !**
>*Doucement !*

>**Los !**
>*Allons-y !*

>**Ins Wasser !**
>*A l'eau !*

>**Vorwärts !**
>*En avant !*

>**Herein !**
>*Entrez !*

EXERCICE

Traduisez en allemand :
1. Au travail !
2. Prière de ne pas stationner !
3. Maintenant on travaille !
4. Plus vite !
5. Prière de ne pas se pencher au dehors ! (hinauslehnen)
6. Attention à la marche ! (die Stufe)

162 L'ordre fondamental du groupe infinitif

Dans le groupe infinitif, l'infinitif d'un verbe peut être accompagné d'un ou de plusieurs autres verbes et d'un ou de plusieurs compléments. Dans ce groupe, l'infinitif occupe en allemand obligatoirement la dernière place ; devant lui il y a éventuellement les autres éléments verbaux, et devant ces éléments verbaux le ou les compléments :

nach Deutschland	*fahren*	*wollen*
complément	**verbe**	**infinitif**
①	②	③

En français, cet ordre est exactement l'inverse de l'ordre allemand :

vouloir	aller	en Allemagne
infinitif	**verbe**	**complément**
①	②	③

Il ne faut donc pas dire : ~~wollen fahren nach Deutschland !~~

Autres exemples :

in Paris wohnen	: *habiter à Paris*
Tennis spielen können	: *savoir jouer au tennis*
glücklich sein	: *être heureux*
in Berlin studiert haben	: *avoir étudié à Berlin*
Angst haben	: *avoir peur*

EXERCICES

Remettez les éléments suivants dans l'ordre fondamental du groupe infinitif :
1. gehen - dürfen - ins Kino - mit einem Freund.
2. sehr krank - sein - gewesen.
3. beobachtet - vom Lehrer - werden.
4. zu seinem Onkel - gern - fahren.
5. erinnern - sich - an die Ferien.

Traduisez en allemand :
1. manger des pommes.
2. être en danger (die Gefahr).
3. commander (bestellen) un livre pour son ami.
4. attendre le bus par temps de pluie (bei Regen).
5. se lever la nuit

163 Ordre des mots dans les subordonnées

La structure des subordonnées introduites par une conjonction de subordination se présente ainsi :

Éléments hors du groupe verbal	Éléments de liaison	Éléments du groupe verbal
weil Peter gestern	nicht	zu Hause war
daß er in Deutschland	vielleicht	ein Zimmer gefunden hat

1. Pour la place du verbe conjugué voir n° 168.

2. Les éléments du groupe verbal (voir n° 162) sont placés selon l'**ordre fondamental** : compléments + infinitifs ou participes éventuels + verbe conjugué.

3 Les éléments de liaison (voir n° 164), lorsqu'il y en a, sont la plupart du temps placés juste **devant le groupe verbal**.
Certains d'entre eux (*bestimmt, vielleicht, hoffentlich, wahrscheinlich,* mais jamais la négation globale *nicht* ou *kein!*) peuvent se placer juste après la conjonction de subordination.

> Weil **wahrscheinlich** Peter gestern nicht zu Hause war
> *parce que vraisemblablement Pierre n'était pas à la maison hier*

4. Les éléments hors du groupe verbal n'ont de place fixe que si ce sont des pronoms (voir n° 200).

> weil **er sie ihm** nicht geschenkt hat
> *parce qu'il ne la lui a pas offerte*

5. Les éléments hors du groupe verbal autres que les pronoms peuvent changer de place :

> weil **Peter in Deutschland** vielleicht ein Zimmer gefunden hat
> *a le même sens que*
> weil **in Deutschland Peter** vielleicht ein Zimmer gefunden hat

6. Places impossibles :

● Aucun élément du groupe verbal ne peut se trouver en tête de subordonnée :

> weil Peter **nach Deutschland** gefahren ist
> *parce que Pierre est allé en Allemagne*
> ~~weil **nach Deutschland** Peter gefahren ist~~ *est impossible*

● Aucun élément du groupe verbal ne peut se trouver intercalé entre des éléments hors du groupe verbal :

weil Peter ~~nach Deutschland~~ gestern gefahren ist *est impossible*

EXERCICES

Construisez des subordonnées en mettant les éléments dans le bon ordre :

1. nachdem - den Brief - hatte - geschrieben - sein Bruder.
2. daß - arbeitet - seit zehn Jahren - in Deutschland - sein Vater.
3. weil - zu schnell - ist - das Auto - gefahren - auf der Autobahn.
4. ob - er - hat - zu Hause - vielleicht - einen Computer.
5. weil - nicht - er - sehr sportlich - ist.
6. daß - im Bus - war - kein Platz mehr
7. obwohl - nicht - bestimmt - sehr neu - war - das Auto.
8. daß - schenken - ein Buch - sie - wird - ihm - wahrscheinlich.
9. daß - Tee - er - jetzt - möchte - trinken.
10. seitdem - Deutsch - sein Bruder - lernt.

Traduisez en allemand :

1. Sais-tu que c'est en Angleterre qu'il fait ses études ?
2. S'il n'achète pas de pain ce matin, il n'y en aura pas avant mardi.
3. Je pense qu'il viendra peut-être en voiture.
4. Il dit que son père a certainement voulu doubler (überholen) la voiture qui roulait devant lui.
5. Pourquoi as-tu planté cet arbre ici ? - Parce que je voulais avoir de l'ombre devant la cuisine.

---

164 L'ordre des mots : place des adverbes de liaison

Les adverbes de phrase, c'est-à-dire les adverbes qui expriment une prise de position, un jugement de celui qui parle, sont la négation globale *nicht* (et son remplaçant *kein*), les adverbes *gewiß* (certes), *bestimmt* (certainement), *vielleicht* (peut-être), *wahrscheinlich* (probablement), *möglicherweise* (il se peut que...), *sicherlich, sicher* (sûrement), *wohl* (bien), *ja, keineswegs* (pas du tout), *bekanntlich* (comme on sait), *vermutlich* (comme on suppose), *leider* (malheureusement)...

1. Ces adverbes, qui assurent la liaison entre la partie gauche et la partie droite de la proposition, se placent normalement devant le groupe verbal, ou, si l'on veut, **à la limite entre les éléments du groupe verbal (partie droite) et les éléments hors du groupe verbal (partie gauche)** (voir n° 163).

● Dans la subordonnée :

Ich nehme meinen Regenschirm,
weil es in fünf Minuten **bestimmt** regnet.
     gauche   *droite*

Je prends mon parapluie
parce que dans cinq minutes il va certainement se mettre à pleuvoir.

- Dans la proposition :

Er ist gestern auf der Autobahn **wahrscheinlich** zu schnell gefahren.

gauche · _droite (+ ist)_

Hier, sur l'autoroute, il a vraisemblablement roulé trop vite.

Certains de ces adverbes peuvent se combiner avec _nicht_ :

Er geht heute **bestimmt nicht** in die Stadt.

gauche · _droite (+ geht)_

Aujourd'hui il ne va certainement pas en ville.

2. Certains de ces adverbes peuvent se placer **en tête de proposition** : _vielleicht, wahrscheinlich, sicher, sicherlich, bestimmt, bekanntlich._ La négation globale, en revanche, ne peut pas se placer en tête de la proposition.

> **Vielleicht** gehe ich morgen spazieren.
> _Peut-être irai-je me promener demain._

Attention : il ne faut pas confondre ces adverbes de phrase avec les adverbes qui portent sur un élément de la phrase, ni avec la négation partielle (voir n° 146).

> Ich gehe **vielleicht** °morgen spazieren. (avec un accent de phrase sur °morgen).
> _C'est peut-être demain que j'irai me promener._

> **Nicht** Peter hat diesen Fehler gemacht. (avec un accent sur °Peter).
> _Ce n'est pas Pierre qui a fait cette faute._

EXERCICE

Introduisez l'adverbe de phrase à l'intérieur des propositions ou des subordonnées.

1. Er geht morgen in die Schule. (bestimmt nicht)
2. Er hat in der Nacht Angst gehabt. (wahrscheinlich)
3. Ich glaube, daß er sehr reich ist. (nicht)
4. Er wohnt in einem vornehmen Viertel (bekanntlich).
5. Er ist verhaftet worden, weil er vor einer Woche einen Radfahrer überfahren hat (vermutlich).
6. Um fünf Uhr hatte er Tee trinken wollen (kein-).

---

165 L'ordre des mots : place des complé-
ments dans la proposition

1. Les compléments du verbe qui font partie du groupe verbal occupent dans la proposition la même place qu'ils occuperaient dans une subordonnée (voir n° 166).

Mutti hat heute morgen in der Stadt **einen Unfall gehabt.**

$\underbrace{}$

G.V. (+ hat)

Maman a eu ce matin un accident en ville.

Comparer avec :

Ich habe gehört, daß Paul heute morgen in der Stadt **einen Unfall gehabt hat.**

J'ai entendu dire que Paul a eu ce matin un accident en ville.

Il est impossible de dire :

~~Paul hat einen Unfall heute morgen in der Stadt gehabt.~~

2. Les compléments du verbe qui ne font pas partie du groupe verbal occupent dans la proposition également la même place qu'ils occuperaient dans une subordonnée, leur ordre étant là aussi variable.

Brigitte hat **heute in München** eine Freundin getroffen.

Brigitte a rencontré aujourd'hui une amie à Munich.

On peut dire aussi, par exemple :

Heute hat **Brigitte in München** eine Freundin getroffen.

In München hat **Brigitte heute** eine Freundin getroffen.

3. Le cas particulier de la première place.

Dans une proposition, contrairement à la subordonnée, un élément du groupe verbal peut occuper la première place.

Einen °Freund hat Brigitte heute in München getroffen.

(avec un accent sur Freund)

C'est un ami que Brigitte a rencontré aujourd'hui à Munich.

EXERCICES

Insérez les compléments entre parenthèses dans la proposition :

1. Haben ... ... gemietet ? (deine Eltern, eine Wohnung)
2. ... hat ... ... gewartet. (auf seine Freundin, vor dem Kino, Dieter)
3. ... ist ... bestimmt ... ... gekommen. (mein Vater, sehr spät, gestern abend, nach Hause)
4. Erinnerst ... ...? (dich, an die Ferien, du)
5. ... hatte ... ... (einen sehr guten Lehrer, unser Sohn, letztes Jahr)

Traduisez en allemand :

1. J'ai déjà bu du thé chez une amie.
2. Avec mon neveu *(der Neffe-n)* j'ai visité *(besichtigen)* le musée de 2 à 4.
3. C'est en Amérique que je voudrais faire des études.
4. Pour la mère de Monsieur Schmidt j'ai acheté ce matin un bouquet de fleurs *(der Blumenstrauß)* au mar- ché *(der Markt)*.
5. Il ne mange plus de viande depuis trois ans.

166 L'ordre des mots : place des complé- ments dans la subordonnée

Dans la subordonnée introduite par une conjonction de subordina- tion.

1. Les compléments du verbe qui font partie du groupe verbal sont placés immédiatement devant le verbe ou les éléments verbaux. Toute autre place est impossible !

Ces compléments peuvent être, par exemple :

- un adverbe

    Er ist müde, weil er gestern   <u>**zu viel** gearbeitet hat</u>.

    G.V.

    Il est fatigué, parce qu'il a trop travaillé hier.

- un complément d'objet direct (souvent, mais pas obligatoirement, sans article ou avec article indéfini)

    Er hat mir gesagt,
    daß er vor einer Woche zu Hause   <u>**ein Glas Wein** getrunken hat</u>.

    G.V.

    Il m'a dit qu'il y a une semaine il a bu, à la maison, un verre de vin.

- un complément d'objet au datif (souvent, avec l'article indéfini).

    Er glaubt, daß ich das Geld   <u>**einem Kind** gegeben habe</u>.

    G.V.

    Il croit que j'ai donné l'argent à un enfant.

A comparer avec :

    Er glaubt, daß ich dem Kind   <u>**Geld** gegeben habe.</u>

    G.V.

    Il croit que j'ai donné de l'argent à l'enfant.

- un directionnel (les directionnels sont presque toujours dans le groupe verbal) ou un locatif (les locatifs peuvent éventuellement faire partie du groupe verbal). Voir le directionnel n° 76 et le loca- tif n° 137.

    Er weiß, daß er morgen   <u>**zu seinem Onkel** fahren muß</u>,

    G.V.

    Il sait que demain il doit aller chez son oncle.

    Er hofft, daß er nächste Woche   <u>**in Paris** wohnen wird</u>.

    G.V.

    Il espère que la semaine prochaine il habitera à Paris

● un attribut

> Ich finde, daß er **sehr sympathisch** ist.
> G.V.

> *Je trouve qu'il est très sympathique.*

● un sujet (souvent sans article ou avec article indéfini).

> Ich muß mich beeilen, weil in zehn Minuten bestimmt **Schnee** fällt.
> G.V.

> *Je dois me dépêcher parce que dans dix minutes il va certainement neiger.*

● un complément circonstanciel.

> Glaubst du wirklich, daß die Vorstellung **zwei Stunden** dauert?
> G.V.

> *Crois-tu vraiment que la représentation va durer deux heures?*

2. Les compléments du verbe qui ne font pas partie du groupe verbal se placent immédiatement après la conjonction de subordination ; en principe le sujet vient en tête, mais ce n'est pas obligatoire (sauf pour les pronoms : voir n° 200).

On peut dire :

> Ich glaube, daß **Peter morgen** nach England fährt.
> Ich glaube, daß **morgen Peter** nach England fährt.
> *Je crois que Pierre part demain pour l'Angleterre.*

Conclusion : <u>on ne peut séparer du verbe les compléments qui font partie du groupe verbal.</u>

> Ich finde, daß er ~~traurig heute~~ ist. est impossible
> *Je trouve qu'il est triste aujourd'hui.*

<u>Les compléments hors du groupe verbal peuvent se mettre dans un ordre variable.</u>

EXERCICES ────────────────────────────

Intégrez à la bonne place les compléments entre parenthèses.
1. Glaubst du, daß ... ... sein wird.
   (morgen, zu Hause, Brigitte)
2. Wenn ... ... gefahren wäre, könnte er heute besser Deutsch sprechen. (mein Bruder, während der Ferien, nach Deutschland)
3. Ich frage mich, ob ... ... gefunden hat. (eine Wohnung, in Berlin, ihr Freund)
4. Ich weiß nicht, warum ... ... ist. (so nervös, heute, Peter)
5. Ich frage mich, wer ... ... gegessen hat. (die Schokolade, gestern).

Traduisez en allemand :
1. Il pleure parce qu'il voudrait bien faire du ski (Ski laufen) jusqu'à 5 heures.
2. Je crois qu'à cette heure-là il lisait le journal dans son fauteuil.
3. Sais-tu si j'ai donné les billets de cinéma à ton frère?
4. Bien qu'il soit allé déjà en Allemagne l'an dernier, il a l'intention (die Absicht haben) d'y retourner pendant les vacances.
5. Je crois qu'il fait ses études (studieren) à Paris depuis trois ans.

167 L'ordre des mots : la place du sujet

Dans la proposition comme dans la subordonnée, le sujet n'a pas de place fixe et obligatoire (sauf s'il s'agit d'un pronom, voir n° 200) ; ou bien il ne fait pas partie du groupe verbal (cas le plus fréquent), ou bien il en fait partie :

1. Le sujet hors du groupe verbal :

● Il se place avant les adverbes de liaison (voir n° 164), lorsqu'il y en a, et le groupe verbal, à une place qui peut être variable :

> <u>Meine Schwester</u> geht heute abend vielleicht ins Theater
>   *sujet*

> *ou :* Heute abend geht **meine Schwester** vielleicht ins Theater.
>   *sujet*

> *Ma sœur va peut-être au théâtre ce soir.*

● De même, dans une subordonnée :

>   weil **meine Schwester** heute abend vielleicht ins Theater geht.
> *ou*   weil heute abend **meine Schwester** vielleicht ins Theater geht

● Avec des pronoms :

> **Sie** geht heute abend vielleicht ins Theater.
> Heute abend geht **sie** vielleicht ins Theater.

Mais :   weil **sie** heute abend vielleicht ins Theater geht

et non : weil ~~heute abend sie~~ vielleicht ins Theater geht

2. Le sujet dans le groupe verbal.

● Lorsque le sujet fait partie du groupe verbal, il se place après les éléments hors groupe verbal et après les adverbes de liaison lorsqu'il y en a :

> Morgen kommt bestimmt <u>ein Brief von ihm.</u>
>   G.V. (+ kommt)

> *Demain arrivera certainement une lettre de lui.*

● De même, dans une subordonnée :

> ,weil morgen bestimmt **ein Brief von ihm** kommt.

EXERCICES ————————————————————

Dans les propositions suivantes, déplacez le sujet,

1. Die Bäckerei ist morgen zu.
2. Du kannst doch nicht zu Fuß in die Stadt gehen.
3. Ich habe es ihm schon gegeben.
4. Der Lehrer war gestern nicht in die Schule gekommen.
5. Zu Ostern fahren wir mit unseren Freunden wahrscheinlich nach Italien.

Même exercice dans les subordonnées suivantes lorsque c'est possible.

1. Weißt du, ob im Keller eine Leiter ist?
2. Ich glaube, daß unser Nachbar einen Hund gekauft hat.
3. Ich hoffe, daß die Sendung morgen abend interessant ist.
4. Wenn Peter dich anruft, sag ihm, daß es mir hier gefällt.
5. Ich bleibe heute zu Hause, weil das Wetter draußen wirklich zu schlecht ist.

168 La place du verbe

Ce que l'on appelle le verbe peut comporter une forme unique — et c'est obligatoirement le verbe conjugué — ou une forme composée, qui comprend une forme conjuguée et un participe ou un infinitif ou toute combinaison de ceux-ci :

forme unique : *schlägt*

formes composées : *geschlagen hat*
schlagen wird
geschlagen worden ist
schlagen können hat etc.

Les formes composées sont données ici dans leur ordre fondamental (voir n° 162); les formes qui se déplacent selon le type de phrase ou de construction sont les formes conjuguées; les formes non conjuguées sont pratiquement stables, c'est-à-dire qu'elles ne bougent pas.

Cette forme conjuguée du verbe peut occuper plusieurs places :

1. Première place :

● Dans l'interrogation globale (voir n° 123).
Bleibst du zu Hause? **Möchtest** du ein Bier trinken?
Restes-tu à la maison? *Veux-tu boire une bière?*

● Dans l'exclamation (voir n° 90).
War das ein altes Haus!
Quelle vieille maison c'était!

● Dans l'injonction (voir n° 115).
Mach die Tür zu!
Ferme la porte!

● Dans l'expression du souhait ou du regret (voir n° 224).
Hätte ich nur ein Fahrrad! **Wäre er** doch gestern gekommen!
Si seulement j'avais un vélo! Si seulement il était venu hier!

● Dans l'expression de l'hypothèse ou de la condition (voir n° 224).
Bist du nicht brav, dann bleibst du heute abend zu Hause.
Si tu n'es pas sage, tu restes ce soir à la maison.

2. Deuxième place.

Pour pouvoir déterminer la deuxième place, il faut connaître les limites de la première (voir n° 169).

● Dans la phrase énonciative affirmative, négative ou même interrogative :

> Er **hat** den ganzen Tag geschlafen.
> (ou : Den ganzen Tag **hat** er geschlafen.)
> *Il a dormi toute la journée.*

> Er **hat** nicht den ganzen Tag geschlafen.
> *Il n'a pas dormi toute la journée.*

> Er **hat** den ganzen Tag geschlafen ?
> *Il a dormi toute la journée ?*

● Dans la phrase énonciative sans *daß* du discours indirect :

> Er behauptet, er **sei** in Deutschland gewesen.
> *Il prétend avoir été en Allemagne.*

● Dans l'interrogative indirecte :

> Wann **hat** er angerufen ?
> *Quand a-t-il téléphoné ?*

● Dans l'expression du souhait avec le subjonctif I (voir n° 221) :

> Es **lebe** der König !
> *Vive le roi !*

3. Dernière place.

Le verbe conjugué occupe normalement la dernière place dans toutes les subordonnées introduites par une conjonction de subordination :

> Wenn ich gewußt **hätte,** daß er in Berlin **wohnt,** hätte ich ihn besucht.
> *Si j'avais su qu'il habite à Berlin, je lui aurais rendu visite.*

4. Particularités.

● Dans les subordonées de comparaison introduites par *als,* le verbe conjugué occupe la première place (voir n° 225).

● **Lorsque dans une subordonnée un verbe de modalité** *(können, dürfen, wollen, mögen, müssen, sollen)* est utilisé à un temps composé et avec un infinitif complément, le verbe conjugué se place devant ce groupe (pour la forme du verbe de modalité voir n° 172).

> Ich weiß nicht, warum er ihn nicht **hat** sehen wollen.
> *Je ne sais pas pourquoi il n'a pas voulu le voir.*

Attention : ...warum er ihn nicht ~~sehen wollen hat~~
     ou   warum er ihn nicht ~~sehen gewollt hat~~
    sont impossibles !

Introduisez la forme verbale à la bonne place :

1. du schon ? (gegessen hast)
2. Ich weiß nicht, ob er (kommen wird)
3. Gestern es hier sehr stark (geregnet hat)
4. Ich glaube, daß er nicht (kommen wollen hat)
5. In Deutschland er bis Ende August (bleibt)
6. Warum er nicht ? (mitkommen darf)

Traduisez en allemand :

1. Depuis trois ans il habite dans cet appartement.
2. Donne-lui le livre, si tu le vois demain.
3. Il n'a pas voulu rester jusqu'à demain.
4. Combien de poissons (der Fisch, die Fische) a-t-il pêchés ? (fischen)
5. Hier, malgré (trotz + gén.) la pluie, je suis allé me promener.
6. Je me demande s'il est vraiment malade.

169 L'ordre des mots : la première place dans la proposition

Le verbe conjugué devant être en deuxième position dans la proposition (voir n° 168), on peut se demander quels éléments peuvent se trouver en première position.
Ce sont :

1. Tous les éléments de la phrase qui ont une fonction déterminée par rapport au verbe : sujet, complément, attribut...

> **Gestern** hat Peter seinem Freund das Fahrrad geliehen.
> *Hier Pierre a prêté le vélo à son ami.*

Cette phrase peut encore être construite différemment :

> **Peter** hat gestern seinem Freund das Fahrrad geliehen.
> **Seinem Freund** hat Peter gestern das Fahrrad geliehen.
> **Das Fahrrad** hat Peter gestern seinem Freund geliehen.
>   1   2

2. Certaines subordonnées ou infinitives :

> **Obwohl sein Vater es ihm verboten hatte,** hat Peter seinem Freund
>   1   2
> das Fahrrad geliehen.
> *Bien que son père le lui ait interdit, Pierre a prêté le vélo à son ami.*

> **Um in die Schule zu gehen,** muß er mit dem Bus fahren.
>   1   2
> *Pour aller à l'école, il doit prendre le bus.*

3. Certains adverbes de phrase (modalisateurs) :

> **Vielleicht** haben wir morgen Besuch.
>   1   2
> *Peut-être aurons-nous de la visite demain.*

Remarques :

● Deux ou plusieurs sujets ou compléments de même nature (par exemple deux compléments de temps, deux compléments de lieu...) peuvent occuper la première place en bloc, qu'ils soient coordonnés ou non :

> **In Frankreich und in Deutschland** fährt man rechts.
>
> 　　　　1　　　　　　　　　　　2
>
> *En France et en Allemagne on roule à droite.*
>
> **Gestern um sieben Uhr** hat mein Freund Jörg angerufen.
>
> 　　　　1　　　　　　　2
>
> *Hier à 7 heures mon ami Jörg a téléphoné.*

Mais : **In Frankreich ~~am Mittwoch~~ gehen** die Schüler nicht in die Schule

　　　　　1　　　　　　2　　　　　3

est impossible.

> *En France, le mercredi les élèves ne vont pas à l'école.*

● L'apposition ne doit pas être comptée :

> Peter, **mein bester Freund,** wohnt jetzt in Dortmund.
>
> 1　　　　　　0　　　　　　　2
>
> *Pierre, mon meilleur ami, habite maintenant à Dortmund.*

● Ne doivent pas être comptées non plus les conjonctions de coordination :

> Ich wohne in Bonn **und** Peter wohnt in Dortmund.
>
> 　　　0　　　1　　　2
>
> *J'habite à Bonn et Pierre habite à Dortmund.*

● Certaines concessives ne doivent pas être comptées non plus, car elles ne font pas partie de la proposition :

> **Wie dem auch sei,** ich bleibe zu Hause.
>
> 　　0　　　　　1　　2

EXERCICES

1. Introduisez le verbe à la bonne place :
1. Aber — mein Hund — nicht (beißt).
2. Daß du krank warst — ich — letzten Sonntag (habe ... erfahren).
3. Gestern — in Paris — es — viel (hat...geregnet).

4. In München, der schönsten Stadt Deutschlands — ich — zwei Wochen (habe ... verbracht).
5. Während der Osterferien und im Monat Juni — ich (muß ... arbeiten).

2. Traduisez en allemand :
1. Et demain je me lèverai à 5 heures.
2. Pour visiter le parc, il faut payer 5 mark.
3. Si tu viens, je te montrerai ce que j'ai acheté.

4. Hier à cinq heures j'ai rencontré (treffen) Paul.
5. Ce tableau (das Gemälde), le plus beau de l'exposition (die Ausstellung), a été acheté par un étranger (der Ausländer).

170 Le participe passé (ou participe II) : formation

1. *GE*- ou pas *GE*- ?

Les verbes, qu'ils soient forts ou faibles, accentués sur la 1re syllabe à l'infinitif, prennent *ge-* au participe passé ; les verbes qui ne sont pas accentués sur la 1re syllabe ne prennent pas *ge-* :

accentués sur la 1re syllabe		non accentués sur la 1re syllabe	
°lernen	→ gelernt	mar°schieren	→ marschiert
°kommen	→ gekommen	ver°kaufen	→ verkauft
°bringen	→ gebracht	über°setzen	→ übersetzt

Remarques :

● C'est bien la place de l'accent qui détermine la présence ou l'absence de *ge-* : dans les verbes dits à particules accentuées (voir n° 175) il faut regarder la place de l'accent sur le verbe qui suit la particule :

> °auf-machen : °machen *donc* → °auf-ge-macht
> °aus-verkaufen : ver°kaufen *donc* → °aus-verkauft

● Les verbes à préverbes inaccentués (voir n°s 188-193) ne prennent pas *ge-*, par définition :

> zer°reißen → zer°rissen

● Les verbes que l'on rencontre soit avec une particule accentuée soit avec un préverbe inaccentué appartiennent soit à la catégorie n° 1 ci-dessus, soit à la catégorie n° 2.

> °über-setzen *(faire passer de l'autre côté)* : → °übergesetzt
> mais
> über°setzen *(traduire)* → über°setzt

2. La terminaison : *(e)t* ou *en* ?

Le participe passé des verbes faibles, des prétérito-présents (voir n° 246) et des verbes dits mixtes, est terminé par *-et* ou *-t* :

arbeiten → gearbeitet		lernen → gelernt	
können → gekonnt		bringen → gebracht	

Le participe passé des verbes forts est terminé par *-en* :

gehen → gegangen		nehmen → genommen	

sauf *tun* → getan

3. La voyelle du radical.

● Pour les verbes faibles elle est identique à celle de l'infinitif :

stellen → **gestellt**

● Pour les verbes forts elle est parfois différente de celle de l'infinitif :

singen → **gesungen** mais *kommen* → **gekommen**

● Pour les verbes dits mixtes ou faibles irréguliers (voir n° A 9) elle est toujours différente de celle de l'infinitif :

rennen → **gerannt**

EXERCICE ───

Formez le participe passé des verbes suivants :

1. diktieren	6. unter'scheiden	11. einbilden
2. aussprechen	7. schreiben	12. aussprechen
3. kennen	8. bringen	13. einbeziehen
4. anerkennen	9. aufessen	14. prophe'zeien
5. 'umkippen	10. über'fliegen	15. 'festsetzen

171 Le participe passé (ou participe II) : emplois

1. Avec *sein* ou *haben* (voir sur ce point n° 108), il forme le parfait :

Sie **haben** eine Reise nach Schweden **geplant.**
Ils ont prévu un voyage en Suède.

2. Avec *werden,* il forme le passif (voir n° 177) :

Sie **wurden befreit.**
Ils furent libérés.

3. Avec *kommen,* il indique la manière de venir :

Da **kommt** einer **angelaufen.**
Voilà quelqu'un qui arrive en courant.

4. Avec *sein* et d'autres verbes, il peut être attribut du sujet :

Die Reise ist schon längst **geplant.**
Le voyage est prévu depuis longtemps.
Er geht gut **gekleidet.**
Il est toujours bien mis.
Paß auf, daß nichts **verloren**geht !
Fais attention à ce que rien ne disparaisse !

5. Il peut être épithète :

Die geplante Reise findet nicht statt.
Le voyage envisagé n'aura pas lieu.

6. Il peut être apposé :

Das Flugzeug, vom Blitz getroffen, mußte eine Notlandung vornehmen.
L'avion, touché par l'éclair, dut faire un atterrissage forcé.

7. Il peut exprimer un ordre :

Stillgestanden ! : *Garde à vous ! Fixe !*

8. Il peut être employé avec une valeur hypothétique :

Vorausgesetzt, daß... : *à supposer que...*
Abgesehen von... : *sans tenir compte de...*
Angenommen, daß... : *admettons que...*

EXERCICE ——————————

Traduisez en allemand :
1. Il a plu toute la journée.
2. Cette lettre postée (poster = einwerfen) à Hambourg n'est arrivée qu'aujourd'hui.
3. Sans tenir compte de l'essence, le voyage a coûté 1 000 Mark.
4. J'ai rencontré un homme ivre (betrunken).
5. La valise s'est perdue.
6. Le ballon est perdu.
7. La lettre, signée par son père, devrait tout régler (in Ordnung bringen).

---

172 Le participe passé à forme d'infinitif

Les six verbes de modalité (voir n° 246) : *können, dürfen, müssen, sollen, wollen, mögen* ont deux formes de participes :

- *gekonnt, gedurft, gemußt, gesollt, gewollt, gemocht.*
- *können, dürfen, müssen, sollen, wollen, mögen.*

La deuxième série de participes est rigoureusement identique aux infinitifs.

Cette deuxième série de participes s'emploie à la place de la première lorsque les verbes de modalité sont conjugués à un temps composé (parfait, plus-que-parfait, futur) avec un infinitif comme complément :

> Er hat nicht kommen **wollen** (*et non* ~~gewollt~~!).
> *Il n'a pas voulu venir.*

De même pour les verbes *sehen* et *lassen* :

> Hast du ihn kommen **sehen**?
> *L'as-tu vu venir?*

Pour les verbes *helfen* et *hören,* on a le choix :

> Ich habe ihn singen **hören** (gehört)
> *Je l'ai entendu chanter*

Pour la construction dans les subordonnées voir 168/4.

EXERCICE

Traduisez en allemand :

1. Je n'ai pas eu le droit de sortir (ausgehen).
2. Il ne l'a pas voulu.
3. Il n'a pas pu nager.
4. As-tu été obligée de travailler?
5. Pourras-tu venir à 5 heures?
6. Voudra-t-il se lever de si bonne heure?
7. Elle avait voulu aller le chercher (abholen) à la gare.

---

173 Le participe présent (ou participe I) : forme et emplois

Le participe présent se forme en ajoutant *-(e)nd* au radical de l'infinitif du verbe :

singen → *sing* → **singend**
lächeln → *lächel* → **lächelnd**

Il peut être employé :

1. Comme adjectif épithète :

> ein **weinendes** Kind : *un enfant en pleurs*

2. Comme apposition rapportée au sujet (emploi rare!)

> Ein Mädchen, sich halb hinter der Mutter **versteckend,** sah uns an.
> *Une fille, se cachant à moitié derrière sa mère, nous regardait.*

3. Comme attribut :

> Sie ist **reizend.**
> *Elle est charmante.*

4. Comme adverbe :

> Er kam **weinend** nach Hause.
> *Il arriva en pleurs à la maison.*

Pour la traduction de « en + participe présent » voir n° 83

Attention à l'emploi des participes avec les verbes de position ! (voir n° 203)

voir n° 83

voir n° 203

EXERCICES

Formez le participe présent des verbes suivants :

1. lachen	5. spannen	8. eilen
2. sammeln	6. wimmeln	9. ertragen
3. einladen	7. fordern	10. stürzen
4. erschrecken		

Traduisez en allemand :

1. C'était un livre captivant (spannend).
2. Couché par terre, il fumait une cigarette.
3. Nous avons vu un enfant assis dans un fauteuil (der Sessel).
4. Il est entré dans la maison en poussant des cris (crier = schreien).

---

174 Les participes substantivés

Des participes I (présent) ou II (passé) peuvent, comme certains adjectifs, jouer le rôle d'un nom : ils prennent alors une majuscule et les mêmes marques que l'adjectif épithète (voir n° 8).

> Er arbeitet als **Angestellter** in einer deutschen Firma.
> *Il travaille comme employé dans une entreprise allemande.*
>
> verbe : *anstellen*
> participe II : *angestellt*
> participe substantivé : **der Angestellte, ein Angestellter**

Autres exemples : **der Vorsitzende :** *le président*
> **der Gelehrte :** *le savant*
> **der Reisende :** *le voyageur*
> **der Angeklagte :** *l'accusé*

EXERCICE

Insérez un participe substantivé (soit 1, soit 2) :

1. Ein ... hat an die Tür geklopft (anstellen).
2. Die ... sind befreit worden (fangen).
3. Kennst du ihren ... ? (lieben)
4. Alle ... haben einen Koffer. (reisen).
5. Sie wohnt bei einem ... (kennen)

175 Les particules accentuées

Un verbe peut être précédé, à l'infinitif, de particules comme *ab, an, auf, aus, ein, bei, zu, nach, vor, entgegen, her, hin* et leurs composés, *fort, los, weg, zurück, nieder, empor, zusammen...* et des particules *durch, um, über, unter* (voir n° 194).

Ces particules portent l'accent du groupe « particule + verbe ».

> °**aufstehen** : *se lever*

Le verbe s'en détache pour venir en première ou deuxième place dans la proposition.

> Er **steht auf** : *il se lève*

Le préverbe *ge-* se place devant le verbe, donc entre la particule et le verbe au participe passé (ou participe 2), de même que *zu*.

> Er ist um 7 **aufgestanden.**   Er hat keine Lust **aufzustehen.**
> *Il s'est levé à 7 heures*   *Il n'a pas envie de se lever.*

EXERCICE ───────────────

Insérez le verbe entre parenthèses dans les propositions suivantes :
1. Wann ... du ...? (zurückkommen)
2. Er ist noch nicht ... (ankommen).
3. Bist du schon mal ... (hinfahren).
4. ... du mir ...? (zuhören)
5. Gestern hat er mich ... (auslachen).
6. Um wieviel Uhr ... der Zug...?
   (abfahren).
7. ... ...! (aufpassen)
8. Bist du ihn ...? (loswerden)
9. Er ... ... (mitfahren).
10. Ich ... ihm ... (nachlaufen).

---

176 Le passif impersonnel

Avec certains verbes, on peut construire un passif sans sujet : c'est le passif impersonnel. Ces verbes sont :

1. des verbes qui expriment une activité et qui peuvent se construire à l'actif avec le sujet seul, en particulier avec *man* :
Man arbeitet : on travaille
Man tanzt : on danse.
Man läuft : on court.

Au passif, ou bien la première place de la proposition est occupée par un complément (de temps, de lieu...), ou bien elle est occupée par *es,* qui n'est pas un sujet, mais qui a pour seule fonction d'occuper la première place pour que le verbe conjugué soit à la deuxième (voir n° 168).

Comparer :

> Es **wurde** viel **getanzt.**
> *On dansa beaucoup.*
>
> An diesem Abend **wurde** viel **getanzt**
> et non : ~~An diesem Abend wurde es viel getanzt.~~
> *Ce soir-là on dansa beaucoup.*
>
> Es **wurde** an diesem Abend viel **getanzt.**
> *On dansa beaucoup ce soir-là.*

2. des verbes qui ont comme rection un complément au datif (voir A 12), par exemple *helfen,* aider, *danken,* remercier, *gratulieren,* féliciter, *drohen,* menacer...

Au passif

● ou bien il n'y a pas de complément d'agent :

ACTIF	PASSIF
Man hat ihm geholfen.	**Ihm ist geholfen worden.**
	ou **Es ist ihm geholfen worden.**
On l'a aidé.	

● ou bien il y a un complément d'agent (construction relativement rare)

ACTIF	PASSIF
Sein Vater hat ihm geholfen.	Ihm **ist** von seinem Vater
Son père l'a aidé.	**geholfen worden.**
	ou **Es ist** ihm von seinem Vater
	geholfen worden.
Mais non :	~~Er ist von seinem Vater geholfen worden.~~

Remarque :

dans certains contextes, ce passif impersonnel peut avoir une valeur d'impératif :

> Jetzt **wird** aber **gearbeitet!**
> *Maintenant, au travail!*

EXERCICES

Traduisez en allemand, en employant un passif impersonnel :

1. Hier on a bu beaucoup.
2. Puis subitement on se tut (schweigen).
3. Il y a huit jours on fit la moisson (ernten).
4. Maintenant c'est l'heure d'aller dormir (schlafen).
5. Toute la journée on s'est moqué (spotten) de lui.

Commencez les phrases par un autre élément que es.

1. Es wurde ihm bei der Hausaufgabe geholfen.
2. Es wurde mir von allen zugestimmt (approuver).
3. Es ist über seine finanzielle Lage diskutiert worden.
4. Es ist in der Zeitung von einem schweren Unfall berichtet worden.
5. Es mußte auf diese Reise verzichtet werden.

177 Le passif personnel

Le passif personnel est un passif qui a un sujet.

1. La forme verbale.

Le passif se forme en *werden* + participe passé (voir les tableaux de conjugaison n° A 10). Aux temps composés, *werden* se conjugue avec *sein* et forme son participe, *worden,* sans *ge-.*

> Das Geschäft **wird geschlossen.**
> *On ferme le magasin.*
> Das Auto **ist** gestern **verkauft worden.**
> *La voiture a été vendue hier.*

2. Sens et emploi.

Le sens de *werden,* « devenir », est présent dans la forme passive qui signifie à peu près « est, était, sera... en train d'être » ; c'est un procès, un renversement de persepective. Il s'oppose à un état, pour lequel on utilise *« sein »* (voir n° 108).

> Das Geschäft **wird geschlossen** = *Le magasin est en train d'être fermé.*
> Das Geschäft **wurde geschlossen** = *Le magasin était en train d'être fermé.*

En français, on n'utilise pas toujours la forme passive correspondante, car on ne dispose que du verbe « être » pour indiquer l'état et le procès ; on préfère souvent utiliser la forme active, en particulier avec le pronom « on ».
Seuls les verbes transitifs, c'est-à-dire qui ont un complément d'objet à l'accusatif, peuvent former un passif personnel, à l'exclusion cependant de certains verbes comme *haben,* les verbes de modalité, *kosten* (coûter), *schlafen* (dormir)...

Remarque :
la forme verbale « verbe de modalité + infinitif passif » est possible :

> Dieses Päckchen **darf** nicht **geöffnet werden.**
> *Ce paquet ne doit pas être ouvert.*

3. La construction de la proposition.

Si on compare la construction de la proposition active et celle de la proposition passive, on observe les cas de figures suivants :

A.   ACTIF :

> Ein Auto hat den Hund überfahren.
> *Une voiture a écrasé le chien.*

<u>PASSIF</u> :

Der Hund ist von einem Auto **überfahren worden.**
Le chien a été écrasé par une voiture.

● La forme verbale active *hat... überfahren,* correspond à la forme passive *ist... überfahren worden.*

● Le complément d'objet direct de la proposition active est devenu le sujet de la proposition passive.

● Le sujet de la proposition active est devenu le complément d'agent introduit par *von* de la proposition passive.

B. <u>ACTIF</u> :

Man hat den Mörder verhaftet.
On a arrêté le meurtrier.

<u>PASSIF</u> :

Der Mörder ist verhaftet worden.
Le meurtrier a été arrêté.

● La forme verbale active *hat... verhaftet* correspond à la forme passive *ist... verhaftet worden.*

● Le complément d'objet direct de la proposition active est devenu le sujet de la proposition passive.

● Le sujet de la proposition active, *man,* ne réapparaît pas dans la proposition passive.

4. Le complément d'agent.

Lorsqu'il y en a un, il est introduit par *von* + dat.
Les compléments introduits par *durch* + acc. ou *mit* + dat. sont des compléments qui indiquent l'instrument ou l'intermédiaire, et ne sont quasiment jamais employés comme sujets dans la construction active :

Die Kirche ist **durch** Bomben zerstört worden.
L'église a été détruite par des bombes.
Der Gefangene wurde **mit** einer Pistole erschossen.
Le prisonnier fut abattu à l'aide d'un pistolet.

5. Emploi de *es*.

Lorsque le sujet de la proposition au passif est précédé d'un déterminatif indéfini *(ein Kind),* ou lorsqu'il s'agit d'un partitif *(Wasser...),* on peut retarder l'apparition de ce sujet en employant en première place *es ;* ce *es* est souvent l'équivalent du « il » français :

Es wurde gestern eine Brieftasche gefunden.
Eine Brieftasche wurde gestern gefunden.
Il a été trouvé hier un portefeuille.

Donnez la forme passive correspondant à la forme active (même temps, même personne) :
1. (ich) schlage
2. (er) wird beißen
3. (wir) fragten
4. (sie) haben gegessen
5. (du) hattest gefunden

Mettre au passif :
1. Man hat dieses Haus in sechs Monaten gebaut.
2. Eine Japanerin interpretiert folgende Sonate.
3. Der Vater spült das Geschirr.
4. Der Hund hatte den Briefträger gebissen.
5. Die Großmutter hatte diese Geschichte erzählt.

Traduisez en allemand, en employant un passif :
1. Il a été trouvé un sac à main (die Handtasche).
2. La marchandise (die Ware) a été livrée (liefern an + acc.) au vendeur (der Verkäufer).
3. Il a été arrêté à la frontière.
4. Il a été mis en garde (warnen vor + dat.) contre ce danger (die Gefahr).

178 Autres manières de rendre le passif

1. Bekommen + participe passé.

> Ich habe diese Schallplatte **geschenkt bekommen.**
> *On m'a offert ce disque.*
> (= Diese Schallplatte ist mir **geschenkt worden**)

2. Sein + zu + infinitif.

● verbe de modalité *können* + infinitif passif.

> Das **ist** gar nicht **zu leugnen.**
> *On ne peut le nier.*
> (= Das kann gar nicht geleugnet werden).

● verbe de modalité *müssen* + infinitif passif.

> Diese Aufgabe **ist** für morgen **zu machen.**
> *Ce devoir est à faire pour demain.*
> (= Diese Aufgabe muß für morgen gemacht werden).

Transformez les phrases suivantes en phrases passives avec werden.
1. Wann bekommst du ein neues Fahrrad geschenkt?
2. Wir bekommen die Waschmaschine ins Haus geliefert.
3. Wie ist das zu erklären?
4. Warum ist das Problem nicht zu lösen?

179 Le pluriel des noms

Les pluriels des noms sont à apprendre par cœur ! Il y a cependant quelques tendances générales, qui peuvent venir au secours de la mémoire.

1. Les masculins.

La marque caractéristique du pluriel des masculins est : *-e* et l'inflexion sur *a, o, u.*

> der Weg *(le chemin)* → **die Wege**
> der Stuhl *(la chaise)* → **die Stühle**

Remarques :

● quelques masculins ne prennent pas l'inflexion alors qu'elle serait possible (voir liste A 6).

> der Hund *(le chien)* → **die Hunde** *et non* die Hünde !

● quelques masculins prennent la marque *-er* et l'inflexion (voir liste A 6).

> der Wald *(la forêt)* → **die Wälder**

● les masculins faibles prennent la marque *-(e)n* (voir n° 139).

> der Held *(le héros)* → **die Helden**

● quelques masculins prennent la marque *-(e)n* au pluriel et *-(e)ns* au génitif (voir n° 140).

> der Buchstabe *(la lettre)* → **die Buchstaben**

● quelques masculins prennent la marque *-en* (ce ne sont pas des masculins faibles !) voir liste A 6.

> der Staat *(l'Etat)* → **die Staaten**

● la plupart des masculins terminés par *-el, -en, -er* prennent l'inflexion seule, lorsqu'elle est possible.

> der Löffel *(la cuiller)* → **die Löffel**   der Vater *(le père)* → **die Väter**

Mais : der Muskel *(le muscle)* → **die Muskeln**
> der Pantoffel *(la pantoufle)* → **die Pantoffeln**
> der Stachel *(l'épine)* → **die Stacheln**
> der Vetter *(le cousin)* → **die Vettern**

● quelques masculins prennent la marque *-s* (voir liste A 6).

> der Chef *(le chef)* → **die Chefs**

En résumé :

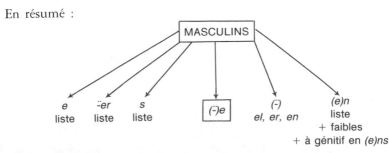

2. Les neutres.

La marque caractéristique du pluriel des neutres est : -*er* et l'inflexion lorsqu'elle est possible.

> das Haus *(la maison)* → **die Häuser**
> das Feld *(le champ)* → **die Felder**

Remarques :

● quelques neutres prennent la marque -*e* (voir liste A 6).

> *das Jahr* (l'année) → **die Jahre**

● les neutres terminés par -*el, -en, -er* et les suffixes -*chen* et -*lein* sont invariables.

> das Messer *(le couteau)* → **die Messer**
> Das Mädchen *(la jeune fille)* → **die Mädchen**

Mais : das Kloster *(le couvent)* → **die Klöster**

● quelques neutres prennent la marque -*(e)n* (voir liste A 6).

> das Bett *(le lit)* → **die Betten**

● le pluriel de *das Knie* [kni:] (le genou) est **die Knie** [kni:ə] ; même orthographe, mais prononciation différente !

● quelques neutres prennent la marque -*s* (voir liste A 6).

> *das Auto* (la voiture) → **die Autos**

En résumé :

3. Les féminins.

La marque caractéristique du pluriel des féminins est : -*(e)n*.

> *die Dame* (la dame) → **die Damen**   *die Tür* (la porte) → **die Türen**

Remarques :

● quelques féminins prennent la marque ⸚*e* (voir liste A 6).

> *die Nacht* (la nuit) → **die Nächte**

● la plupart des féminins terminés par -*el, -er* prennent la marque -*n* :

> die Gabel *(la fourchette)* → **die Gabeln**

Mais : die Mutter *(la mère)* → **die Mütter**
die Tochter *(la fille)* → **die Töchter**

En résumé :

Donnez le pluriel des noms suivants :

1. der Name	11. der Affe	21. das Auge
2. der Bankier	12. der Abend	22. die Hand
3. das Pferd	13. der Irrtum	23. der Knoten
4. die Höhle	14. das Ohr	24. das Fest
5. der Fuchs	15. die Kraft	25. die Seite
6. der Schwanz	16. das Segel	26. die Kiefer
7. das Tuch	17. der Wurm	27. das Schiff
8. der Wagen	18. die Kuh	28. die Stadt
9. das Spiel	19. der Ofen	29. das Haar
10. der Mensch	20. der Herr	30. die Wurst

180 Comment traduire « préférer » ?

(Voir aussi « aimer » n° 13.)

1. *Lieber* + **verbe** = « préférer », « aimer mieux ».

Ich gehe **lieber** zu Fuß.
Je préfère marcher à pied.

● Le terme comparé est introduit par *als* :

Ich trinke **lieber** Rotwein **als** Weißwein.
Je préfère le vin rouge au vin blanc.

● S'il y a choix entre plusieurs possibilités, on dit *am liebsten* :

Am liebsten trinke ich Champagner.
Ce que je préfère, c'est le champagne.

● Pour désigner la personne ou l'objet préféré, on utilise *liebst-* ou *Lieblings-*.

mein **liebstes** Buch	seine **liebste** Schülerin
mon livre préféré	*son élève préférée*
ihr **Lieblings**schauspieler	ihre **Lieblings**schallplatte
son acteur préféré	*son disque préféré*

2. *Etw. vorziehen.* Le terme comparé est introduit au <u>datif</u>.

Sie **zieht** ihren letzten Sohn (**den** anderen Kindern) **vor.**
Elle préfère son dernier fils (aux autres enfants).

Er **zieht** den Atlantischen Ozean **dem** Mittelmeer **vor.**
Il préfère l'Atlantique à la Méditerranée.

3. *Etw. bevorzugen.* Le terme comparé est introduit par *vor* (+ dat.).

Sie **bevorzugt** leichte Zigaretten.
Elle préfère les cigarettes légères.

Vor allen anderen Blumen **bevorzugt** sie die Rosen.
De toutes les fleurs, elle préfère les roses.

Traduisez en allemand :

1. Il aime mieux voyager en train qu'en avion.
2. De tous les sports (die Sportarten), elle préfère le tennis (deux solutions).
3. Nous préférons aller à la montagne qu'à la mer.
4. Je préfère une pièce de théâtre à un opéra.
5. C'est son chanteur préféré (2 solutions).
6. Est-ce que tu préfères le pain noir ou le pain blanc ?
7. Je préfère attendre un peu.
8. Elle préfère Brigitte à toutes ses autres amies.

181 Comment traduire « le premier », « le dernier », « le seul » ?

Des expressions comme « arriver, partir le premier ou le dernier », « être le premier à, le dernier à, le seul à » se traduisent par :

- *als erster* (le premier), *als letzter* (le dernier), *als einziger* (le seul).

> Sie ist **als erste** durchs Ziel gegangen.
> *Elle a passé la première la ligne d'arrivée.*
> Sie haben **als letzte** das Haus verlassen.
> *Ils étaient les derniers à quitter la maison.*
> Er hat **als einziger** den Gipfel erreicht.
> *Il est le seul à avoir atteint le sommet.*

- La construction avec une relative est cependant toujours possible (voir aussi n°s 117 et 199/6).

> Max ist **der einzige, der** den Gipfel erreicht hat.
> *Max est le seul à avoir atteint le sommet.*
> *(Max est le seul qui ait atteint le sommet).*

Remarque :

Erst- et *letzt-* prennent une majuscule dans les expressions :

> Er ist **der Erste (die Erste) (der Letzte) der Klasse.**
> *Il est le premier (la première, le dernier) de la classe.*

Traduisez en allemand :

1. Félix est arrivé le premier.
2. Klara est partie la dernière.
3. Lutz est le seul qui soit resté.
4. La première de la classe est la seule à avoir compris le problème de mathématiques.
5. Nous avons été les premiers à apprendre la nouvelle.
6. Jean et Pierre sont les seuls à nous avoir aidés.
7. Il ne veut pas rester le dernier de son groupe.
8. Le vieil homme était le dernier à parler cette langue.

182 Prépositions + accusatif

1. *Durch*

● Sens 1 : à travers (sens spatial).

Er wirft einen Ball **durch** das Fenster.
Il lance une balle par la fenêtre.

● Sens 2 : par, au moyen de, par l'intermédiaire de, grâce à.

Ich habe sie **durch** einen Freund kennengelernt.
J'ai fait sa connaissance grâce à un ami.

2. *Für*

● Sens 1 : pour (destination).

Ich habe das Buch **für** dich gekauft.
J'ai acheté le livre pour toi.

● Sens 2 : pour (pour la quantité, la somme de...).

Ich habe es **für** zehn Mark bekommen.
Je l'ai eu pour dix mark.

● Sens 3 : pour (une durée de...).

Ich habe das Auto **für** eine Woche.
J'ai la voiture pour une semaine.

3. *Gegen*

● Sens 1 : contre.

Gegen ihn kann man nichts machen.
Contre lui, on ne peut rien faire.

● Sens 2 : contre (un obstacle).

Sie sind **gegen** einen Baum gefahren.
Ils sont rentrés dans un arbre.

● Sens 3 : vers (temporel).

Er ist **gegen** Mittag angekommen.
Il est arrivé vers midi.

4. *Ohne* : sans

Er ist **ohne** ein Wort weggegangen.
Il est parti sans dire un mot.

5. *Um*

● Sens 1 : autour de (spatial), souvent associé à *herum*.

Alle saßen **um** ihn (herum).
Tous étaient assis autour de lui.

- Sens 2 : pour, à propos de...

> **Schade um das Fahrrad!**
> *Dommage pour le vélo!*

- Sens 3 : à (temporel).

> **Ich esse um sieben.**
> *Je mange à 7 heures.*

EXERCICE ————————————————————————

Traduisez en allemand :
1. Contre qui as-tu combattu (kämpfen)?
2. Sans son père, je n'aurais pas trouvé le chemin (der Weg).
3. Il y a des arbres autour de l'église (die Kirche).
4. C'est pour moi?
5. Nous sommes arrivés à minuit (Mitternacht).
6. Je viendrai vers trois heures.

183 Prépositions + datif

1. *Aus*

- Sens 1 : de, en provenance de, ou originaire de, ou dans :

Er kommt aus Hamburg. **Sie ist aus Hamburg.** **Er trinkt aus dem Glas.**
Il vient de Hambourg. *Elle est de Hambourg* *Il boit dans le verre.*

- Sens 2 : de (sortir de).

> **Er kommt aus dem Geschäft.**
> *Il sort du magasin.*

- Sens 3 : de (temporel).

> **Das Haus stammt aus dem vorigen Jahrhundert.**
> *La maison date du siècle dernier.*

- Sens 4 : de, en (avec des noms de matière).

> **Ich habe eine Uhr aus Gold.**
> *J'ai une montre en or.*

- Sens 5 : par, pour (causal).

> **Aus welchem Grund hast du das gemacht?**
> *Pour quelle raison as-tu fait cela?*

2. *Bei*

- Sens 1 : chez (voir n° 137).

> **Wohnst du bei deinen Eltern?**
> *Habites-tu chez tes parents?*

- Sens 2 : près de.

> **Die Schule befindet sich gleich beim Flugplatz.**
> *L'école se trouve tout près du terrain d'aviation.*

- Sens 3 : par (prendre par un endroit précis).

  Nimm ihn **bei** der Hand!
  Prends-le par la main!

- Sens 4 : à, lors de (temporel).

  Bei meinem Aufenthalt in Berlin bin ich krank geworden.
  Lors de mon séjour à Berlin, je suis tombé malade.

- Sens 5 : par (conditionnel).

  Bei Regen bleibe ich zu Hause.
  Par temps de pluie, je reste à la maison.

3. *Mit*

- Sens 1 : avec (accompagnement).

  Ich gehe **mit** dir ins Kino.   Eine Wurst **mit** Senf.
  Je vais avec toi au cinéma.   *Une saucisse avec de la moutarde.*

  Das Mädchen **mit** dem blonden Haar.
  La fille aux cheveux blonds.

- Sens 2 : avec (instrument).

  Ich bin **mit** dem Auto hingefahren.
  J'y suis allé en voiture.
  Er hat **mit** lauter Stimme geschrien.
  Il a crié d'une voix forte.

- Sens 3 : à (temporel) .

  Mit zehn Jahren hat er seinen Vater verloren.
  A l'âge de dix ans, il a perdu son père.

- Sens 4 : contre.

  Er hat **mit** den Wellen gekämpft.
  Il s'est battu contre les vagues.

4. *Nach*

- Sens 1 : vers (directionnel voir n° 76).

  Ich fahre **nach** Deutschland.
  Je vais en Allemagne.

- Sens 2 : après (temporel voir n° 23).

  Ich komme **nach** Ostern.
  Je viendrai après Pâques.

- Sens 3 : au bout de (temporel, durée).

  Nach einer halben Stunde war er verschwunden.
  Au bout d'une demi-heure, il avait disparu.

- Sens 4 : selon, d'après (préposé ou postposé).

  Meiner Meinung **nach :** *à mon avis.*

  Man hat sie **nach** ihrer Mutter genannt.
  On lui a donné le nom de sa mère.

- Sens 5 : après (ordre, succession).

>   Einer **nach dem anderen** : *l'un après l'autre.*

5. *Seit* : depuis (temporel).

>   Er arbeitet **seit** zwei Monaten.
>   *Il travaille depuis deux mois.*

6. *Von*

- Sens 1 : de (provenance).

>   Er kommt **von** Berlin.
>   *Il vient de Berlin.*

- Sens 2 : depuis (temporel).

>   **Von** Weihnachten bis Ostern : *de Noël à Pâques.*

- Sens 3 : par (complément d'agent voir n° 177).

>   Er ist **von** einem Auto überfahren worden.
>   *Il a été écrasé par une voiture.*

- Sens 4 : de, de la part de.

>   Grüßen Sie ihn **von** mir.   Die Opern **von** Mozart.
>   *Saluez-le de ma part.*   *Les opéras de Mozart.*

7. *Zu*

- Sens 1 : chez (directionnel voir n° 76).

>   Er geht **zum** Bäcker.
>   *Il va chez le boulanger.*

- Sens 2 : chez (locatif avec *Hause*).

>   Ich bin **zu** Hause.
>   *Je suis chez moi.*

- Sens 3 : à (temporel).

>   **Zu** Mittag essen : *déjeuner.*

- Sens 4 : en (transformation en... élection, nomination...).

>   Das Wasser wird **zu** Eis.   Er wurde **zum** Direktor ernannt.
>   *L'eau se transforme en glace.*   *Il fut nommé directeur.*

- Sens 5 : pour (but).

>   Ich zeichne nur **zum** Zeitvertreib.
>   *Je ne dessine que pour passer le temps.*

- Sens 6 : avec (accompagnement).

>   Nimmst du Brot **zum** Fleisch ?
>   *Manges-tu du pain avec la viande ?*

zu Fuß : *à pied*
zum Beispiel : *par exemple*
zu Befehl! : *à vos ordres!*
zum letzten Mal : *pour la dernière fois*
zu dritt : *à trois*
drei zu eins : *trois à un (résultat sportif).*

EXERCICES

Complétez par la préposition qui convient :

1. Ich fahre ... Hause.
2. Willst du Milch ... deinem Kaffee?
3. Ich habe ihn ... zwei Wochen nicht gesehen.
4. ... schlechtem Wetter fahre ich ... dem Zug.
5. Das sind Fotos ... meiner Jugend.
6. Dieses Gedicht (poésie) ... Heine ist berühmt.
7. Er wurde ... Präsidenten gewählt (élu).
8. ... drei Tagen darfst du wieder aufstehen.
9. Er fährt ... seinem Bruder.
10. Er trinkt ... ersten Mal Wein.

184 Prépositions + génitif

Les plus importantes sont :

1. *Außerhalb :* hors de, en dehors de (spatial ou temporel).

Er wohnt **außerhalb** der Stadt.
Il habite en dehors de la ville.

2. *Diesseits :* de ce côté-ci.

Das Dorf liegt **diesseits** der Grenze.
Le village se trouve de ce côté-ci de la frontière.

3. *Infolge :* par suite de.

Infolge eines Unfalls wurde die Autobahn gesperrt.
Par suite d'un accident, l'autoroute fut fermé.

4. *Innerhalb :* à l'intérieur de (spatial), en l'espace de (temporel).

Er darf nur **innerhalb** des Gartens spielen.
Il n'a le droit de jouer qu'à l'intérieur du jardin.
Innerhalb eines Jahres ist er um 10 Zentimeter gewachsen.
En l'espace d'un an, il a grandi de 10 centimètres.

5. *Jenseits :* de l'autre côté de, au-delà de.

Jenseits des Flusses sieht man ein kleines Haus.
De l'autre côté du fleuve, on voit une petite maison.

6. *Längs* : le long de.

Die Bäume längs der Straße sind krank.
Les arbres, le long de la route, sont malades.

7. *Oberhalb* : au-dessus de.

Oberhalb der Tür hängt ein Schild.
Au-dessus de la porte, il y a une enseigne.

8. *Trotz* : malgré.

Wir gehen trotz des Regens spazieren.
Nous allons nous promener malgré la pluie.

Attention : dans certaines expressions, *trotz* est suivi du datif :

Trotz allem, *malgré tout.*
Trotz alledem, *malgré tout cela.*
Trotzdem, *malgré cela.*

9. *Unterhalb* : en-dessous de.

Unterhalb des Hauses fließt ein Bach.
En-dessous de la maison coule une rivière.

10. *Während* : pendant.

Während der Ferien war er in Spanien.
Pendant les vacances, il était en Espagne.

11. *Wegen* : à cause de.

Wegen schlechten Wetters fällt die Vorstellung aus.
A cause du mauvais temps, la représentation n'aura pas lieu.

Remarque : à cause de moi, toi, lui... se dit soit *meinetwegen, deinetwegen, seinetwegen,* soit *wegen mir, dir, ihm...*

Notez :

En langue courante, *trotz, während* et *wegen* s'emploient avec le datif.

EXERCICE ————————————————————

Traduisez en allemand :

1. De l'autre côté des montagnes (das Gebirge), on parle l'italien.
2. Pendant la Deuxième Guerre mondiale (der zweite Weltkrieg), ils ont dû aller en exil (ins Exil gehen).
3. Malgré sa maladie, il s'est levé pour nous saluer.
4. En l'espace d'une semaine, l'arbre a perdu toutes ses feuilles.
5. Es-tu parti à cause de moi ?

185 Prépositions spatiales + locatif ou directionnel

Lorsqu'elles sont utilisées dans le domaine spatial, les prépositions suivantes sont utilisées soit avec un locatif (voir n° 137), soit avec un directionnel (voir n° 76).

1. *An* : à, au contact de

● Locatif :

> Die Stadt liegt **am** Meer (datif).
> *La ville se trouve au bord de la mer.*

● Directionnel :

> Ert lehnt sich **an** die Wand (accusatif).
> *Il s'appuie contre le mur.*

2. *Auf* : sur (posé sur)

● Locatif :

> Was hast du **auf** dem Kopf ?
> *Qu'est-ce que tu as sur la tête ?*

● Directionnel :

> Stell dich **auf** den Stuhl !
> *Mets-toi debout sur la chaise !*

3. *In* : dans

● Locatif :

> Et läuft **im** Wald herum.
> *Il court dans la forêt.*

● Directionnel :

> Er läuft **in** den Wald.
> *Il va dans la forêt en courant.*

4. *Hinter* : derrière

● Locatif :

> Was machst du **hinter** der Mauer ?
> *Qu'est-ce que tu fais derrière le mur ?*

● Directionnel :

> Stell dich **hinter** den Baum !
> *Mets-toi derrière l'arbre !*

5. *Vor* : devant

● Locatif :

> Er spielt **vor** der Schule.
> *Il joue devant l'école.*

● Directionnel :

> Setz dich **vor** die Tür!
> *Assieds-toi devant la porte!*

6. *Über* : au-dessus de (sans contact)

● Locatif :

> Das Flugzeug fliegt **über** der Stadt.
> *L'avion vole au-dessus de la ville.*

● Directionnel :

> Das Flugzeug fliegt **über** die Stadt.
> *L'avion passe au-dessus de la ville.*

7. *Unter* : sous

● Locatif :

> Der Ball ist **unter** dem Auto.
> *La balle est sous la voiture.*

● Directionnel :

> Leg den Koffer **unter** den Schrank!
> *Mets la valise sous l'armoire!*

8. *Neben* : à côté de

● Locatif :

> Er sitzt **neben** mir.
> *Il est assis à côté de moi.*

● Directionnel :

> Setz dich **neben** mich!
> *Assieds-toi à côté de moi!*

9. *Zwischen* : entre

● Locatif :

> **Zwischen** beiden Häusern ist ein kleiner Weg.
> *Entre les deux maisons, il y a un petit chemin.*

● Directionnel :

> Ich setze mich **zwischen** die beiden Schwestern.
> *Je m'assieds entre les deux sœurs.*

Complétez par un datif ou un accusatif :

1. Er sitzt neben dein... Freund.
2. Leg das Päckchen auf... Tisch!
3. Such die Tasche in mein... Zimmer (das Zimmer)!
4. Der Zug fährt über d... Brücke (die Brücke).
5. Stell dich vor d... Auto!

Traduisez en allemand :

1. A côté de la gare, on voit une grande place.
2. Qu'est-ce qu'il y a sur le bureau (der Schreibtisch)?
3. Est-il derrière la maison?
4. Il y a des nuages (die Wolke) au-dessus de la mer.
5. J'irai te chercher à la gare.

186 Les prépositions spatiales et les compléments de lieu

1. Le locatif et le directionnel (voir n° 137 et n° 76).

● On trouve le datif (locatif) ou l'accusatif (directionnel) avec les prépositions suivantes (voir aussi n° 185) :

in : dans (à l'intérieur de)

Er arbeitet **im** Wald.
Il travaille dans le forêt.

an : à (au contact de)

Er ist **am** Fenster.
Il est à la fenêtre.

auf : sur (contact vertical)

Lege das Buch **auf** den Tisch.
Mets le livre sur la table.

unter : sous (en-dessous de)

Die Puppe liegt **unter** dem Bett.
La poupée se trouve sous le lit.

über : au-dessus de (locatif)

Über dem Sofa hängt ein Bild.
Au-dessus du sofa est suspendu un tableau.

über : par-dessus (traverser : directionnel)

Er geht **über** die Grenze.
Il traverse la frontière.

vor : devant

Der Wagen steht **vor** dem Haus.
La voiture est devant la maison.

hinter : derrière

> **Wer ist hinter der Mauer?**
> *Qui est derrière le mur?*

neben : à côté

> **Er sitzt neben mir.**
> *Il est assis à coté de moi.*

zwischen : entre

> **Was sieht man zwischen dem Baum und der Mauer?**
> *Que voit-on entre l'arbre et le mur?*

● Prépositions de sens opposé :

bei + datif : chez (locatif)

> **Sie wohnt noch bei ihren Eltern.**
> *Elle habite encore chez ses parents* CHEZ

zu + datif : chez (directionnel)

> **Ich fahre zu meinem Onkel.**
> *Je vais chez mon oncle.*

in + datif : en, à (locatif noms géographiques)

> **Er wohnt in Deutschland.**
> *Il habite en Allemagne* EN, À

nach + datif : en, à (directionnel noms géographiques)

> **Ich fahre nach Frankfurt.**
> *Je vais à Francfort.*

zu Hause : à la maison (locatif)

> **Ist er heute abend zu Hause?**
> *Est-il à la maison ce soir?* À LA MAISON

nach Hause : à la maison (directionnel)

> **Wann fährst du nach Hause?**
> *Quand rentres-tu?*

● Autres prépositions :

durch + accusatif : à travers

> **Er läuft durch den Wald.**
> *Il traverse la forêt en courant.*

gegen + accusatif : contre

> **Er ist gegen eine Laterne gefahren.**
> *Il a heurté un lampadaire.*

um + accusatif ...**(herum)** : autour de

> **Sie sitzen um den Tisch (herum).**
> *Ils sont assis autour de la table.*

2. Les mouvements de sortie vers l'extérieur.

aus ou *von* + datif : de (hors de)

Wann kommst du aus der Schule?
Quand sors-tu de l'école?

Ich komme von zu Hause.
Je viens de chez moi.

hinter + datif ...**hervor, heraus** : de derrière

Dann tritt er hinter dem Gebüsch hervor.
Puis il sort de derrière le buisson.

unter + datif ...**hervor, heraus** : de dessous

Ich sehe ihn unter dem Tisch hervorkommen.
Je le vois sortir de dessous la table.

3. Les déplacements à deux.

● précéder : *vor* + datif ...*her*, datif + *voran* ou datif + *voraus*

Er läuft vor mir her.
Il court devant moi.

Er läuft mir voraus.
Il me devance.

Er läuft mir voran.
Il me précède.

● suivre : *hinter* + datif ...*her* ou datif + *nach*

Er läuft hinter mir her.
Il court derrière moi.

Er läuft mir nach.
Il me suit.

● côte à côte : *neben* + datif ...*her*

Et läuft neben mir her.
Il court à côté de moi.

4. Les face à face.

● statique : datif + *gegenüber*

Et sitzt mir gegenüber.
Il est assis en face de moi.

● dynamique : soit datif + *entgegen* (deux partenaires en mouvement)

Er kommt mir entgegen.
Il vient à ma rencontre.

soit *auf* + accusatif *zu* (un seul partenaire en mouvement)

Er kommt auf mich zu.
Il vient vers moi.

5. Les passages le long de...

an + datif ...*vorüber* ou *vorbei* = le long de, à côté de...

> Ich bin **an** der Kaserne **vorüber**gegangen.
> *J'ai longé la caserne.*

> Er ist **an** mir **vorbei**geritten.
> *Il est passé à cheval à côté de moi.*

an + datif ...*entlang* = le long de...

> Ich gehe **am** Rhein **entlang** spazieren.
> *Je vais me promener au bord du Rhin.*

EXERCICE

Traduisez en allemand :

1. Nous avons tourné en voiture deux fois autour de la maison.
2. Ce matin, je l'ai suivi en vélo.
3. Ils marchent le long du mur.
4. J'ai vu un chat sortir de derrière la cabane (die Hütte).
5. Assieds-toi à côté de lui !
6. L'oiseau s'est projeté en volant contre la vitre (die Fensterscheibe).
7. Il est passé devant moi en courant.
8. La voiture qui vient vers nous roule très vite.

---

187 Comment traduire « près de » ?

1. Sens spatial

● *an* + dat. / *an* + acc. (= être très près de qqch.; ne pas utiliser *an* pour les personnes !)

> Sie sitzt **am** Fenster.
> *Elle est assise près de la fenêtre.*

> Sie setzt sich **ans** Fenster.
> *Elle s'assoit près de la fenêtre.*

> Sein Haus steht **dicht am** Wald.
> *Sa maison est tout près de la forêt.*

● *neben* + datif / *neben* + acc. (= à côté de ; pour les personnes et les lieux)

> Er saß im Kino **neben mir**.
> *Au cinéma, il était assis près de moi.*

> Er setzte sich im Kino **neben mich**.
> *Au cinéma, il s'assit près de moi.*

> Sie standen **dicht nebeneinander**.
> *Ils se tenaient tout près l'un de l'autre.*

● *bei* (+ dat.) / *nahe bei* / *dicht bei* (« près de » pour les lieux)

> Die Fabrik befindet sich **nahe beim** Flugplatz.
> *L'usine se trouve près de l'aéroport.*

> Die Schlacht fand **bei** Leipzig statt.
> *La bataille eut lieu près de Leipzig.*

- *in der Nähe* + gén. (ou *von* + dat.) (= dans les environs, à proximité de)

> Sein Landhaus liegt **in der Nähe des** Bodensees.
> *Sa maison de campagne est située près du lac de Constance.*
>
> Ich arbeite hier **ganz in der Nähe.**
> *Je travaille tout près d'ici.*

2. Sens temporel
(voir aussi « être sur le point de », de n° 88)

- *nahe daran sein, etw. zu tun* (= « être près de faire qqch. »)

> Er war **nahe daran,** alles aufzugeben.
> *Il était près de tout abandonner.*

- *nicht so schnell etwas tun* (= « ne pas être près de faire qqch. »)

> Er kommt **nicht so schnell** wieder (ou : *so schnell nicht*).
> *Il n'est pas près de revenir.*

3. Sens quantitatif

- *ungefähr / an die / rund* (= « près de » devant des nombres)

> **An die (rund)** 20 Personen sind bei dem Attentat umgekommen.
> *Près de 20 personnes ont trouvé la mort dans l'attentat.*
>
> Ich habe **ungefähr** eine Dreiviertelstunde warten müssen.
> *J'ai dû attendre près de trois quarts d'heure.*

EXERCICE ———————————————

Traduisez en allemand :

1. Le chat est assis près du feu.
2. Erlangen se trouve près de Nürnberg.
3. Près de 4 000 personnes s'étaient réunies sur la place.
4. Je ne suis pas près de l'inviter.
5. Il habite tout près de l'église.
6. Notre maison est près du village.

188 Le préverbe inaccentué be-

Étant inaccentués, les préverbes font toujours partie du verbe (= sont toujours inséparables du verbe).
Dans les exemples qui suivent, on compare du point de vue du sens et de la rection, les verbes simples sans *be-*, lorsqu'ils existent, et les verbes avec *be-*.

1. A côté du verbe simple, il existe un verbe avec *be-*, qui a un sens voisin et qui, seul, a un complément à l'accusatif.

beantworten + acc. / *antworten auf* + acc.	= répondre
bekämpfen + acc. / *kämpfen gegen* + acc.	= combattre
betreten + acc. / *treten in* + acc.	= entrer dans
bedrohen + acc. / *drohen* + dat.	= menacer
besiegen + acc. / *siegen über* + acc.	= vaincre

2. Le verbe simple et le verbe avec *be-* existent; ils ont des sens voisins, mais des emplois différents; ils admettent tous les deux un complément à l'accusatif :

bedecken + acc.	das Gesicht bedecken = *cacher le visage*
decken + acc.	den Tisch decken = *mettre la table*
besuchen + acc.	seine Eltern besuchen = *rendre visite à ses parents*
suchen + acc.	den Ball suchen = *chercher la balle*
bekennen + acc.	seine Schuld bekennen = *reconnaître sa faute*
kennen + acc.	Deutsche kennen = *connaître des Allemands*

3. Le verbe simple et le verbe avec *be-* existent; ils ont des sens et des emplois très différents :

begehen + acc.	einen Mord begehen = *commettre un meurtre*
gehen	in die Schule gehen = *aller à l'école.*

4. Le verbe simple n'existe pas :

begegnen + dat.   einem Freund begegnen = *rencontrer un ami*

bereichern + acc. seine Kenntnisse bereichern = *enrichir ses connaissances*

Attention : il vaut mieux vérifier le sens des différents verbes dans un dictionnaire !

EXERCICE ─────────────────────────────

Traduisez en allemand à l'aide d'un verbe en be- :
1. Où l'as-tu rencontrée ?
2. Le sol est recouvert de feuilles.
3. As-tu pu répondre à cette question ?
4. J'ai rendu visite à ma sœur.
5. Qui l'a menacé avec une arme (die Waffe) ?

189 Le préverbe inaccentué ent-/emp-

1. Le verbe simple et le verbe avec *ent-* existent ; *ent-* peut exprimer :

● l'opposition

falten : plier / *entfalten* : déplier
> das Tuch falten/entfalten = *plier/déplier le drap*

laden : charger / *entladen* : décharger
> das Schiff laden/entladen = *charger/décharger le bateau*

● la séparation

fliehen : fuir / *entfliehen* : s'enfuir
laufen : courir / *entlaufen* : s'échapper

● l'entrée dans un état

brennen : brûler / *entbrennen* : s'enflammer
stehen : être debout / *entstehen* : naître, se produire

2. Il n'y a que trois verbes avec *emp-* :
empfangen : accueillir,
empfehlen : recommander,
empfinden : ressentir.
Il n'y a pas de rapport de sens avec le verbe simple.

3. Le verbe simple n'existe pas :
entgleisen : dérailler
enthaupten : décapiter

EXERCICE ────────────────────────────

Introduisez le verbe à la bonne forme :

1. Der Präsident hat eine Statue ... (enthüllen = inaugurer, dévoiler).
2. Er hat mir dieses Buch ... (empfehlen).
3. Was hast du dabei ... (empfinden)?
4. Wer hat Amerika ... (entdecken)?
5. Wie ist er ... (entlaufen)?

190 Le préverbe inaccentué er-

1. Le verbe simple et le verbe avec *er-* existent; *er-* peut exprimer :

● l'entrée dans un état

blühen : fleurir / *erblühen* : (se mettre à) fleurir
klingen : sonner / *erklingen* : retentir
frieren : geler / *erfrieren* : mourir de froid

● le résultat d'une action

schlagen : battre / *erschlagen* : abattre
fragen : demander / *erfragen* : questionner
finden : trouver / *erfinden* : inventer
greifen : saisir / *ergreifen* : attraper

2. Le verbe simple et le verbe avec *er-* existent; leur sens est totalement différent :

fahren : rouler, aller en voiture / *erfahren* : apprendre (une nouvelle)
zählen : compter / *erzählen* : raconter

3. Le verbe simple n'existe pas :

erröten : rougir
ergänzen : compléter

EXERCICE ────────────────────────────

Traduisez en allemand :
1. Où as-tu appris cela ?
2. Peux-tu compléter la liste ?
3. Raconte-moi ton histoire.
4. Qui a inventé ce jeu ?

191 Le préverbe inaccentué ge-

1. Le verbe simple et le verbe avec *ge-* existent; les sens sont voisins, mais les emplois différents :

brauchen : avoir besoin de / *gebrauchen* : utiliser
horchen : écouter / *gehorchen* + dat. : obéir à

2. Le verbe simple et le verbe avec *ge-* existent, mais les sens sont très différents :

hören : écouter / *gehören* + dat. : appartenir à
fallen : tomber / *gefallen* + dat. : plaire à
stehen : être debout / *gestehen* : avouer

3. Le verbe simple n'existe pas :

geschehen : se passer
gebären : mettre au monde

es gelingt mir : je réussis à
sich gewöhnen an + acc. :
s'habituer à

EXERCICE

Traduisez en allemand :
1. T'es-tu habitué à ton nouvel appartement ?
2. Je n'ai pas réussi à l'en convaincre (jemanden von + dat. überzeugen).
3. A qui appartient ce manteau ?
4. Il s'y plaît.

---

192 Le préverbe inaccentué ver-

1. Le verbe simple et le verbe avec *ver-* existent ; les sens sont voisins, les emplois différents :

ändern : changer / *verändern* : transformer
lassen : laisser / *verlassen* : abandonner
werfen : jeter / *verwerfen* : rejeter
stoßen : pousser / *verstoßen* : repousser

2. Le verbe simple et le verbe avec *ver-* existent, mais les sens sont différents ; *ver-* peut exprimer :

● l'erreur
laufen : courir / *sich verlaufen* : s'égarer
wechseln : changer / *verwechseln* : confondre

● une action poussée à bout
blühen : fleurir / *verblühen* : se faner
brennen : brûler / *verbrennen* : brûler (consumer)
hungern : avoir faim / *verhungern* : mourir de faim
sinken : sombrer / *versinken* : couler

3. Le verbe simple n'existe pas :

verwöhnen : gâter (par ex. enfants)
verschönern : embellir
verbreiten : répandre

EXERCICE

Traduisez en allemand :
1. Elle a abandonné sa famille.
2. Ils se sont égarés.
3. J'ai brûlé le livre.
4. Ils ont gâté leurs enfants.

---

193 Le préverbe inaccentué zer-

1. Le verbe simple et le verbe avec *zer-* existent
Zer- exprime la destruction, la réduction en petits morceaux :
brechen : briser / *zerbrechen* : mettre en pièces
fallen : tomber / *zerfallen* : s'écrouler, se désagréger
schlagen : battre / *zerschlagen* : casser
stören : déranger / *zerstören* : détruire
schneiden : couper / *zerschneiden* : couper en morceaux

2. Le verbe simple n'existe pas :
zerkleinern : concasser
zerlöchern : cribler de trous

EXERCICE

Traduisez en allemand :
1. La maison a été détruite.
2. Pourquoi découpes-tu cette feuille de papier ?
3. Qui a cassé le vase (die Vase) ?
4. Ta chemise est pleine de trous.

194 Préverbe ou particule ?

Un verbe peut comporter à l'infinitif :

● un préverbe toujours inaccentué et soudé à lui, par exemple *ver°-schwinden* : disparaître (*ich verschwinde, ich bin verschwunden*).

● une particule toujours accentuée et détachable, à la graphie, de ce verbe, par exemple *°aufstehen* : se lever (*ich stehe auf, ich bin aufgestanden*).

Pour certains verbes il faut se demander s'ils sont précédés d'un préverbe ou d'une particule et surtout apprendre leur accentuation et le sens correspondant. Voici quelques exemples :

1. *Durch-*

● Préverbe dans les verbes :
durch°ziehen : parcourir, sillonner
durch°suchen : fouiller (une maison)

● Particule dans les verbes :
°durchscheinen : passer à traver (lumière)
°durchlesen : lire complètement
°durchschneiden : couper en deux, sectionner
°durchgehen : passer à travers
°durchfallen : échouer, être recalé (examen)

2. Um-

● Préverbe dans les verbes :
um°armen : serrer dans ses bras
um°fahren : faire le tour de (en voiture)
um°fassen : contenir, comprendre
um°geben : entourer

● Particules dans les verbes :
°umändern : transformer
°umbauen : transformer (construction)
°umdrehen : retourner
°umfallen : tomber par terre, se renverser
°umfahren : renverser (avec un véhicule)
°umkehren : retourner, faire demi-tour
°umziehen : déménager

3. Über-

● Préverbe dans les verbes :
über°blicken : parcourir des yeux
über°fahren : écraser (véhicule)
über°holen : dépasser (voiture)
über°legen : réfléchir
über°nachten : passer la nuit
über°schreiten : franchir (une limite)
über°setzen : traduire (un texte)
über°zeugen : convaincre

● Particules dans les verbes :
°überfließen : déborder
°übersetzen : faire passer sur l'autre rive

4. Unter-

● Préverbe dans les verbes :
unter°brechen : interrompre
unter°halten : entretenir
unter°richten : enseigner
unter°schreiben : signer
unter°nehmen : entreprendre
unter°suchen : examiner
unter°stützen : soutenir

● Particules dans les verbes :
°untergehen : se coucher (soleil), décliner
°unterkommen : trouver un logis

Remarque :

Voll- est particule au sens de remplir : *°vollmachen*, *°vollgießen* : remplir et préverbe au sens de achever : *voll°bringen*, *voll°enden*.

Wider- est particule dans les verbes *°widerhallen :* résonner et *°widerspiegeln :* refléter et préverbe au sens de s'opposer : *wider°sprechen,* contredire.

● *Wieder-* est préverbe dans le seul verbe *wieder°holen :* répéter.

EXERCICE————————————————————————————

Traduisez en allemand :
1. Il a lu le livre d'un bout à l'autre.
2. As-tu écrasé la poule (das Huhn)?
3. Il m'a serré dans ses bras.
4. Où a-t-il passé la nuit?
5. Où l'as-tu dépassé?

6. Ai-je signé la lettre?
7. Qui a traduit ce texte?
8. Il s'est entretenu avec ma mère.
9. Nous déménageons demain.
10. Je reprends la question.

195 Les pronoms et adverbes d'annonce et de reprise

On peut annoncer ce que l'on va dire, ou reprendre ce que l'on vient de dire à l'aide de pronoms ou d'adverbes.

1. L'annonce : on annonce soit des propositions, soit des subordonnées.

● par *es, das, dem, dessen* selon le verbe ou l'adverbe employés :

Ich weiß **es :** du warst gestern krank.
Je le sais : tu étais malade hier.

● par les pronoms adverbiaux en *da-* :

Ich habe mich **daran** erinnert, daß du in Spanien warst.
Je me suis rappelé que tu étais en Espagne.

● par les adverbes *darum, deswegen* ou *deshalb* en corrélation avec *weil* :

Er ist nur **deshalb** gekommen, weil er Geld haben wollte.
Il n'est venu que parce qu'il voulait de l'argent.

2. La reprise : on reprend soit des propositons, soit des subordonnées, soit des éléments encore plus vastes du discours précédent.

● par *es, das, dem, dessen* selon le verbe ou l'adverbe employés :

Ich hatte einen Fehler gemacht; **dessen** war ich mir völlig bewußt.
J'avais fait une erreur; j'en avais pleinement conscience.

● par les pronoms adverbiaux en *da-* :

Das Auto war schlecht geparkt; ich machte ihn **darauf** aufmerksam.
La voiture était mal garée; je le lui fis remarquer.

● par les adverbes *deswegen, deshalb, trotzdem* :

> Ich fühle mich heute abend nicht wohl; ich gehe aber **trotzdem**
> ins Kino.
> *Ce soir je ne me sens pas bien ; mais j'irai quand même au cinéma.*

EXERCICE

Traduisez en allemand :

1. Il est né un premier avril ; je m'en souviens.
2. Je voulais aller en Angleterre ; mais j'ai dû y renoncer (verzichten auf + acc.).
3. Je le lui ai dit qu'il devait mettre un chapeau.
4. Il a plu toute la journée hier ; pour cette raison je n'ai pas pu jouer au tennis.
5. J'ai réfléchi (nachdenken über + acc.) à ce que je pourrais lui dire.
6. Il avait escompté (rechnen mit + dat.) que le train aurait cinq minutes de retard.

196 Les pronoms démonstratifs

Il existe plusieurs sortes de pronoms démonstratifs :

1. Le pronom *der, das, die* (toujours accentué) :

Masc.	Neut.	Fém.	Pluriel
N der	das	die	die
A den	das	die	die
D dem	dem	der	denen
G dessen	dessen	deren	deren/derer

Ce pronom peut être employé :

● pour montrer quelque chose ou quelqu'un :

> **Den** habe ich schon irgendwo gesehen.
> *Celui-là, je l'ai déjà vu quelque part.*

● pour reprendre un élément énoncé précédemment, comme un pronom personnel :

> Peter hat eine Flasche Wein gekauft ; **die** hat er mir gegeben.
> *Pierre a acheté une bouteille de vin ; il me l'a donnée.*

● comme antécédent d'un pronom relatif :

> Wehe **dem,** der lügt.
> *Malheur à celui qui ment.*

● au génitif, comme équivalent d'un adjectif possessif :

> Ich bin mit Peter, Maria und **deren** Bruder spazieren gegangen.
> *Je suis allé me promener avec Pierre, Marie et le frère de celle-ci.*

Lorsque cet antécédent est au génitif pluriel, on utilise *derer* et non
deren :

> Gedenket **derer,** die hier gestorben sind.
> *Souvenez-vous de ceux qui sont morts ici.*

2. Les pronoms *dieser* et *jener,* dont les formes sont identiques à celles des adjectifs *dieser* et *jener,* mais dont le génitif n'est pas employé.

Dieser signifie celui-ci (proche du locuteur), *jener* celui-là (éloigné du locuteur). Ces deux pronoms sont surtout employés pour reprendre des éléments énoncés précédemment.

> Ich habe das Schloß von Versailles und das Schloß von Chantilly besichtigt; **dieses** ist kleiner als **jenes.**
>
> *J'ai visité le château de Versailles et le château de Chantilly; celui-ci est plus petit que le premier.*

3. Le pronom indéfini *einer, eines, eine* (voir n° 197) précédé de *so* ou de *solch* invariables.

> Sie hatte ein modernes Fahrrad; **so eins** hatte ich noch nie gesehen.
>
> *Elle avait une bicyclette moderne; je n'en avais encore jamais vu une comme ça.*

4. Le pronom *solch-,* employé rarement et presque exclusivement au pluriel *(solche).*

> Diese Bäume sehen komisch aus; hast du **solche** schon mal gesehen?
>
> *Ces arbres sont bizarres; en as-tu déjà vu des comme ça?*

5. Le pronom *derjenige, dasjenige, diejenige :*

	Masculin	Neutre	Féminin	Pluriel
N	derjenige	dasjenige	diejenige	diejenigen
A	denjenigen	dasjenige	diejenige	diejenigen
D	demjenigen	demjenigen	derjenigen	denjenigen
G	desjenigen	desjenigen	derjenigen	derjenigen

Ce pronom est utilisé exclusivement comme antécédent d'un pronom relatif; la relative qui suit est obligatoirement une relative déterminative (pas de virgule devant le pronom relatif en français).

> Er ist also **derjenige,** der das getan hat.
>
> *C'est donc lui qui l'a fait.*

EXERCICES

Traduisez en allemand :

1. Celui qui vient est un ami à moi.
2. J'ai acheté deux disques : celui-ci pour mon père et celui-là pour ma sœur.
3. Elle a deux manteaux : celui-là, elle ne l'a encore jamais mis.
4. J'ai différentes robes : en voulez-vous une comme ça?
5. J'ai vu Paul, son père et la sœur de celui-ci.

Complétez par le pronom der, das, die :

1. Peter ist zu Besuch; ... habe ich heute Montmartre gezeigt.
2. Unsere Nachbarn sind zum Glück ausgezogen; ... waren sowieso immer unfreundlich.
3. Hans ist auch da; ich bin mit ... Bruder nach Versailles gefahren.
4. Erinnerst du dich an ..., der neben uns stand?
5. Schau dir die Westen an; hast du ... schon mal anprobiert?

197 Les pronoms indéfinis

Il y a plusieurs types de pronoms indéfinis :

1. *Man,* on : ne s'emploie qu'au nominatif :

> **Man** weiß nie, ob er gutgelaunt sein wird oder nicht.
> *On ne sait jamais s'il sera de bonne humeur ou non.*

Au datif et à l'accusatif, le français utilise « vous », l'allemand *einer* décliné :

> In dieser Stadt kann **einem** nichts passieren.
> *Dans cette ville rien ne peut vous arriver.*

2. *Einer, eines, eine,* « quelqu'un » ou « l'un de... »
Keiner, keines, keine, « aucun ou aucune de... » (voir aussi n° 32).
Ces pronoms se déclinent comme *der, das, die.*

> **Einer** meiner Mitarbeiter ist gestorben.
> *L'un de mes collaborateurs est mort.*
> Ich habe **einen** der schönsten Filme von Fritz Lang gesehen.
> *J'ai vu un des plus beaux films de Fritz Lang.*
> **Keiner** ist gekommen.
> *Aucun d'entre eux n'est venu.*

3. *Jemand,* quelqu'un — *Niemand,* personne.
A l'accusatif et au datif, *jemand* et *niemand* sont invariables (*jemand, niemand*) ou déclinés (*jemanden, jemandem, niemanden, niemandem*).

> Hat **jemand** geklopft ?   Ich habe **niemand(en)** gesehen.
> *Quelqu'un a-t-il frappé ?*   *Je n'ai vu personne.*

4. *Etwas,* quelque chose — *Nichts,* rien.
Etwas et *nichts* sont invariables.

> Hast du **etwas** zu trinken ?   Ich habe **nichts** gesagt.
> *As-tu quelque chose à boire ?*   *Je n'ai rien dit.*

Dans certains cas, *etwas* peut s'abréger en *was.*

> Hast du **was** zu essen ?   Hast du **was** gehört ?
> *As-tu quelque chose à manger ?*   *As-tu entendu quelque chose ?*

Pour *etwas, nichts* + adjectif voir n° 149.

Attention : « Rien » se traduit parfois par *etwas* en allemand, en particulier dans les cas de double négation.

> Ich habe nie **etwas** Schöneres gesehen.
> *Je n'ai jamais rien vu de plus beau.*

Traduisez en allemand :

1. Tu voulais un bateau ; en as-tu acheté un ?
2. Aucun de ces livres ne m'a intéressé.
3. Personne ne m'a rien dit.
4. On ne sait jamais ce qui peut vous arriver.
5. Il n'a besoin de rien.
6. L'un de mes amis m'a téléphoné.
7. As-tu rencontré quelqu'un ?

198 Les pronoms personnels : formes

	1re pers.	2e pers.	3e pers. masc.	neut.	fém.	forme de politesse
Singulier						
N	ich	du	er	es	sie	Sie
A	mich	dich	ihn	es	sie	Sie
D	mir	dir	ihm	ihm	ihr	Ihnen
G	meiner	deiner	seiner	seiner	ihrer	Ihrer
Pluriel						
N	wir	ihr		sie		Sie
A	uns	euch		sie		Sie
D	uns	euch		ihnen		Ihnen
G	unser	euer		ihrer		Ihrer

Mettre le pronom personnel qui convient.

1. Habt ... Kleingeld ?
2. Herr Meyer, waren ... schon einmal in Paris ?
3. Gib ... sein Buch zurück !
4. Rita hat morgen Geburtstag ; schenk ... Blumen !
5. Frau Schmitt, soll ... ... einen Stuhl bringen ?
6. Kinder, soll ich ... zeigen, was ich gekauft habe ?

199 Les pronoms personnels : particularités d'emploi

1. Les formes du génitif sont rarement employées. Elles subsistent dans quelques expressions :

> Erbarme dich **unser!**
>
> *Aie pitié de nous!*

2. Les formes doubles du français « moi, je... ; toi, tu... ; lui, il... » etc., se rendent en allemand par la forme unique du pronom personnel, éventuellement suivie de *aber;* « nous, on... » se rend par *wir.* Dans ce cas le pronom personnel porte un accent, un autre élément de la phrase portant un autre accent.

> °Ich (aber) glaube, daß er in I°talien ist.
>
> *Moi, je pense qu'il est en Italie.*
>
> ~~Mich, ich~~... est impossible.

3. Les formes du français « c'est moi, toi . . . qui, c'est à moi, à toi . . . que, » etc., se rendent également par la forme unique du pronom personnel. Dans ce cas, c'est le pronom qui porte seul l'accent de la phrase (voir aussi n° 55).

> °Ich habe das gemacht.   Es ~~ist ich,~~ der... est impossible.
>
> *C'est moi qui ai fait cela.*
>
> Mit °mir ist er spazierengegangen.
>
> *C'est avec moi qu'il est allé se promener.*

4. Les formules de présentation :

« C'est moi » : se traduit *Ich bin es* ou *ich bin's.*

« Me voici » : se traduit *Da bin ich.*

5. Les formes du pronom personnel de la 3ᵉ personne sont parfois remplacées, en allemand, par les formes du pronom démonstratif *der, das, die* (voir n° 196), surtout dans le langage familier, sous forme de reprise :

> Dem Peter, **dem** habe ich eine Schallplatte geschenkt.
>
> *(dem* reprend *dem Peter)*
>
> *A Pierre j'ai offert un disque.*

6. Lorsqu'un pronom personnel de la 1ʳᵉ ou 2ᵉ personne est **antécédent d'un relatif,** deux solutions sont possibles :

● ou bien on répète le pronom dans la relative en faisant concorder forme du verbe et forme du pronom :

> **Du,** der **du** so gut Klavier spielst
>
> ~~(der so gut Klavier spielst :~~ impossible).
>
> *Toi qui joues si bien du piano.*

● ou bien on ne répète pas le pronom et on fait concorder forme du verbe et relatif (3ᵉ personne) :

Du, der so gut Klavier spielt.

La deuxième solution semble se répandre dans l'usage courant.

7. Dans une lettre, les pronoms personnels qui représentent celui à qui on s'adresse prennent une majuscule (voir aussi n° 135) :

«... Bist **Du** immer noch krank?...»
«... Es-tu toujours malade?...»

Ich danke **Dir** ganz herzlich für Deinen Brief.
Je te remercie beaucoup (litt. : très cordialement) pour ta lettre.

Pour le pronom *es,* voir n° 87.

EXERCICE ─────────────────────────────

Traduisez en allemand :
1. Eux, ils ne pensent qu'aux vacances.
2. C'est moi qui ai ouvert la porte.
3. C'est à elle que j'ai donné la clef.
4. Toi, tu es un menteur (der Lügner)!
5. A moi, ils ne m'ont rien donné.
6. Lui qui avait toujours de si belles voitures...
7. C'est chez nous qu'ils auraient dû passer la nuit.
8. Te voilà?
9. Nous, on reste à la maison.
10. Moi, je vais en Italie.

---

200 Les pronoms personnels : place et ordre

Les pronoms personnels obéissent aux lois générales de la place des mots (voir n° 163). On peut cependant relever les particularités suivantes :

1. Place du pronom personnel sujet : soit en tête de proposition, soit immédiatement après le verbe conjugué, soit immédiatement après la conjonction de subordination (dans les subordonnées).

Er fährt morgen mit seinem Bruder nach Essen.
Morgen fährt **er** mit seinem Bruder nach Essen.
Demain il se rend avec son frère à Essen.

Ich weiß, daß **er** morgen mit seinem Bruder nach Essen fährt.
Je sais que demain il se rend avec son frère à Essen.

2. **Place des pronoms personnels autres que les pronoms sujets** : soit en tête de proposition, soit immédiatement après le verbe conjugué, soit à une place indifférente dans la subordonnée à l'intérieur des éléments hors groupe verbal.

Ihm hat mein Vater gestern einen Brief geschrieben.
Mon père lui a écrit hier une lettre.

Mein Vater hat **ihm** gestern einen Brief geschrieben.
Mon père lui a écrit hier une lettre.

Ich glaube, daß $\begin{cases} \textbf{ihm} \text{ mein Vater gestern} \\ \text{mein Vater } \textbf{ihm} \text{ gestern} \\ \text{mein Vater gestern } \textbf{ihm} \end{cases}$ einen Brief geschrieben hat

Je crois que mon père lui a écrit hier une lettre.

3. **Ordre des pronoms personnels :**
Lorsque plusieurs pronoms personnels à des cas différents se trouvent dans une même proposition, il faut respecter l'ordre :
1 nominatif ;
2 accusatif ;
3 datif.
Cet ordre est obligatoire, même dans les subordonnées.

Er hat **es ihm** gegeben.   Er hat ~~ihm es gegeben~~
Il le lui a donné.   est impossible.

,weil **er es ihm** gegeben hat.
parce qu'il le lui a donné.

Remarque :

Il est bien évident que les pronoms personnels qui font partie du groupe verbal obéissent aux lois de position du groupe verbal (voir n° 106).

EXERCICE ──────────────────────────────

Traduisez en allemand :
1. Pourquoi lui as-tu caché (verstecken) son portefeuille (die Brieftasche) ?
2. Je le lui ai rendu ce matin.
3. Je sais que tu le lui as rendu.
4. Crois-tu qu'elle sera là demain ?
5. Je l'ai remerciée pour sa lettre.
6. Que lui as-tu offert ?
7. Lui as-tu apporté le journal (die Zeitung) ?

201 Les pronoms possessifs

Les pronoms possessifs se présentent sous trois formes :

1. Adjectif possessif + marques de l'article défini « *der, das, die* ».

● **Possesseur unique**

1re personne

	Masculin	Neutre	Féminin	Pluriel
N	meiner	mein(e)s	meine	meine
A	meinen	mein(e)s	meine	meine
D	meinem	meinem	meiner	meinen
G	meines	meines	meiner	meiner

2e personne

N	deiner	dein(e)s	deine	deine
A	deinen	dein(e)s	deine	deine
D	deinem	deinem	deiner	deinen
G	deines	deines	deiner	deiner

3e personne

N	seiner/ihrer	sein(e)s/ihr(e)s	ihre	seine/ihre
A	seinen/ihren	sein(e)s/ihr(e)s	ihre	seine/ihre
D	seinem/ihrem	seinem/ihrem	ihrer	seinen/ihren
G	seines/ihres	seines/ihres	ihrer	seiner/ihrer

● **Possesseurs multiples**

1re personne

N	uns(e)rer	uns(e)res	uns(e)re	uns(e)re
A	uns(e)ren	uns(e)res	uns(e)re	uns(e)re
D	uns(e)rem	uns(e)rem	uns(e)rer	uns(e)ren
G	uns(e)res	uns(e)res	uns(e)rer	uns(e)rer

2^e personne

N	eu(e)rer	eu(e)res	eu(e)re	eu(e)re
A	eu(e)ren	eu(e)res	eu(e)re	eu(e)re
D	eu(e)rem	eu(e)rem	eu(e)rer	eu(e)ren
G	eu(e)res	eu(e)res	eu(e)rer	eu(e)rer

3e personne

N	ihrer	ihres	ihre	ihre
A	ihren	ihres	ihre	ihre
D	ihrem	ihrem	ihrer	ihren
G	ihres	ihres	ihrer	ihrer

● **Possesseur unique**

	Masculin	Neutre	Féminin	Pluriel
N	Ihrer	Ihres	Ihre	Ihre
A	Ihren	Ihres	Ihre	Ihre
D	Ihrem	Ihrem	Ihrer	Ihren
G	Ihres	Ihres	Ihrer	Ihrer

● **Possesseurs multiples**

N Ihre
A Ihre
D Ihren
G Ihrer

Remarques :

● Il faut distinguer entre le singulier ou le pluriel de l'élément possédé et le singulier ou le pluriel du/des possesseurs :

> Meine Schuhe sind klein. Sind **deine** größer?
> (possesseur unique — élément possédé multiple)
> *Mes chaussures sont petites. Les tiennes sont-elles plus grandes?*

● Comme pour l'adjectif possessif, on distingue à la 3ᵉ personne entre le possesseur masculin ou neutre d'une part et le possesseur féminin.

> Inge sucht ihr Fahrrad; hast du **ihres** genommen?
> *Inge cherche sa bicyclette; as-tu pris la sienne?*

● Le génitif est rarement employé.

● Certains -e- peuvent disparaître, comme le montre le tableau.

2. Les formes *der meine, das meine, die meine...* etc.,
mein- prenant les mêmes marques que l'adjectif dans le groupe nominal type I (voir n° 104).

> Dein Auto ist schwarz; **das meine** ist rot.
> *Ta voiture est noire; la mienne est rouge.*

Il existe des formes substantivées : *die Seinen :* les siens (= ses proches); *das Seine :* ses biens (cf. l'expression : *Jedem das Seine :* A chacun ce qui lui revient).

3. Les formes *der meinige, das meinige, die meinige...* etc.,
meinig- prenant les mêmes marques que l'adjectif dans le groupe nominal type I. Cette troisième forme est la plus rarement employée.

Traduisez en allemand :

1. Voici des livres ; est-ce que ce sont les tiens ?
2. Vous avez deux enfants ? Les nôtres sont au cinéma aujourd'hui.
3. Laisse ce manteau ! Ce n'est pas le tien.
4. Regarde ce bateau ! Est-ce le leur ?
5. Un portefeuille (die Brieftasche)... Pierre, est-ce le vôtre ?

Introduisez un pronom possessif dans les phrases.

1. Du hast auch einen Plattenspieler ; nimm doch... mit !
2. Wem gehört dieser Regenschirm, Paul ? Ist das... ?
3. Hast du ein Auto ? Ist das... ?
4. Schmitts haben zwei Hunde. Das sind....
5. Ich habe auch ein Schachspiel ; ich komme mit....

202 Les pronoms relatifs

Il existe plusieurs sortes de pronoms relatifs ; ils introduisent une relative. (Voir aussi n⁰ˢ 79, 199/6.)

1. Le pronom *der, das, die :*

Masculin	Neutre	Féminin	Pluriel
N der	das	die	die
A den	das	die	die
D dem	dem	der	denen
G dessen	dessen	deren	deren

Ce pronom s'accorde en genre (masculin, neutre ou féminin) et en nombre (singulier ou pluriel) avec son antécédent.

Il se met au cas correspondant à sa fonction dans la relative.

Masc.
sg.

Der Zug, **der** jetzt gerade ankommt, hat 10 Minuten Verspätung.

sujet
(= nominatif)

Le train qui arrive à l'instant a 10 minutes de retard.

Die Frau, mit **der** ich gesprochen habe, war sehr freundlich.

Fém.   datif
sg.   (après *mit*)

La dame avec qui j'ai parlé était très aimable.

Attention au génitif !

● Les formes *dessen* et *deren* jouent le rôle d'un génitif saxon (voir n⁰ 100), c'est-à-dire qu'elles se placent devant le nom dont elles sont le complément et d'autre part, ce nom ne prend pas d'article.

> Michael, **dessen** Bruder in Hamburg wohnt, ist heute bei uns.
> cf.----- Michaels Bruder-----
> *Michel, dont le frère habite à Hambourg, est aujourd'hui chez nous.*
> ~~dessen der Bruder~~ est impossible!

En revanche, le nom peut être précédé d'adjectifs (type II) :

> Michael, **dessen jüngster** Bruder in Hamburg wohnt, ist heute bei uns.
> *Michel, dont le plus jeune frère habite à Hambourg, est aujourd'hui chez nous.*

● Les formes *dessen* et *deren* correspondent aux relatifs français, « dont, duquel, de laquelle, desquels » ou « desquelles », mais elles sont toujours des compléments de nom, ce qui n'est pas le cas pour les formes françaises : voir n° 79.

2. Le pronom *welcher, welches, welche* :

Masculin	Neutre	Féminin	Pluriel
N welcher	welches	welche	welche
A welchen	welches	welche	welche
D welchem	welchem	welcher	welchen

> Der Student, **welchem du** deine Adresse gegeben hast,
> wohnt bei meinem Onkel.
> *L'étudiant à qui tu as donné ton adresse habite chez mon oncle.*

Remarque : le génitif de ce pronom n'est pas employé.

3. Le pronom *wer, was* :

Les formes du pronom *wer, was* sont les mêmes que celles du pronom interrogatif (voir n° 119). On les emploie pour des personnes ou des choses indéterminées ; on ne peut pas les remplacer par *der, das, die* ou *welcher, welches, welche.*

> **Wer** zu viel Alkohol trinkt, wird bestimmt eines Tages krank werden.
> *Qui boit trop d'alcool, tombera certainement malade un jour ou l'autre.*
>
> **Was** du gesehen hast, interessiert mich nicht.
> *Ce que tu as vu ne m'intéresse pas.*

On emploie obligatoirement *was* après un antécédent au superlatif neutre indéfini et après les indéfinis *alles* (tout), *nichts* (rien), *vieles* (beaucoup de choses), *etwas* (quelque chose) et après le démonstratif *das* :

> Das ist alles, **was** ich gekauft habe.
> *C'est tout ce que j'ai acheté.*
>
> Das, **was** du siehst, ist der Eiffelturm.
> *Ce que tu vois est la Tour Eiffel.*
>
> Das ist das Schönste, **was** er bis jetzt gemalt hat.
> *C'est ce qu'il a peint de plus beau jusqu'à présent.*

Mais :

> Das ist das schönste Bild, **das** er gemalt hat.
> *C'est le plus beau tableau qu'il ait peint.*

On emploie également *was,* « ce qui, ce que » comme reprise d'un énoncé antérieur :

> Er ist drei Tage bei uns geblieben, **was** uns natürlich sehr gefreut hat.
> *Il est resté trois jours chez nous, ce qui naturellement nous a fait grand plaisir.*

4. Les pronoms invariables :

Wo (où locatif) et ses composés : *wo* + préposition ou *wo* + *r* + préposition : *womit, worauf...* ainsi que *wohin* (où directionnel), *woher* (d'où), etc., peuvent être des pronoms relatifs ; mais ils ne sont jamais employés avec des antécédents d'êtres animés. Leur forme est identique à celle des pronoms interrogatifs (voir n° 120).

> Ich kenne ein Restaurant, **wo** man sehr gut ißt.
> *Je connais un restaurant où l'on mange très bien.*

> Die Stadt, **wohin** Sie fahren wollen, liegt nicht sehr weit von der Autobahn.
> *La ville où vous voulez aller n'est pas très loin de l'autoroute.*

> Das ist das Paket, **worauf** (auf das) ich so lange gewartet habe.
> *C'est le paquet que j'ai attendu si longtemps.*

Remarque : Les formes en « *wo* + préposition » tendent à disparaître au profit de « préposition + relatif ».

EXERCICES

Introduisez l'un des quatre types de pronoms relatifs.
1. ... viel Geld verdient, muß auch viele Steuern (impôts) zahlen.
2. Kennst du ein Land,... Apfelsinen wachsen ?
3. Der Freund, mit... ich nach Schweden gefahren bin, wohnt in Köln.
4. Die Nachbarn,... Auto vor der Garage steht, waren in der Türkei.
5. Das war die schönste Stadt,... ich je gesehen habe.
6. Das ist alles,... ich sagen kann.

Traduisez en allemand :
1. Le vin que j'ai bu en Espagne était très bon.
2. Ce que tu vois là-bas au loin (in der Ferne) est un navire de guerre.
3. J'ai visité un château dont le propriétaire (der Besitzer) est mort l'an dernier.
4. Le train que nous attendons (warten auf + acc.) vient de Lyon.
5. Tout ce que j'avais apporté a été mangé.

---

203 La qualificative

Certaines relatives déterminatives peuvent être transformées en une qualificative :

> Der Bus, der gerade vorbeifährt, hat zehn Minuten Verspätung.
> **Der gerade vorbeifahrende Bus** hat zehn Minuten Verspätung.
> *L'autobus qui est juste en train de passer a dix minutes de retard.*

1. Il n'y a pas de différence de sens entre les deux structures ; la qualificative est d'un niveau de langue plus élevé ; elle est plus utilisée à l'écrit qu'à l'oral.

2. Il faut pouvoir transformer le verbe de la relative en participe I ou II : on utilise le participe I lorsqu'il s'agit d'une action en cours, et le participe II pour une action passée :

> Soll ich die Bücher aufheben, die auf den Teppich gefallen sind?
> **Soll ich die auf den Teppich gefallenen Bücher aufheben?**
> *Dois-je ramasser les livres qui sont tombés sur le tapis ?*

Ces participes ont alors une fonction d'adjectif épithète.

3. Lorsque le verbe de la relative **est** le verbe *sein* accompagné de certains **adjectifs** attributs, ce sont ces adjectifs qui deviennent épithètes :

> Der Turm, der 300 Meter hoch ist, heißt der Eiffelturm.
> **Der 300 Meter hohe Turm** heißt der Eiffelturm.
> *La tour qui a 300 mètres de haut s'appelle la Tour Eiffel.*

4. Lorsque le verbe de la relative est l'un des verbes de **position** (voir n° 245), ce verbe se met au participe I et non au participe II.

> Das Kind, das dort auf der Bank sitzt, heißt Bernd.
> **Das dort auf der Bank sitzende** (et non ~~gesessene~~) **Kind** heißt Bernd.
> *L'enfant qui est assis là-bas sur le banc s'appelle Bernd.*

5. **L'ordre des mots** de la qualificative est identique à celui de la relative :

> Das Kind, das dort auf der Bank sitzt,...
>   **1**   **2**   **3**
>
> **Das dort auf der Bank sitzende Kind**
>   **1**   **2**   **3**

6. Ce groupe de mots 1-2-3, dans l'exemple ci-dessus, s'insère **entre l'article,** lorsqu'il y en a un, **et le nom.**

EXERCICE ————————————————————

Transformez les relatives en qualificatives :

1. Der Mann, der vor der Tür steht, wartet auf seinen Freund.
2. Das Kind, das draußen im Garten spielt, ist unser Sohn.
3. Der Wagen, der in Deutschland am meisten verkauft wird, ist der Volkswagen.
4. Die Freunde, die gestern abend angekommen sind, fahren heute weiter nach Paris.
5. Vor unserem Haus gibt es eine Straße, die 6 Meter breit ist.

204 Comment traduire «quel est...? quels sont...?»

Dans ces questions, «quel, quelle, quels et quelles» sont des attributs du sujet; ils sont donc invariables en allemand — contrairement au français — et se traduisent par *welches...?*, quel que soit le sujet :

> **Welches** ist der höchste Berg Europas?
> *Quelle est la plus haute montagne d'Europe?*
>
> **Welches** sind die interessantesten Bücher, die du gelesen hast?
> *Quels sont les livres les plus intéressants que tu as lus?*

EXERCICE

Traduisez en allemand :
1. Quel est ton nom?
2. Quel est le plus long fleuve d'Amérique du Sud?
3. Quelles sont les plus belles émissions (die Sendung) que tu as vues?
4. Quelle est la capitale de la R.D.A.?
5. Quels étaient, à ton avis, les plus beaux tableaux de l'exposition (die Ausstellung)?

---

205 Comment traduire «il est question de»?

1. «**Il est question de**» dans le sens de «**on parle de**» se traduit par :

- *es ist die Rede von* + dat. ;
  > Erst **war die Rede von** der Picasso- Ausstellung.
  > *D'abord, il était question de l'exposition Picasso.*

- *man spricht von* + dat. (ou : *über* + acc.) ;
  > Dann **sprach man von** der letzten Klee-Ausstellung.
  > *Ensuite, il était question de la dernière exposition Klee.*

2. «**Il est question de**» dans le sens «**on dit que**», «**le bruit court que**» se traduit par :

- *es heißt* + subj. I ;
  > **Es heißt,** der Mörder **sei** verhaftet worden.
  > *Le bruit court que l'assassin est arrêté.*

- *jmd, etw. soll* + infinitif ;
  > Sie soll **sich** wieder **verheiraten.**
  > *Il est question qu'elle se remarie.*

- *jmd, etw. soll* + infinitif passif ;
  > Diese Fabrik **soll geschlossen werden.**
  > *Il est question de fermer cette usine.*

- *es ist die Rede von* + dat. ;

> **Es ist die Rede von** einer Preiserhöhung.
> (ou : **Es ist von** einer Preiserhöhung **die Rede.**)
> *Il est question d'une augmentation de prix.*

- *es geht die Rede, daß.*

> **Es geht die Rede, daß** die Preise erhöht werden sollen.
> *Il est question que les prix soient augmentés.*

3. Lorsque « il est question de » signifie « il s'agit de », il se traduit par :

- *es handelt sich um* + acc. ;

> In diesem Roman **handelt es sich um** einen Staatsstreich.
> *Dans ce roman, il est question d'un coup d'État.*

- *es geht um* + acc. ;

> In dem Artikel **geht es um** die Wirtschaftskrise.
> *Dans cet article, il est question de la crise économique.*

4. Pour exprimer une éventualité, on peut traduire « il est question de » par :

- *etw. soll (vielleicht)* + infinitif passif ;

> Hier **soll** ein Schwimmbad **gebaut werden.**
> *Il est question de construire une piscine ici.*

- *es wird in Betracht gezogen* + inf. ou *etw. wird in Betracht gezogen* ;

> **Es wird in Betracht gezogen,** ihn zum Direktor **zu** ernennen.
> Seine Ernennung zum Direktor **wird in Betracht gezogen.**
> *Il est question de le nommer directeur.*

- *es wird erwogen* + inf. ou *etw. wird erwogen* (style plus élevé) ;

> **Es wird erwogen,** den Minister **zu** entlassen.
> Die Entlassung des Ministers **wird erwogen.**
> *Il est question de révoquer le ministre.*

5. « Il n'est pas question de » se traduit par :

- *es kommt nicht in Frage, daß* (ou *zu* + inf.) ;

> Es kommt **nicht in Frage, daß** du allein wegfährst.
> *Il n'est pas question que tu partes seule.*

EXERCICE

Traduisez en variant les expressions :

1. Dans le journal, il est question d'un nouveau vaccin (Impfstoff).
2. A Bruxelles, il est question d'une rencontre au sommet (das Gipfeltreffen).
3. Il est question de fermer des écoles.
4. Il est question de construire un stade (das Stadion) ici.
5. Il n'est pas question que je signe cette lettre.
6. Depuis trois jours, il est question d'un changement de gouvernement (Regierungswechsel).
7. Dans ce roman, il est question d'une grève des mineurs (die Bergarbeiter).
8. J'aimerais sortir ce soir. — Il n'en est pas question !

206 Comment traduire « refuser » ?

Selon la nature ou le sens des compléments de « refuser », celui-ci se traduit par un verbe différent.

1. Refuser qqch.

● *Etw.* (acc.) *ablehnen* = ne pas accepter ce qui est offert ou proposé *(Geschenk, Einladung, Trinkgeld, Vorschlag, Wahl)* ; ne pas accorder *(Antrag)*.

> Er **lehnte** unsere Einladung **ab.**
> *Il refusa notre invitation.*
>
> Sein Antrag auf Stipendium wurde **abgelehnt.**
> *Sa demande de bourse fut refusée.*

2. Refuser de faire qqch.

● *es ablehnen* + groupe infinitif avec *zu.*

> Er **lehnte es ab,** für die Wahl zu kandidieren.
> *Il refusa d'être candidat aux élections.*

● *Sich weigern* + groupe infinitif avec *zu* = « refuser de faire qqch. » ; « ne pas vouloir faire ».

> Er hat **sich geweigert,** an der Demonstration teilzunehmen.
> *Il a refusé de participer à la manifestation.*
>
> Warum **weigerst** du **dich,** mitzukommen ?
> *Pourquoi refuses-tu de venir avec nous ?*

3. « Refuser qqch. à qqn. ».

● *(Jmm). etw. abschlagen* ; « ne pas accorder » *(Wunsch, Bitte, Gefallen, Dienst, Unterredung).*

> Warum hast du (mir) meine Bitte **abgeschlagen?**
> *Pourquoi m'as-tu refusé ce que j'ai demandé ?*

● *(Jmm.) etw. (acc.) verweigern* ; *(Annahme eines Briefes, Unterschrift, Zahlung, Visum, Befehl, Gehorsam, (Wehr)dienst, Nahrung).*

> Ihnen wurde das Einreise-Visum **verweigert.**
> (Man hat ihnen das Einreise-Visum verweigert.)
> *On leur a refusé le visa d'entrée.*
>
> Seit zwei Tagen **verweigert** die Katze jede Nahrung.
> *Depuis deux jours le chat refuse de se nourrir.*
>
> Er **verweigert** den Wehrdienst.   **der Wehrdienstverweigerer**
> *Il refuse de faire son service militaire.*   *l'objecteur de conscience*

4. « Refuser qqch. ou qqn. » ; « rejeter ».

● *Jmn.* ou *etw. zurückweisen* ; *(Personen ; Waren ; Manuskript ; Verdacht ; Anschuldigung ; Verantwortung).*

> Der Verlag hat sein Manuskript **zurückgewiesen.**
> *La maison d'édition a refusé son manuscrit.*

Traduisez en allemand :

1. Le garçon de café (der Ober) a refusé le pourboire.
2. Les travailleurs étrangers (die Fremdarbeiter) furent refusés à la frontière.
3. Nous ne pouvons pas lui refuser ce service.
4. Il a refusé le paiement des impôts (die Steuern).
5. Je me demande pourquoi il nous a refusé cet entretien.
6. Tous les soirs, le théâtre a dû refuser des spectateurs.
7. Elle refuse de payer ses dettes (die Schulden).
8. Il a refusé d'obéir (traduire par « Gehorsam »).
9. Il refuse d'en parler.

207 Comment traduire « réussir », « échouer » ?

1. Réussir (voir aussi n° 25).

● *Etwas gelingt (jmm.)* ou *etw. glückt (jmm.)* = « réussir qqch. » ; (« qqn. réussit qqch. »). Le parfait est formé avec *sein*.

Die Überraschung ist wirklich gelungen (geglückt).
Comme surprise, c'est vraiment réussi.
(litt. : la surprise est vraiment réussie.)

● *Es gelingt mir, etwas zu tun* = « je réussis à faire qqch. ».

Es ist ihm nicht gelungen, mich zu überzeugen.
Il n'a pas réussi à me convaincre.

● *Eine Prüfung bestehen* = « réussir à un examen ».

Endlich hat sie ihre Fahrprüfung bestanden.
Elle a enfin réussi son permis de conduire.

2. Échouer / ne pas réussir

● *Scheitern ; etwas scheitert* = « qqch. échoue » *(Hoffnungen, Pläne, Bemühungen, Verhandlungen, Versuch)*. Le parfait est formé avec *sein*.

Seine Pläne sind gescheitert.
Ses projets ont échoué.

● *Etwas mißlingt (jmm.)* ou *etw. mißglückt (jmm.).*

Der Kuchen ist mir mißlungen (mißglückt).
Mon gâteau n'est pas réussi.

● *Bei einer Prüfung durchfallen* = « échouer à un examen ». Le parfait se forme avec *sein*.

Bei der Biologieprüfung ist sie durchgefallen.
Elle a échoué à son examen de biologie.

Traduisez en allemand :
1. La tentative a échoué.
2. L'opération du cœur a bien réussi.
3. Nos photos de vacances sont très réussies.
4. A cause de sa maladie, il a échoué à son Bac (das Abitur).
5. Les négociations ont échoué.
6. L'architecture de l'hôtel de ville est vraiment réussie.
7. Il a réussi à passer la frontière.
8. Tous les enfants ont réussi à passer leur brevet de natation (die Schwimmprüfung).

208 Richtig, gerecht, recht

Il ne faut pas confondre ces adjectifs/adverbes, qui s'emploient dans des contextes différents. *Richtig* et *gerecht* correspondent à deux acceptions différentes de « juste » (voir n° 127), alors que *recht* se traduit généralement par « bon », « bien ». (Voir également n° 48.)

1. *Richtig* = « bon », « bien », « juste » dans le sens de « justesse », « qui est conforme à la raison ou à la situation », « adéquat », « exact » (pour des mécanismes). Le contraire est *falsch* = « faux ».

> Er hat **richtig** gehandelt. Er hat sofort die Polizei angerufen.
> *Il a bien agi. Il a appelé immédiatement la police.*
> *(Conformément à la situation.)*

Expressions

richtig finden	**für richtig halten**	
trouver bon/juste	*juger bon*	
richtig singen	**richtig raten**	**das Richtige treffen**
chanter juste	*deviner juste*	*tomber juste/voir juste.*

> Ich **finde es nicht richtig,** daß sie so viele Schulaufgaben haben.
> *Je ne trouve pas bien qu'ils aient tant de devoirs.*
>
> Ist meine Rechnung **richtig?** — Nein, sie ist ganz **falsch.**
> *Est-ce que mon calcul est juste ? — Non, il est complètement faux.*
>
> **Geht** deine Uhr **richtig?**
> *Est-ce que ta montre est exacte ?*

Mais :

> Hast du die **genaue** Zeit?
> *As-tu l'heure exacte ?*
>
> Meine Uhr **geht** auf die Sekunde **genau.**
> *Ma montre est juste à la seconde près.*

2. *Gerecht* = « juste » dans le sens de « justice », « équité ». Le contraire est *ungerecht* = « injuste ».

> Er ist ein **gerechter** Richter.
> *C'est un juge équitable.*

Sie kämpfen für eine **gerechte** Sache.
Ils luttent pour une cause juste.

Dieser Lehrer ist **gerecht** gegen alle Schüler.
Ce professeur est juste envers tous les élèves.

3. *Recht*

● « bon », « bien », « adéquat », « comme il convient ». Le contraire est *unrecht* = « mauvais », « mal ».

Das ist mir **nicht recht.** Wenn ich **recht** verstehe.
Cela ne me convient pas. *Si je comprends bien.*

Expressions——

am rechten Ort	**zur rechten Zeit**
au bon endroit	*au bon moment*

● « bien », « conformément au code de la morale ».

Er hat **recht** gehandelt. Er hat mit seinem Geld ein Kinderdorf in Afrika gegründet.
Il a bien agi. Avec son argent il a fondé un village d'enfants en Afrique.
(Conformément à la morale.)

● « avoir raison » = *recht haben ;* « avoir tort » = *unrecht haben.*

Ich weiß, daß du immer **recht hast.**
Je sais que tu as toujours raison.

Du **hast** nicht ganz **unrecht.**
Tu n'as pas tout à fait tort.

● « très », « bien », « assez » = **recht.** Il sert à renforcer le terme qui suit.

Es ist **recht** kalt heute. Sie ist noch ein **rechtes** Kind.
Il fait très froid aujourd'hui. *Elle est encore très enfant.*

EXERCICE ——

Traduisez en allemand :
1. L'addition (die Rechnung) est juste.
2. Son jugement n'était pas juste.
3. Tu as choisi le bon moment pour venir.
4. Est-ce que tu juges bon qu'elle sorte ce soir ?
5. Je ne t'ai pas bien compris.
6. N'est-il pas juste envers tous ?
7. C'est un article bien intéressant.
8. Crois-tu vraiment que tu as raison ?

209 Sagen, sprechen, reden

1. *Sagen*

- *jmm. etw. sagen* = « dire qqch. à qqn. » ; *zu jmm. etw. sagen.*

    Er sagt **ihm (zu ihm)** «Guten Tag!».
    Il lui dit «Bonjour».

- *über jmn., über etw.* (acc.) *etw. sagen* = « dire qqch. de qqn., de qqch. ».

    Über den Film hat er viel zu sagen.
    Il a beaucoup à dire sur le film.

- *von jmm., von etw.* (dat.) *etw. sagen.*

    Er **sagt von** seiner Freundin nur Gutes.
    Il ne dit que du bien de son amie.

- *sagen* est verbe introducteur du discours indirect (voir n°s 77, 78).

    Er **sagt, daß** er morgen kommt.
    Il dit qu'il viendra demain.

- *sagen* peut avoir le sens de « signifier », « avoir de l'importance ».

    Das hat nichts zu sagen.
    Cela n'a pas d'importance.

2. *Sprechen* et *reden*

Ces verbes, qui signifient « parler », « s'exprimer », sont pratiquement interchangeables dans les significations suivantes :

- *sprechen* ou *reden* + adverbe = « parler d'une certaine manière ».

    Er **sprach (redete)** langsam und deutlich.
    Il parlait lentement et distinctement.

- *mit jmm. sprechen* ou *reden* = « parler à qqn. ».

    Warum **sprichst (redest)** du nicht **mit mir?**
    Pourquoi ne me parles-tu pas?
    Sie haben lange **miteinander gesprochen.**
    Ils se sont entretenus longtemps.

- *von jmm., von etw. sprechen* ou *reden* = « parler de qqn., de qqch. ».

    Sie **sprachen (redeten) von** ihren Bekannten / von ihren Ferien.
    Ils parlaient de leurs connaissances / de leurs vacances.

- *über jmn., über etw. sprechen* ou *reden.*

    Der Minister **spricht (redet) über** die neue Wirtschaftslage / über den Bundeskanzler.
    Le ministre parle de la nouvelle situation économique / du Chancelier.

Sprechen ou *reden* + *von* s'emploient plutôt dans le sens de « parler de » (conversation).

Sprechen ou *reden* + *über* s'emploient plutôt dans le sens de « traiter un sujet ».

3. *Sprechen* et *reden* se différencient dans les emplois suivants :

● *sprechen* = « parler une langue » (maternelle ou étrangère).

> **Das Kind lernt sprechen.**
> *L'enfant apprend à parler.*
>
> **Yves kann schon gut Deutsch sprechen.**
> *Yves sait déjà bien parler allemand.*

● *jmn. sprechen* = « parler à qqn. », « chercher à voir qqn. ».

> **Ich möchte Sie gern sprechen.**
> *Je voudrais bien vous parler.*
>
> **Könnte ich Herrn Meier sprechen?**
> *Pourrais-je parler à M. Meier?*

● *reden* = « faire un discours ».

> **Heute abend redet er vor der Versammlung.**
> *Ce soir, il fait un discours devant l'assemblée.*
>
> **Er redet gut.**
> *Il parle bien. (Il sait faire des discours.)*

● *reden über* + acc. = « discuter de », « négocier ».

> **Darüber läßt sich reden.**
> *On peut en discuter.*

EXERCICES ———————————————————————

Complétez par « sagen », « sprechen » *ou* « reden » :

1. Sie ... ausgezeichnet Russisch.
2. Er ... schon zwei Stunden und ist immer noch nicht fertig.
3. Sie ... uns gestern, wir möchten sie anrufen.
4. Ist der Direktor jetzt zu ...?
5. Wovon habt ihr denn so lange ...?
6. Dieser Fehler hat nichts zu ... .

———————————————————————

Traduisez en allemand :

1. Elle nous a dit le contraire.
2. Il veut absolument nous voir.
3. De quoi voulais-tu parler?
4. Il ne dit que des bêtises (Unsinn).
5. Il n'aime pas parler de sa maladie.
6. S'il vous plaît, parlez plus fort (lauter).

210 Saluer - présenter qqn. - prendre congé

1. Saluer.

Grüßen, begrüßen = «saluer».

● *Jmn. grüßen* a le sens très général de «saluer qqn.» : en passant, dans la rue, pour transmettre des salutations ou à la fin d'une lettre.

> Er hat sie nicht **gegrüßt**.
> *Il ne l'a pas saluée.*
> **Grüße** bitte deine Eltern von mir.
> *Transmets mes salutations à tes parents.*

● *Jmn. begrüßen* a un sens plus intensif : «saluer qqn. en l'accueillant» (souvent en lui serrant la main).

> Er hat uns herzlich **begrüßt**.
> *Il nous a accueilli cordialement.*
> Der Rektor hat die Studenten feierlich **begrüßt**.
> *Le président de l'Université a accueilli solennellement les étudiants.*

● *Grußformeln* (formules de salutation) :

> **Guten Tag, Peter, wie geht es dir?**
> *Bonjour, Pierre, comment vas-tu ?*
> **Danke, und dir?**
> *Merci, et toi ?*
>
> **Guten Tag, Herr Bach, wie geht es Ihnen?**
> *Bonjour, Monsieur Bach, comment allez-vous ?*
> **Danke, und Ihnen?**
> *Merci, et vous ?*
>
> **Danke, es geht mir gut und dir / und Ihnen?**
> *Merci, je vais bien, et toi/et vous ?*
>
> **Guten Morgen!**
> *Bonjour! (le matin)*
> **Guten Abend!**
> *Bonsoir!*
>
> **Ich habe Sie lange nicht gesehen.**
> *Je ne vous ai pas vu depuis longtemps.*

● Tournures plus familières :

> **Tag, Sylvia!**
> *Salut, Sylvie!*
> **Hallo, Corinna!**
> *Salut, Corinne!*
> **Grüß dich!**
> *Salut!*
>
> **Wie geht's**
> *Ça va ?*
> **Danke, gut.**
> *Merci, ça va bien.*
> **Es geht.**
> *Ça va.*
>
> **Was machst du denn so?**
> *Qu'est-ce que tu deviens ?*
> **Was machst du denn hier?**
> *Qu'est-ce que tu fais là ?*

2. Présenter qqn.

● *Jmn. jmm. vorstellen* ou *jmm. jmn. vorstellen* = « présenter qqn. à qqn. ».

> **Darf ich Sie Herrn Schmidt vorstellen?**
> *Puis-je vous présenter à M. Schmidt?*
>
> **Darf ich Ihnen Herrn Schmidt vorstellen?**
> *Puis-je vous présenter M. Schmidt?*
>
> **Darf ich Sie vorstellen?   - Herr Schmidt   - Frau Berger.**
> *Puis-je vous présenter?   - Monsieur Schmidt   - Madame Berger.*
>   *(Présentation par une tierce personne, avec un geste.)*

● *Jmn. mit jmm. bekannt machen* = « présenter qqn. à qqn. ».

> **Darf ich Sie mit Herrn Gruber bekannt machen?**
> *Puis-je vous présenter à M. Gruber?*
>
> **Darf ich Sie miteinander bekannt machen?**
> *Puis-je vous présenter (l'un à l'autre)?*

● Autres formules de présentation :

> **Kennt ihr euch schon? -**   **Das ist Klaus, das ist Gisela**
> *Vous vous connaissez déjà? -*   *C'est Klaus, c'est Gisela.*
>
> **Ich freue mich, Sie kennenzulernen.**   **Sehr erfreut**
> *Enchanté de faire votre connaissance.*   *Enchanté.*

● *Sich vorstellen* = « se présenter ».

Ich möchte mich vorstellen :   ich heiße... / mein Name ist...   / ich bin...
Je voudrais me présenter :   je m'appelle... / mon nom est...   / je suis...

3. Prendre congé.

● *Sich (von jmm.) verabschieden* = « prendre congé de qqn. ».

> **Darf ich mich (von Ihnen) verabschieden?**
> *Puis-je prendre congé de vous?*
>
> **Ich möchte mich jetzt (von Ihnen) verabschieden.**
> *Je voudrais prendre congé maintenant.*

● *Abschiedsformeln* (formules d'adieux) :

Auf Wiedersehen!   Wiedersehen!
Au revoir!

Ich habe mich sehr gefreut, Sie kennenzulernen.
ou **Ich habe mich sehr gefreut, Ihre Bekanntschaft gemacht zu haben.**
Je suis enchanté d'avoir fait votre connaissance.

Ich habe mich sehr gefreut, dich wiederzusehen.
J'ai été très content de te revoir.

Hoffentlich sehen wir uns bald wieder.
J'espère que nous nous reverrons bientôt.

Leider muß ich jetzt weg. ou **Leider muß ich jetzt gehen.**
Je regrette, mais maintenant je dois partir.

Tschüs, Inge! Mach's gut, Peter! Laß es dir gut gehen!
Salut, Inge! Salut, Pierre! (litt. : Porte-toi bien!)

Bis bald! Bis morgen!
A bientôt! A demain!

EXERCICES

Traduisez en allemand :

1. Salut, Pierre, ça va? - Merci, ça va, et toi? - Cela fait longtemps que je ne t'ai pas vu. Qu'est-ce que tu deviens? - Je te présente Monique, une amie. Veux-tu venir avec nous? Nous allons au cinéma. - Non, je regrette, je n'ai pas le temps. Il faut que je parte. Salut, Pierre! - Salut, Paul! - A bientôt!

2. Bonsoir, Madame Schwarz, comment allez-vous? - Très bien, merci, Monsieur Braun, et vous? - Puis-je vous présenter mon collègue (der Kollege-n-n), Monsieur Weiß? - Enchanté de faire votre connaissance. - Nous prenons le même train (fahren mit), voulez-vous venir avec nous? - Non, je regrette, je partirai un peu plus tard. Au revoir, M. Braun! - Bonsoir, Mme Schwarz, j'ai été ravi de vous revoir!

211 Scheinen et erscheinen

1. *Scheinen*

● *scheinen* = « briller ».

> Die Sonne **scheint**.
> *Le soleil brille.*

● *(jmm.) scheinen* + groupe infinitif avec *zu* = « sembler », « paraître », « avoir l'air » (voir aussi n° 37).

> Er **scheint** krank **zu** sein.
> *Il semble être malade.*
> Er **schien (mir)** sehr nervös **zu** sein.
> *Il (me) paraissait (être) bien nerveux.*

Notez :

● *Scheinen* dans ce sens est le plus souvent employé au présent ou au prétérit, rarement aux temps composés.

● Lorsque *scheinen* se trouve dans une subordonnée, le groupe infinitif doit être placé devant ce verbe :

> ' Ich will ihn anrufen, weil er krank **zu sein schien**.
> *Je vais l'appeler parce qu'il semblait être malade.*

2. Expressions impersonnelles avec *scheinen* :

● *es scheint, daß* + indicatif = « il semble que », « il paraît que ».

> **Es scheint, daß** er im Oktober ein Konzert gibt.
> *Il paraît qu'il donnera un concert en octobre.*

● *es scheint, als ob* (ou *als*) + subjonctif I ou subjonctif II = « il semble » + infinitif.

> **Es scheint, als habe (ou hätte)** er die Verabredung vergessen.
> *Il semble avoir oublié le rendez-vous.*

● adjectif au comparatif + *als es* (ou pronom personnel) *scheint* = comparatif + qu'il (ou pronom personnel) ne paraît.

> Sie ist sportlicher, **als es scheint**.
> *Elle est plus sportive qu'il ne paraît.*
> Sie ist älter, **als sie scheint**.
> *Elle est plus âgée qu'elle ne paraît.*

● *wie es scheint* = « à ce qu'il paraît ».

> Er ist umgezogen, **wie es scheint**.
> *Il a déménagé, à ce qu'il paraît.*

3. *Erscheinen*

● *erscheinen* = « apparaître », « se montrer », « devenir visible ». On utilise *sein* pour former les temps composés.

> Wir sprachen von ihm, als er plötzlich **erschien**.
> *Nous parlions de lui lorsqu'il apparut soudain.*

Gewitterwolken **sind** am Himmel **erschienen.**
Des nuages annonçant l'orage sont apparus dans le ciel.

● *erscheinen* = paraître (livres, journaux).

Sein Buch **ist** letzte Woche **erschienen.**
Son livre a paru la semaine dernière.

● *jmm. erscheinen* = paraître à qqn. (cf. *jmm. scheinen*).

Sein Verhalten **erschien mir** merkwürdig.
Son comportement me paraissait curieux.

● Expression impersonnelle :

es erscheint (par ex. *mir*) ... (adjectif) + groupe infinitif ou + *daß*
= « il (me) paraît ... de ».

Es erscheint mir notwendig, darüber **zu** sprechen.
                              (ou : **daß** wir darüber sprechen.)
Il me paraît nécessaire d'en parler.

EXERCICE————————————————————————

Complétez par scheinen *ou* erscheinen *à la forme adéquate :*

1. Der Mond ... hell.
2. Dieses Zeitschrift ... täglich.
3. Es ..., als (forme de « wollen ») es regnen.
4. Das ... mir falsch zu sein.
5. Sie ist zum Ball in einem neuen Kleid ... .
6. Er ist jünger, als er ... .
7. Es ... mir ratsam (utile), einen Arzt zu fragen.
8. Sie (pl.) ... neue Nachbarn zu haben.

---

212 Sehen, schauen, ansehen, zusehen

1. *Sehen*

Jmn. ou *etw. sehen* = « voir qqn., qqch. ».

Ich habe sie noch nie **gesehen.**
Je ne l'ai encore jamais vue.
Er **sieht** nur mit einem Auge.
Il ne voit que d'un œil.
Heute abend wollen wir nicht **fernsehen.**
Ce soir, nous n'allons pas regarder la télévison.

Notez :

● Pour « voir + infinitif », deux constructions sont possibles :

Siehst du den Vogel **fliegen?** / **Siehst** du, **wie** der Vogel fliegt?
Vois-tu voler l'oiseau ?

● Lorsque *sehen* est employé à un temps composé avec un infinitif complément, il faut utiliser *sehen* (forme de l'infinitif) et non pas *gesehen* (voir aussi n° 172) :

> Ich habe ihn nicht **kommen sehen** (et non pas *gesehen*).
> *Je ne l'ai pas vu venir.*

2. *Schauen* = « regarder ».

> Sie **schaut** zum Fenster hinaus.
> *Elle regarde par la fenêtre.*
> Er **schaut** auf seine Uhr.
> *Il regarde sa montre.*

3. *Ansehen, anschauen*

● *Jmn., etw. ansehen* ou *jmn., etw. anschauen* = « regarder qqn., qqch. ».

> Sieh **mich an!** *ou* Schau **mich an!**
> *Regarde-moi !*
> Er **sah** (*ou* **schaute**) uns verwundert **an**.
> *Il nous regarda d'un air étonné.*

● *Sich* (=dat.) *etw. ansehen* ou *anschauen* = « regarder qqch. avec attention, avec intérêt ».

> Darf ich **mir** die Photos **anschauen?**
> *Puis-je regarder les photos ?*
> Wir wollen **uns** die Kirche **ansehen.**
> *Nous allons visiter l'église.*
> Hast du **dir** gestern abend den Krimi im Fernsehen **angeschaut?**
> *As-tu regardé le film policier à la télé hier soir ?*

4. *Jmm. bei etw.* (dat.) *zusehen* ou *zuschauen* = « regarder qqn. faire qqch., observer qqn. dans son activité ».

> Ich **sehe ihm** gern **beim** Zeichnen **zu.**
> *J'aime le regarder dessiner.*
> Wir **schauen ihnen bei** der Arbeit **zu.**
> *Nous les regardons travailler.*

EXERCICE ───

Traduisez en allemand :
1. Elle l'a regardé en souriant.
2. Vois-tu déjà la mer ?
3. Je l'ai regardé peindre.
4. Puis-je regarder ce livre un instant ?
5. Je ne l'ai pas vu entrer.
6. Je n'ai pas regardé la télévision depuis une semaine.
7. Nous regardons les enfants jouer.
8. Vois-tu tomber la pluie ?

---

213 Sehr et viel

(Voir également « beaucoup » et « bien » n° 44 et n° 48.)

1. *Sehr*

● *Sehr* = « très », « bien » avec des adjectifs ou des adverbes.

> **Es war ein sehr schöner Abend.**
> *C'était une soirée très agréable.*
> **Der Fahrer war sehr nervös.**
> *Le conducteur était très nerveux.*
> **Ich komme sehr sehr gern.**
> *Je viendrai avec (grand) plaisir.*

● *Sehr* = « beaucoup ». Associé à certains verbes, il exprime l'intensité d'une action.

> **Es regnet heute sehr.**
> *Il pleut beaucoup aujourd'hui.*
> **Ich hoffe sehr auf deinen Besuch.**
> *J'espère beaucoup que tu me rendras visite.*
> **Sie fehlt mir sehr.**
> *Elle me manque beaucoup.*

Expressions

> *Zu sehr* = « trop »
> **Du hast mich zu sehr geärgert.**
> *Tu m'as trop contrarié.*

2. *Viel*

Viel = « beaucoup », « bien » « *Viel* » associé à des verbes exprime la quantité.

> **Gestern abend haben wir im Kino viel gelacht.**
> *Hier soir au cinéma, nous avons beaucoup ri.*

Expressions

> *Zuviel* = « trop ».   *Viel zuviel* = « beaucoup trop ».
>
> **Du sprichst zuviel.**   **Sie raucht viel zuviel.**
> *Tu parles trop.*   *Elle fume beaucoup trop.*

EXERCICE

Traduisez en allemand :

1. Nous l'estimons beaucoup.
2. Il (en) sait trop.
3. Je suis très content de te voir (sich freuen).
4. A Noël, nous avons beaucoup joué aux échecs (Schach spielen).
5. C'est un pianiste (der Pianist) très célèbre.
6. Je t'ai beaucoup attendu !
7. Elle mange vraiment trop.
8. Je te remercie beaucoup !

214 Sein ou werden?

● **En français**, être + participe passé (II) peut signifier un état ou une action en train de se dérouler :
être attaqué = se faire attaquer
être attardé = être en retard

● **En allemand** cette différence de sens se marque par l'emploi de *sein* pour l'état et de *werden* pour l'action en train de se dérouler :

> être attaqué = **überfallen werden.**
> être attardé = **verspätet sein.**

● Pour certains verbes on peut employer soit *sein,* soit *werden* avec des sens différents :

verkauft sein : être vendu.

> **Das Auto war schon verkauft.**
> *La voiture était déjà vendue.*

verkauft werden : être en train de se faire vendre.

> **Das Auto wurde gestern verkauft.**
> *La voiture s'est vendue hier.*

Pour l'emploi de *werden* voir n° 177 (passif).

EXERCICE ────────────────────────────

Traduisez en allemand :
1. Tu n'étais pas prévue (vorsehen).
2. La lettre a été envoyée il y a une semaine.
3. La maison est complètement détruite (zerstören).
4. Elle avait été construite sur une colline.
5. Demain il sera élu président.
6. J'étais déçu (enttäuschen).
7. L'arbre a été coupé dans la nuit.

---

215 Selb-, selbst, sogar

(Voir également *derselbe, der gleiche,* n° 74.)

1. *Selb-* = « même » placé devant le nom. *Selb-* exprime l'identité. (On emploie *selb-* à la place de *derselbe, dieselbe, dasselbe* lorsqu'il y a contraction entre la préposition et l'article.)

am **selben** Tag	am **selben** Ort	zur **selben** Zeit
le même jour	*au même endroit*	*au même moment*

Die beiden Kinder sind im selben Jahr geboren.
Les deux enfants sont nés la même année.

2. *Selbst* (ou *selber,* plus familier) = « même » placé après le nom ou le pronom. Il exprime qu'il s'agit exactement de la personne ou de la chose en question (« en personne »). Ce *selbst* est accentué et généralement postposé ; cependant, lorsqu'il se réfère au sujet, il peut être placé après celui-ci ou dans le groupe verbal.

Er °**selbst** fährt den Wagen.   Er fährt den Wagen °**selbt.**
C'est lui-même qui conduit.   *Il conduit lui-même.*

Er sagt, daß er den Wagen °**selbst** fährt.
Il dit qu'il conduit lui-même.

Sie war die Güte °**selbst.**
Elle était la bonté même.

Ich möchte den Direktor °**selbst** sprechen.
Je voudrais parler au directeur lui-même.

ich selbst	**du selbst**	**er/sie selbst**
moi-même	*toi-même*	*lui-même/elle-même*
wir selbst	**ihr selbst**	**sie selbst**
nous-mêmes	*vous-mêmes*	*eux-mêmes*

3. *Selbst* ou *sogar* = « même » placé devant le nom, servant à une graduation ou à la mise en relief d'un terme de la phrase. *Selbst* et *sogar* sont inaccentués. C'est le terme souligné par *selbst* ou *sogar* qui est accentué.

Selbst der °**Arzt** wußte keinen Rat mehr.
Même le médecin ne savait plus quoi faire.

Sogar im °**Sommer** kann man hier Ski laufen.
Ici, on peut skier même en été.

Expressions

> *Selbst-* sert fréquemment de déterminant dans des mots composés où il a le sens de « auto- » ou « de soi ».
>
> | **selbstverständlich** | **selbstsicher** | **selbständig** |
> |---|---|---|
> | *cela va de soi* | *sûr de soi* | *indépendant* |
> | **das Selbstbildnis** | **die Selbstkritik** | **die Selbstbestimmung** |
> | *l'autoportrait* | *l'autocritique* | *l'autodétermination* |
> | **der Selbstmord** | **die Selbstbeherrschung** | |
> | *le suicide* | *la maîtrise de soi* | |
>
> **der Selbstbedienungsladen**
> *le magasin libre-service*

Attention : « même pas » se traduit par *nicht einmal ;*

Er hat uns **nicht einmal** benachrichtigt.
Il ne nous a même pas averti.

mais « sans même » se traduit par *ohne überhaupt* ou par *ohne auch nur.*

Ohne überhaupt zu bemerken, daß die Bremsen versagten, fuhr er weiter.
Sans même s'apercevoir que les freins ne fonctionnaient plus, il continua son voyage.

Ohne auch nur zu wissen, was er tat, klopfte er an die Tür.
Sans même savoir ce qu'il faisait, il frappa à la porte.

Traduisez en allemand :

1. Elle lit toujours les mêmes livres.
2. Le pain fait chez soi est bien meilleur.
3. Les magasins libre-service sont ouverts même le dimanche.
4. Je ne m'en souviens même plus.
5. Ce fut une surprise (die Überraschung) pour tous, même pour moi.
6. Eux-mêmes ne croyaient pas que cela puisse arriver (geschehen).
7. Sans même me demander la permission, il a emprunté ma voiture.
8. La même année, elle a passé son bac (das Abitur ablegen).

216 Sich ou einander?

● En principe, *sich* s'emploie avec un verbe dans un sens réfléchi et *einander* dans un sens réciproque ; on devrait donc dire :

Sie küssen einander.
Ils s'embrassent.

● En réalité, *einander* est remplacé dans la langue courante par *sich*, sauf dans les cas d'ambiguïté :

Sie waschen sich.
Ils se lavent (= chacun se lave).

Sie waschen einander.
Ils se lavent (= l'un lave l'autre et réciproquement).

● Même dans les cas d'ambiguïté on préfère la tournure *sich gegenseitig* :

Sie waschen sich gegenseitig.
Ils se lavent mutuellement.

● En revanche *einander* est employé obligatoirement avec les prépositions :

Sie stehen nebeneinander (neben sich impossible !)
Ils sont debout l'un à côté de l'autre.

Sie laufen hintereinander (hinter sich impossible).
Ils courent l'un derrière l'autre.

Traduisez en allemand en n'utilisant «einander» que dans les cas obligatoires.

1. Les deux équipes (die Mannschaften) jouent l'une contre l'autre.
2. Ils se consolent (trösten) mutuellement.
3. Ils se sont rencontrés devant la gare.
4. Ils se connaissent depuis trois ans.
5. Ils jouent entre eux dans le jardin.

217 So

So a de nombreux emplois.

1. *(Nicht) so* + adjectif-adverbe + *wie* (voir n° 59 : comparatif d'égalité ou d'infériorité) = aussi :

> Er ist nicht **so groß wie** sein Bruder.
> *Il n'est pas aussi grand que son frère.*

2. *So* + adjectif-adverbe +, *daß...* = si

> Ich bin **so müde, daß** ich nicht mal die Zeitung lesen kann.
> *Je suis si fatigué que je ne peux même pas lire le journal.*

3. *So daß* = de telle sorte que, si bien que

> Er hat mich mit dem Wagen zum Bahnhof gefahren, **so daß** ich den 6 Uhr- Zug noch erwischt habe.
> *Il m'a conduit en voiture à la gare, si bien que j'ai encore pu avoir le train de 6 heures.*

4. *So* + adjectif-adverbe ... *auch...* = si (concessif)

> **So groß** du **auch** sein magst, du wirst den Ball nicht fangen können.
> *Si grand que tu sois, tu ne pourras pas attraper la balle.*

5. *Um so* + comparatif = d'autant (plus...)

> Die Kathedrale war beleuchtet; das Konzert war **um so schöner**.
> *La cathédrale était illuminée ; le concert était d'autant plus beau.*

6. *So* + groupe nominal ou pronom = tant, si, quel, autant, tel, comme çà...

> **So ein schöner Hund!**
> *Quel beau chien!*
> Er hat noch nie **so viel Geld** gehabt.
> *Il n'a encore jamais eu autant d'argent.*
> Hast du schon **so ein Auto** gesehen?
> *As-tu déjà vu une voiture comme çà?*
> Ich habe **so Kopfschmerzen!**
> *J'ai un tel mal de tête!*
> Hast du schon **so was** gehört?
> *As-tu déjà entendu une chose pareille?*

7. *So,* en relation avec le contexte précédent, ou une situation précise = ainsi, comme ça

> Wer spielt denn **so schön** Klavier?
> *Qui donc joue si bien du piano?*
> Hat er auch **so** reagiert?
> *A-t-il aussi réagi comme cela?*
> **So** habe ich es nicht gemeint.
> *Ce n'est pas ce que j'ai voulu dire. (Je ne l'entendais pas ainsi.)*

8. *So,* **en relation avec une hypothèse** = ne se traduit pas en français

Regnet es morgen, **so** bleiben wir zu Hause.
S'il pleut demain, nous resterons à la maison.

9. *So,* **seul** = bon!, bien!

So. Jetzt können wir essen.
Bon. Maintenant nous pouvons manger.

So?
Ah bon?

10. *So,* **après du discours direct entre guillemets,** = d'après, d'après ce que dit...

«Er liebte die Erdbeben.», **so** seine ehemalige Mitarbeiterin.
«Il aimait les tremblements de terre.», d'après ce que dit son ancienne collaboratrice.

EXERCICE

Traduisez en allemand :

1. Ce livre est-il aussi intéressant que le premier?
2. Cela s'écrit comme cela.
3. Il a tellement bu qu'il ne peut plus se lever.
4. Il a roulé d'autant plus vite.
5. J'ai tellement faim, que je ne peux plus marcher.
6. Je n'ai jamais mangé un si bon gâteau.

218 *Sollen* : emplois

Pour la conjugaison de *sollen* voir A 11.

1. Expression de la volonté d'une tierce personne, invitation à faire, ou ne pas faire

Sie **sollen** zum Chef kommen.
Le chef veut vous voir.

Soll ich dir helfen?
Veux-tu que je t'aide?

2. Sens de «devoir», interdits ou obligations morales, arguments d'autorité plus ou moins atténués

Du **sollst** nicht töten.
Tu ne tueras point.

Du **solltest** nicht rauchen.
Tu ne devrais pas fumer.

3. Sens de «devoir», «il convient de»

Er hätte länger warten **sollen.**
Il aurait dû attendre plus longtemps.

4. Sens de «devoir», prospectif dans le futur

Er **sollte** 14 Tage später in Rom sterben.
Il devait mourir 15 jours plus tard à Rome.

5. *Sollte* expression de l'hypothèse

Sollte er zufällig krank sein, dann müßten wir zu Hause bleiben.
Si par hasard il devait être malade, nous devrions rester à la maison.

6. «Devoir» expression de l'ordre dans le discours indirect et direct

Er **soll** hereinkommen!
Qu'il entre!
Er hat mir gesagt, ich **solle** nicht so laut reden.
Il m'a dit de ne pas parler si fort.

7. Sens de «on dit que»

Er **soll** sehr krank sein.
On le dit très malade.

8. Pour l'emploi de *sollen* dans les questions avec infinitif voir n° 122.
Notez : *sollen* sans infinitif dans des expressions figées uniquement rapportées au sujet (souvent ce que l'on se dit à soi-même).

Was **soll** das?
Qu'est-ce que cela signifie? Qu'est-ce qui se passe?
Was **soll** ich hier?
Qu'est-ce que je fais là?

EXERCICE ─────────────────────────────

Traduisez en allemand :
1. A qui dois-tu téléphoner?
2. Il devait mourir trois semaines plus tard.
3. On dit qu'il a hérité (erben + acc.) d'une grande maison.
4. On m'a dit de répondre le plus vite possible.
5. Tu ne dois pas mentir (lügen).
6. Si tu devais arriver plus tôt, téléphone-moi de suite.

---

219 ss OU ß ?

On écrit *ß* au lieu de *ss :*

1. En fin de mot (finale absolue ou finale dans un mot en composition) :
finale absolue : **groß, der Fluß, der Kuß**
en composition : die **Groß**industrie

2. Devant consonne :
er **küßt,** es **fließt,** er **läßt**

3. Entre voyelles, dans un mot, lorsque la première voyelle est longue ou une diphtongue :

grüßen, die Soße, schweißen, draußen, gießen.

β et *ss* se prononcent de la même façon, à savoir /s/.

EXERCICE

Insérez ss *ou* β *selon les cas :*

1. vergrö...ern
2. der Ha...
3. kü...en
4. der Gru...

5. der Nu...baum
6. das Fa...
7. die Kü...e

8. die Grü...e
9. der Schlü...el
10. du mu...t

---

220 Le subjonctif I : formation

Le mode du subjonctif I présente trois formes différentes :

1. Le présent, formé sur le radical de l'infinitif auquel on rajoute la marque du subjonctif I *-e* et les marques de personnes *ø, st, ø, n, t, n.*

	e	ø		ich	komme
	e	st-		du	kommest
	e	ø	er, es, sie	komme	
komm +	e	n		wir	kommen
	e	t		ihr	kommet
	e	n		sie	kommen

- ich komme / er, es, sie komme → formes identiques
- wir kommen / sie kommen → formes identiques

2. Le futur, qui est la transposition au discours rapporté de l'indicatif futur (voir n° 96), formé avec *werden* au subjonctif I + l'infinitif du verbe.

ich	werde	kommen
du	werdest	kommen
er, es, sie	werde	kommen
wir	werden	kommen
ihr	werdet	kommen
sie	werden	kommen

- ich werde kommen / er, es, sie werde kommen → formes identiques
- wir werden kommen / sie werden kommen → formes identiques

3. Le passé, qui est la transposition au discours rapporté de l'indicatif prétérit, parfait ou plus-que-parfait, formé avec *haben* ou *sein* au subjonctif I + le participe II du verbe.

ich	sei	gekommen
du	seist	gekommen
er, es, sie	sei	gekommen
wir	seien	gekommen
ihr	seiet	gekommen
sie	seien	gekommen

- ich sei gekommen / er, es, sie sei gekommen → formes identiques
- wir seien gekommen / sie seien gekommen → formes identiques

Voir les tableaux de conjugaison des verbes (A 10)

Remarques :

● Comme on le voit, certaines formes du subjonctif I sont identiques aux formes de l'indicatif présent.

● D'autre part, contrairement à l'indicatif présent, les 1re et 3e personnes du singulier sont identiques.

● Seules les formes du présent peuvent s'employer en dehors du discours rapporté (voir n°s 77, 78) ; les formes du futur et du passé ne peuvent donc être traduites en français que dans le cadre du discours rapporté.

● Seul le verbe *sein* n'a pas de marque *-e* aux 1re et 3e pers. du sing.

EXERCICE ───

Formez le subjonctif I des verbes suivants :

1. 2e pers. sing. : sich waschen
2. 1re pers. plur. : gehen
3. 3e pers. sing. : arbeiten
4. 2e pers. plur. : schlafen
5. 1re pers. sing. : überlegen
6. 3e pers. plur. : sprechen
7. 2e pers. sing. : bringen
8. 1re pers. plur. : rennen
9. 2e pers. plur. : laufen
10. 3e pers. sing. : gewinnen

---

221 Le subjonctif I : emplois

Le subjonctif I est employé principalement pour l'expression du discours rapporté (voir n°s 77, 78). On le rencontre cependant aussi :

1. Comme impératif

● à la 1re pers. du plur. et à la forme de politesse (sing. ou plur.).

> **Geben Sie** mir das Buch zurück!
> *Rendez-moi le livre!*

● à la 3e pers. du sing. et à la 1re pers. du pluriel souvent comme moyen d'expression du souhait ou du désir dans des tournures figées.

Hoffen wir es!	**Man gebe** ihm für die Nacht eine Spritze.
Espérons-le!	*Qu'on lui fasse une piqûre pour la nuit.*
Es lebe der Kaiser!	Gott **segne** dich!
Vive l'Empereur!	*Dieu te bénisse!*
Man nehme ein Pfund Mehl.	**Es sei** eine Gerade xy.
Prendre une livre de farine.	*Soit une droite xy.*

2. Comme moyen d'expression de la concession dans des expressions figées (voir n° 62).

Es **komme**, was **wolle**.	Es **sei** denn, daß ...
Advienne que voudra.	*A moins que ...*

3. Dans certaines subordonnées finales introduites par *damit,* l'indicatif étant cependant plus fréquent.

> Sie hat den Brief geschrieben, damit man **wisse,** warum sie Selbstmord begangen hat.
> *Elle a écrit la lettre pour que l'on sache pourquoi elle s'est suicidée.*

4. Dans certaines subordonnées de comparaison introduites par *als ob,* ou *als* (voir n° 225), le subjonctif II étant également employé.

> Er tut, als ob er krank **sei.**
> *Il fait comme s'il était malade.*

EXERCICE

Traduisez en allemand :

1. Vive le roi! (der König)
2. Espérons qu'il ne se passera rien!
3. Venez demain matin à 9 heures.
4. Il fait comme s'il travaillait.
5. Il sera sûrement là, à moins qu'il ne soit malade.

222 Le subjonctif II hypothétique : formation

Le mode du subjonctif II hypothétique présente deux formes différentes :

1. Une forme simple

● pour les verbes faibles, la forme est identique à celle de l'indicatif prétérit.

Indicatif prétérit	Subjonctif II hypothétique A
er spielte	er spielte

● pour les verbes forts, on part du radical de l'indicatif prétérit, auquel on rajoute *-e-*, une inflexion de la voyelle, si c'est possible (c'est possible pour *a, u, o*) et les marques de personne *∅, st, ∅, n, t, n.*

Indicatif prétérit				Subjonctif II hypothétique A	
ich	kam	e	∅ →	ich	käme
du	kam	e	st →	du	kämest
er, es, sie	kam	e	∅ →	er, es, sie	käme
wir	kam +	e +	n →	wir	kämen
ihr	kamt	e	t →	ihr	kämet
sie	kam	e	n →	sie	kämen
ich	ging	e	∅ →	ich	ginge
du	ging	e	st →	du	gingest
er, es, sie	ging	e	∅ →	er, es, sie	ginge
wir	ging +	e +	n →	wir	gingen
ihr	gingt	e	t →	ihr	ginget
sie	ging	e	n →	sie	gingen

2. Une forme composée avec *würde* + infinitif.

Subjonctif II hypothétique B

ich	würde	spielen	ich	würde	gehen
du	würdest	spielen	du	würdest	gehen
er, es, sie	würde	spielen	er, es, sie	würde	gehen
wir	würden	spielen	wir	würden	gehen
ihr	würdet	spielen	ihr	würdet	gehen
sie	würden	spielen	sie	würden	gehen

Voir les tableaux de conjugaison des verbes (A 10)

Remarques :

● Dans l'usage actuel, la forme composée en *würde* + infinitif est plus courante que la forme simple ; cette forme simple ne subsiste plus guère que pour les verbes suivants : *haben, sein, werden, wissen* et les verbes de modalité *können, dürfen, müssen, sollen, mögen, wollen* et quelques verbes forts comme *kommen, gehen, bleiben, fallen, lassen, nehmen, sehen*, pour lesquels la forme en *würde* n'est d'ailleurs pas exclue. Pour l'emploi du subjonctif II hypothétique dans la conditionnelle, voir n° 63.

● Les verbes *wollen* et *sollen* ne prennent pas d'inflexion au subjonctif II hypothétique.

EXERCICE

Donnez les deux formes de subjonctif II hypothétique des verbes suivants :

1. 3e pers. sing. : sein
2. 1re pers. plur. : fallen
3. 2e pers. sing. : laufen
4. 2e pers. plur. : können
5. 1re pers. plur. : müssen
6. 3e pers. plur. : nehmen
7. 2e pers. sing. : sehen
8. 1re pers. sing. : sollen
9. 3e pers. sing. : lassen
10. 2e pers. plur. : bleiben

---

223 Le subjonctif II irréel : formation

Le subjonctif II irréel se forme à l'aide des verbes *haben* ou *sein* (pour le choix de *haben* ou *sein* voir n° 108) au **subjonctif II hypothétique + participe II (passé).**

subjonctif II hypothétique	+ participe II (passé)	= subjonctif II irréel
er hätte	**+ gegessen**	**= er hätte gegessen**
er wäre	**+ gekommen**	**= er wäre gekommen**

Remarque :

pour la forme du participe II des verbes de modalité accompagnés d'un infinitif complément, voir n°s 172 et 168/4.

EXERCICE

Donnez la forme du subjonctif II irréel des verbes suivants :

1. 1re pers. plur. : wissen
2. 3e pers. sing. : fallen
3. 2e pers. plur. : vergessen
4. 1re pers. sing. : kommen können
5. 3e pers. plur. : weinen
6. 2e pers. sing. : essen sollen
7. 3e pers. sing. : aufstehen
8. 1re pers. sing. : sein
9. 3e pers. plur. : haben
10. 2e pers. sing. : spazieren gehen

224 Le subjonctif II (emplois)

1. Le subjonctif II hypothétique peut s'employer

● pour exprimer un **souhait,** souvent avec *doch* ou *nur ;* le verbe conjugué est alors en tête de phrase :

> **Hätte** ich nur einen Computer!
> *Si seulement j'avais un ordinateur!*

● pour exprimer une **hypothèse** dont la réalisation est possible :

> Nehmen wir mal an, du **hättest** einen Bruder.
> *Supposons que tu aies un frère.*

● pour exprimer une **hypothèse conditionnelle,** soit avec une subordonnée conditionnelle (voir n° 63), soit avec *gern,* soit avec *an meiner, deiner... Stelle,* soit avec un groupe prépositionnel introduit par *ohne* ou *trotz...*

> Ich **würde** gern ins Kino **gehen.**
> *J'irais bien au cinéma.*
> An deiner Stelle **würde** ich ein Motorrad **kaufen.**
> *A ta place j'achèterais une moto.*
> Ohne Auto **könnte** er nicht leben.
> *Il ne pourrait pas vivre sans voiture.*

● pour exprimer, dans des expressions souvent figées, le **résultat d'une action** dont le déroulement a été difficile.

> Das **wär's** für heute.
> *C'est tout pour aujourd'hui.*

● dans les subordonnées introduites par *als ob* ou *als* (voir n° 225).
● pour l'emploi du subjonctif II dans le discours indirect voir n° 78.

2. Le subjonctif II irréel peut s'employer

● pour exprimer un **regret** (on regrette quelque chose qui n'a pas eu lieu) ; avec *doch* et *nur,* le verbe conjugué est en tête de phrase.

> **Wäre** er doch gestern **gekommen!**
> *Si seulement il était venu hier!*
> Ich **wäre** gern nach Spanien **gefahren.**
> *J'aurais bien aimé aller en Espagne.*

● pour exprimer une **hypothèse conditionnelle,** un fait qui aurait pu se produire si... soit avec une subordonnée conditionnelle (voir n° 63) soit avec *fast, beinahe* (presque), soit avec *an meiner, deiner... Stelle,* soit avec un groupe prépositionnel introduit par *ohne, mit...*

> Das Auto **hätte** beinahe den Hund **überfahren.**
> *La voiture a failli écraser le chien.*
> An seiner Stelle **hätte** ich ihm kein Buch **geschenkt.**
> *A sa place je ne lui aurais pas offert de livre.*
> Ohne seine Hilfe **hätte** ich nie das Examen **bestanden.**
> *Sans son aide je n'aurais jamais réussi à l'examen.*

Complétez par un subjonctif II hypothétique ou irréel :

1. Ich... gern eine Uhr gekauft.
2. An seiner Stelle ... ich nicht baden gehen.
3. Ich ... fast vergessen, ihn abzuholen.
4. Mit meinem Vater ... ich keine Schwierigkeiten gehabt.
5. Er ... gern mit dir in die Stadt fahren.
6. ... ich doch gestern abend zu Hause geblieben!

Traduisez en allemand :

1. A ta place je resterais à Paris.
2. J'aurais aimé aller me promener dans les montagnes.
3. J'ai failli tomber.
4. Sans lui je n'aurais jamais trouvé la maison de mon ami.
5. Si seulement il avait fermé la porte !

225 Les subordonnées de comparaison introduites par *als ob, als wenn* ou *als*

1. La forme du verbe.

Le verbe des subordonnées de comparaison introduites par *als ob, als wenn* ou *als* est le plus souvent au subjonctif II, parfois au subjonctif I (voir n° 224 et n° 225).

Er tut, als ob er sehr reich wäre.
Il fait comme s'il était très riche.

Attention à la différence de forme du verbe en français !

2. La place du verbe.

Avec *als ob* ou *als wenn* (moins fréquent) le verbe conjugué occupe la dernière place, comme il est de règle dans les subordonnées (voir n° 168).

Avec *als* le verbe conjugué occupe la première place de la subordonnée, ce qui s'explique par analogie avec l'interrogative (sens de *ob*) ou l'hypothétique (sens de *wenn*).

Er tut, als wäre er sehr arm.
Il fait comme s'il était très pauvre.

Remarque : la tournure « faire comme si » se traduit par *tun, als ob.*

Remplacez als ob *par* als.

1. Er tut, als ob er sich ein Bein gebrochen hätte.
2. Er kümmert sich um den Jungen, als ob er sein eigener Sohn wäre.
3. Ihr war, als ob sie plötzlich von einer Biene gestochen worden wäre.
4. Er läßt sich auf den Boden fallen, als ob er nicht mehr laufen könnte.

Traduisez en allemand :

1. Il fait comme s'il avait reçu un coup (der Schlag) sur la tête.
2. Elle fait comme si elle n'était pas malade.
3. Ils font comme s'ils étaient heureux.
4. Ils marchent comme s'ils étaient ivres (betrunken).
5. Il ne dort pas ; il fait comme si.

226 Comment traduire « suivre » ?

1. Sens spatial

● *Folgen* + dat. = « suivre qqn., qqch. » (sens spatial ou figuré).
Le parfait se forme avec *sein*.

> **Folgen** Sie **mir!**
> *Suivez-moi!*
>
> **Fortsetzung folgt!**
> *A suivre!*

> Sie **sind** der Spur im Schnee **gefolgt.**
> *Ils ont suivi la trace dans la neige.*

> Wir **sind** seiner Rede mit Interesse **gefolgt.**
> *Nous avons suivi son discours avec intérêt.*

● *Hinter jmm. hergehen / herfahren* (ou *her-* + autre verbe).

> Der Hund **läuft hinter** seinem Herrn **her.**
> *Le chien suit son maître.*

> Die Autos **fahren hintereinander her.**
> *Les voitures se suivent.*

● *Jmm. nachgehen / nachlaufen / nachfahren* (ou *nach-* + autre verbe).

> Er ist **uns** bis nach Hause **nachgegangen.**
> *Il nous a suivis jusqu'à la maison.*

> **Lauf ihr** schnell **nach!** Sie hat ihr Portemonnaie liegen lassen.
> *Cours vite après elle! Elle a oublié son porte-monnaie.*

2. Sens temporel

● *Folgen auf* + acc. = « suivre », « succéder ». Le parfait se forme avec *sein*.

> **Auf** den Krieg **folgten** 20 Friedensjahre.
> *20 ans de paix suivirent la guerre.*

> **Auf** Regen **folgt** Sonne.
> *Après la pluie le beau temps.*

● *Folgen* + dat.

> Dem Gewitter **folgte** eine Überschwemmung.
> *L'orage a été suivi d'une inondation.*

3. Sens figuré

● *Befolgen* + acc. = « suivre un conseil, un ordre, des indications ».
L'auxiliaire employé est *haben*.

> Warum hast du meinen Rat nicht **befolgt?**
> *Pourquoi n'as-tu pas suivi mon conseil?*

● *Besuchen* + acc. = « suivre des cours » (Schule, Universität, Vorlesungen, Kurs).

> Lutz **besucht** die Vorlesungen an der Universität Hamburg.
> *Lutz suit les cours de l'Université de Hambourg.*

Remarque :

Folgen + dat. peut avoir le sens de « obéir ». Le verbe pour former les temps composés est alors *haben*.

Er hat als Kind seinen Eltern nie gefolgt.
Enfant, il n'a jamais obéi à ses parents.

Willst du endlich folgen ?
Veux-tu enfin obéir ?

EXERCICE

Traduisez en allemand :

1. Le chien m'a suivi jusqu'à la gare.
2. Le printemps suit l'hiver.
3. Il faut suivre le mode d'emploi (die Gebrauchsanweisung).
4. Elle aimerait suivre un cours de danse (der Tanzkurs).
5. Elle a suivi attentivement le spectacle.
6. Les avions se suivent.
7. Nous l'avons suivi sans nous faire remarquer (unauffällig).
8. Ils les ont suivis (en voiture) jusqu'à la frontière.

---

227 Le superlatif des adjectifs et adverbes (ou degré 2)

---

1. **Superlatif de l'adjectif épithète :** adjectif + *st* + marque de déclinaison :

das klein + st + e Auto
la plus petite voiture

Das ist das kleinste Auto auf der Welt.
C'est la plus petite voiture du monde.

2. **Superlatif de l'adverbe :** *am* + adverbe + *sten* :

am + schnell + sten
le plus vite

Er läuft am schnellsten.
Il court le plus vite.

Remarques :

● Certains adjectifs et adverbes ont des **formes irrégulières** ou avec inflexion :

Formes irrégulières		Formes avec inflexion
nah	: *der nächste, am nächsten*	*alt, arm, dumm, grob, hart, hoch,*
gut	: *der beste, am besten*	*jung, kalt, klug, krank, kurz, lang,*
bald	: *am ehesten*	*scharf, schwach, stark, warm*
gern	: *am liebsten*	
groß	: *der größte, am größten*	
viel	: *die meisten, am meisten*	

Er ist der jüngste Schüler der Klasse.
Il est le plus jeune élève de la classe.

● La plupart des adjectifs et adverbes terminés par *d, t, β, s, z, x* (sauf *groß,* les participes présents et les participes passés terminés par *-et*) prennent un **-e-** intercalaire :

> der **interessanteste** Roman, den ich je gelesen habe.
> *le roman le plus intéressant que j'aie jamais lu.*

mais : der **größte** Baum : *l'arbre le plus grand.*
> der **bedeutendste** Maler des 19. Jahrhunderts : *le peintre le plus important du 19e siècle.*

> der **gefürchtetste** Lehrer : *le professeur dont on a le plus peur.*

● Lorsque l'on compare deux éléments, on utilise en allemand la forme du **comparatif** et non celle du superlatif :

> Herr Schmitt hat zwei Söhne; der **jüngere** heißt Michael.
> *Monsieur Schmitt a deux fils ; le plus jeune s'appelle Michel.*

EXERCICES —————————————————————————————

Introduisez l'adjectif ou l'adverbe sous la forme du superlatif.
1. Peter ist der ... Schüler der Klasse (alt).
2. Dieser Bleistift schreibt ... (gut).
3. Der ... von beiden ist mein Freund (groß).
4. Die ... Sportler führen ein gesundes Leben (viel).
5. Es ist der .... Winter seit 1975 (kalt).
6. Im Januar regnet es ... (viel).

Traduisez en allemand :
1. C'est le roman le plus captivant (spannend) que j'aie lu.
2. As-tu mis ton manteau le plus chaud ?
3. Il était le plus nerveux de tous.
4. Août a été le mois le plus chaud.
5. C'est Pierre qui mange le plus.

228 Être sûr - douter - supposer

1. Être sûr

Pour dire que l'on est sûr de qqch., on peut se servir de différentes expressions :

● *(ganz) sicher sein, daß* = « être sûr que ».
> Ich bin **sicher, daß** ich recht habe.
> *Je suis sûr d'avoir raison.*

● *einer Sache* (gén.) *sicher sein* = « être sûr de ».
> Ich bin **dessen sicher.**
> *J'en suis sûr.*

● *etw. genau wissen* = « savoir très bien qqch. ».
> Das **weiß** ich **genau.** / Ich **weiß** es **genau.**
> *Je le sais très bien.*

● *genau (sicher) wissen, daß* = « savoir très bien que ».
> Ich **weiß** ganz **sicher, daß** du dich getäuscht hast.
> *Je suis tout à fait certain que tu t'es trompé.*

● *nicht daran zweifeln, daß* = « ne pas douter que ».

> Ich **zweifle nicht daran, daß** du die Wahrheit sagst.
> *Je ne doute pas que tu dises la vérité.*

Expressions———

ohne Zweifel	Darüber besteht kein Zweifel.
sans aucun doute	*Il n'y a pas de doute.*

2. Douter

Pour dire que l'on n'est pas sûr d'un fait ou que l'on en doute, on peut employer les tournures suivantes, **en utilisant l'indicatif dans tous les cas** :

● *nicht sicher sein, daß / ob* = « ne pas être sûr que ».

> Ich bin **nicht sicher, ob** er da ist.
> *Je ne suis pas sûr qu'il soit là.*

● *einer Sache* (gén.) *nicht sicher sein* = « ne pas être sûr de ».

> Ich bin **dessen nicht sicher.**
> *Je n'en suis pas sûr.*

● *nicht (genau) wissen, ob* = « ne pas savoir très bien si ».

> Ich **weiß nicht genau, ob** der Bus hier hält.
> *Je ne sais pas très bien si le bus s'arrête ici.*

● *sich noch fragen, ob* = « se demander encore si » ;

> Ich **frage mich noch, ob** ich die Einladung annehmen soll oder nicht.
> *Je me demande encore si je dois accepter l'invitation ou non.*

● *an etw.* (dat.) *zweifeln* = « douter de qqch. ».

> **Zweifelst du an** meinem guten Willen ?
> *Est-ce que tu doutes de ma bonne volonté ?*

● *zweifeln, ob / daß* = « douter que ».

> Ich **zweifle, ob** das richtig ist.
> *Je doute que ce soit juste.*

● *etw. bezweifeln* = « mettre qqch. en doute » ; « douter de ».

> Ich **bezweifle** den Nutzen dieses Apparats.
> *Je doute de l'utilité de cet appareil.*

3. Supposer

Pour dire que l'on suppose qqch., on peut utiliser les expressions suivantes :

● *etw.* (acc.) *annehmen* = « supposer qqch. » ; *annehmen, daß* = « supposer que » (= émettre une hypothèse).

> **Nehmen** wir **an, daß** wir im Jahre 2000 sind.
> *Supposons que nous soyons en l'an 2000.*

● *etw.* (acc.) *vermuten* = « supposer qqch. » ; *vermuten, daß* = « supposer que » (= présumer).

> Wir **vermuten, daß** er umgezogen ist.
> *Nous supposons qu'il a déménagé.*

● *mir scheint etw. zu sein ; mir scheint, daß* = « il me semble que » (voir aussi n° 211).

> **Das scheint mir** falsch **zu sein. / Mir scheint, daß** das falsch ist.
> *Il me semble que c'est faux.*

● *etw. mag / kann / könnte wohl so sein* = « il se peut ; il se pourrait que ».

> Sie **mag wohl** zwanzig **sein.**
> *Il se peut qu'elle ait vingt ans ;*
>
> Sie **kann** auch fünfundzwanzig **sein.**
> *Elle pourrait aussi bien avoir vingt-cinq ans.*
>
> Sie **könnte** sogar dreißig **sein.**
> *Il se pourrait même qu'elle ait trente ans.*
>
> Was **mag** das **wohl sein ?**
> *Qu'est-ce que cela peut bien être ?*

EXERCICE

Traduisez en allemand :
1. Je sais très bien qui a cassé le vase.
2. Je doute que ce soit une bonne idée.
3. Il me semble qu'on a sonné.
4. Je suis sûr que c'est au bout du monde (am Ende der Welt).
5. Je suppose que cela t'est égal.
6. Je ne sais vraiment pas comment il s'appelle.
7. Comment peux-tu douter de ma fidélité (die Treue) ?
8. Quel âge peut-elle bien avoir ?
9. Je suppose que tu t'en moques (sich über etw. lustig machen).
10. Je ne doute pas qu'il viendra ce soir.

---

229 Les temps du verbe et les compléments de temps (introduction)

La ligne suivante représente l'axe du temps :

② antérieur à J ① jour J de ③ postérieur à J
l'événement
et de mes paroles

1. Le temps normal du verbe qui situe un événement en même temps que j'en parle est le présent.

> Er **singt.**
> *Il chante. (= Il est en train de chanter pendant que je dis « Il chante »).*

● En relation avec des compléments de temps, ce présent peut prendre d'autres valeurs.

Il peut, par exemple, indiquer un événement qui se répète :

> Er **singt** jeden Morgen.
> *Il chante tous les matins.*

● Il peut aussi situer un événement avec un léger décalage dans le futur, à l'intérieur du jour J (le futur n'est pas exclu pour le verbe) :

> Ich **esse** heute um 8. (*ou* Ich werde heute um 8 essen)
> *Aujourd'hui je déjeune à huit heures.*

● Dans un récit, il peut aussi avoir une valeur de passé (présent historique) :

> 1949 **wird** Konrad Adenauer zum Bundeskanzler **gewählt.**
> *En 1949 Konrad Adenauer est élu Chancelier de la République Fédérale.*

2. Le temps qui situe un événement postérieur au jour J est le présent ou le futur.

> Ich **komme** morgen (*ou* Ich **werde** morgen **kommen**).
> *Je viens (viendrai) demain.*

3. Le temps qui situe un événement antérieur au jour J est le prétérit, le parfait ou le plus-que-parfait.

● Le prétérit indique souvent un événement qui a eu un début et une fin dans le passé :

> Er **war** krank.
> *Il était malade.*

Il correspond, en français, à un imparfait ou à un passé simple.

● Le parfait signifie que l'événement est terminé :

> Er **hat** eine Flasche Limonade **gekauft.**
> *Il a acheté une bouteille de limonade (son achat est terminé).*

Il correspond, en français, à un passé composé.

● Le plus-que-parfait indique un événement qui a eu un début et une fin par rapport à un repère du passé :

> Am Dienstag **hatte** er den Brief **weggeschickt.**
> *Il avait expédié la lettre mardi.*

Ces temps du verbe se combinent souvent avec des compléments de temps.

230 Temps du verbe et compléments au jour J

Le verbe est au présent (éventuellement au futur) avec les compléments de temps suivants, pour exprimer :

1. L'heure (voir n° 259).

● L'heure précise : *um* + acc

Er kommt heute **um** 8 (Uhr).
Il vient aujourd'hui à 8 heures.

um 12 Uhr = *à midi*
um Mitternacht = *à minuit*

um 10 Uhr morgens, abends.
à 10 heures du matin, du soir.

um 3 Uhr nachmittags
à 3 heures de l'après-midi

● L'heure approximative : *gegen* + acc.

Er kommt heute *gegen* 8 (Uhr).
Il vient aujourd'hui vers 8 heures.

● Avant l'heure : *vor* + dat.

vor 8 (Uhr) = avant 8 heures

● Après l'heure : *nach* + dat.

nach acht (Uhr) = après huit heures.

2. La date (voir n° 70)

Heute haben wir Samstag, **den 7. Dezember 19...**
Aujourd'hui nous sommes le samedi 7 décembre 19...

3. Le jour.

Er kommt **heute.**
Il vient aujourd'hui.

4. Les moments de la journée.

● Les moments précis : *heute morgen* = ce matin
heute früh = ce matin
heute vormittag = ce matin (= dans la matinée)
heute mittag = à (ce) midi
heute nachmittag = cet après-midi
heute abend = ce soir
heute nacht = cette nuit

● Les moments approximatifs : *gegen Abend* = dans la soirée

5. Le moment correspondant à celui de mes paroles.
jetzt, nun = maintenant, à présent
augenblicklich, momentan, im Augenblick, = en ce moment, pour le moment (courte durée)
zur Zeit = en ce moment (durée plus longue)

Traduisez en allemand :

1. Où dors-tu cette nuit ?
2. Tu peux me téléphoner vers 11 heures.
3. A midi il mange au restaurant.
4. Pour le moment il est dans sa baignoire (die Badewanne).
5. Cet après-midi je ne vais pas à l'école.
6. En ce moment il est à Bonn.

231 Temps du verbe et compléments avant le jour J

Le verbe est au prétérit, parfait ou plus-que-parfait avec les compléments de temps suivants, pour exprimer :

1. Le jour.

● Le jour précis : *am...* ou indication du jour seule.

Er ist **am** 20. März gestorben.
Il est mort le 20 mars.

Er ist (**am**) Dienstag gekommen.
Il est venu mardi.

● Le jour approximatif : *um* + acc... (*herum*)

Er ist **um** den 20. März gestorben.
Il est mort vers le 20 mars.

● Avant le jour : *vor*

Er ist **vor** dem 20. März gestorben.
Il est mort avant le 20 mars.

● Après le jour : *nach*

Er ist **nach** dem 20. März gestorben.
Il est mort après le 20 mars.

2. Les moments de la journée.

● soit : *gestern morgen (früh)* = hier matin
gestern vormittag = hier dans la matinée
gestern mittag = hier (à) midi
gestern nachmittag = hier après-midi
gestern abend = hier soir
gestern nacht = la nuit dernière

● soit : *am Morgen* = le matin
am Vormittag = dans la matinée, etc.

3. L'heure. (Voir ci-dessus.)

Er ist gestern **um** 10 angekommen.
Il est arrivé hier à 10 heures.

4. Les semaines.

Er ist vorige (ou letzte) Woche abgefahren.
Il est parti la semaine dernière.

5. Les mois.

● soit : *im*

Im Juli waren wir in Italien.
En juillet nous étions en Italie.

● soit : *letzten Monat* (accusatif !)

Letzten Monat hat er nicht gearbeitet.
Le mois dernier il n'a pas travaillé.

6. Les années.

● soit : *im Jahre 19... ou 19...*

Er ist im Jahre 1940 geboren (ou **Er ist 1940 geboren**).
(Er ist ~~in 1940~~ impossible !)
Il est né en 1940.

● soit : *letztes Jahr (accusatif !)*

Letztes Jahr war er zwei Monate in Deutschland.
L'année dernière il était deux mois en Allemagne.

7. Les saisons.

● soit : *im*

Im Winter waren wir in Österreich.
En hiver nous étions en Autriche.

● soit : *letzten Sommer*

Letzten Sommer hatten wir sehr schönes Wetter.
L'été dernier nous avons eu très beau temps.

8. Les fêtes : *zu*

Zu Weihnachten sind sie zu Hause geblieben.
A Noël ils sont restés à la maison.

9. Les époques :
im 19. Jahrhundert = au dix-neuvième siècle
zu meiner Zeit = de mon temps

Remarque :
Vers, avant, après, suivis d'une indication ponctuelle (date, heure, jour, fête...) se traduisent toujours par *um... (herum)*, *vor* et *nach* :

Er ist vor 1940 geboren.
Il est né avant 1940.

Mais pour exprimer une antériorité calculée à partir du jour J on emploie *gestern* (hier), *vorgestern* (avant-hier) ou *vor + datif* = il y a...

Er ist vor zwei Monaten gestorben.
Il est mort il y a deux mois.

vor zwei Monaten   jour J

Attention : il y a 15 jours (= 2 semaines) se dit *vor vierzehn Tagen* (et non *fünfzehn !*).

10. **Une antériorité par rapport à un autre moment que le jour J :**
am Tag zuvor = le jour avant
drei Tage zuvor = trois jours avant
am Abend zuvor = le soir d'avant
das Jahr, den Herbst, einen Monat zuvor = l'année précédente, l'automne précédent, un mois auparavant

zwei Monate zuvor   Jour J

11. **Une postériorité par rapport à un moment du passé :**
am Tag danach = le jour suivant, le lendemain
zwei Monate danach, später = deux mois plus tard
nach zwei Wochen = au bout de deux semaines

zwei Monate danach   Jour J

EXERCICE

Traduisez en allemand :

1. Il est né il y a dix-sept ans.
2. Il est né en 1969.
3. Il est né le 4 avril 1969.
4. Il est venu mardi ; le jour d'avant il avait beaucoup neigé.
5. A Pâques, j'ai passé deux semaines en Allemagne.
6. Hier soir vers 8 heures j'ai entendu un chien aboyer (bellen).

7. L'hiver dernier il a été très malade.
8. Je l'ai rencontrée vers 11 heures du matin.
9. Il est venu le 9 février ; trois semaines plus tard il a eu un accident de voiture.
10. Il est parti au bout de deux mois.

---

232 Temps du verbe et compléments après le jour J

Le verbe est au présent ou au futur avec les compléments suivants, pour exprimer :

1. **Le jour** : *am...* ou l'indication du jour seule.

> Er kommt **am** 23. Mai.   Et kommt **(am)** Montag.
> *Il vient le 23 mai.*   *Il vient lundi.*

2. **Les moments de la journée.**

soit : *morgen früh* = demain matin
       morgen mittag = demain midi
       morgen nachmittag = demain après-midi
       morgen abend = demain soir

soit : *am Abend, am Morgen...* (comme plus haut).

3. **L'heure** (comme plus haut).

> Et kommt morgen **um** 11.
> *Il vient demain à 11 heures.*

4. **Les mois** : comme plus haut.

soit : *im*

> **Im** August wird er in Spanien sein.
> *En août, il sera en Espagne.*

soit : *nächsten Monat* (accusatif !)

> **Nächsten Monat** fängt die Schule wieder an.
> *L'école recommence le mois prochain.*

5. **Les années.**

soit : *im Jahre 19... ou 19...*
soit : *nächstes Jahr* (accusatif !)

> **Nächstes Jahr** werden wir in Amerika wohnen.
> *L'année prochaine, nous habiterons en Amérique.*

6. **Les saisons.**

soit : *im*
soit : *nächsten Sommer...* (accusatif !)

> **Nächsten Sommer** kommt er zu uns zu Besuch.
> *L'été prochain il viendra nous rendre visite.*

7. **Les fêtes** : comme plus haut.

8. **Les époques** : comme plus haut.

Remarque :

Vers, avant, après, suivis d'une indication ponctuelle (date, heure, jour...) se traduisent toujours par *um (herum), vor* et *nach* :

> Ich muß **vor dem Winter 1986** einen neuen Wagen kaufen.
> *Il faut que j'achète une nouvelle voiture avant l'hiver 1986.*

Mais pour exprimer une postériorité à partir du jour J, on emploie *morgen,* demain, *übermorgen,* après-demain ou *in* + datif :

> Ich fahre **in zehn Tagen** nach Wien.
> *Dans dix jours, je vais à Vienne.*

jour J   in zehn Tagen

Attention :
dans 15 jours se dit *in vierzehn Tagen* (et non *fünfzehn !*)

9. Une postériorité par rapport à un autre moment que le jour J :
am folgenden Tag, am Tag darauf = le jour suivant
am Abend darauf = le soir suivant
am folgenden Samstag = le samedi suivant
in der folgenden Woche = la semaine suivante
ein Jahr später, darauf = une année plus tard
zehn Tage später = dix jours plus tard
nach zehn Tagen = au bout de 10 jours
kurz darauf = peu après

jour J   zehn Tage später

10. Une antériorité par rapport à un moment du futur :
zehn Tage vorher = dix jours auparavant, plus tôt
am Mittwoch zuvor = le mercredi d'avant

jour J   zehn Tage vorher

EXERCICE ─────────────────────────

Traduisez en allemand :

1. Dans trois semaines c'est Noël.
2. Demain après-midi à 3 heures, je serai déjà à Berlin.
3. La semaine prochaine, nous allons au théâtre.
4. Dans quinze jours, les fleurs seront fanées (verwelkt).
5. Le 25, je serai à Hambourg, et trois jours auparavant, je serai à Cologne.
6. Après Noël, nous revenons en France.
7. Où vas-tu après-demain?

233 Temps du verbe et durée

1. La durée est liée au jour J dans le futur : *bis,* jusqu'à (voir n° 126) ou *ab, von...ab, von...an,* depuis (voir n° 1). Le verbe est au présent ou au futur.

> Ich **warte bis** morgen, **bis** nächsten Dienstag (accusatif), **bis** Ostern, **bis** 5 Uhr...
>
> *J'attends jusqu'à demain, jusqu'à mardi prochain, jusqu'à Pâques, jusqu'à 5 heures...*

> Jour J   →   Ostern
>
> Er wartet bis Ostern.

> **Von morgen ab** (*ou* **Ab morgen**) bekommst du kein Taschengeld mehr.
>
> *A partir de demain, tu ne recevras plus d'argent de poche.*

2. La durée est liée au jour J dans le passé : *seit.,* depuis. Le verbe est au présent.

> Er **wartet seit** acht Tagen.
>
> *Il attend depuis huit jours.*

> ⊢— acht Tage ——→ Jour J

3. La durée n'est pas liée au jour J, mais le début et/ou là fin sont précisés :

● *von... bis (zu)* : de... jusqu'à. Le verbe est au présent, futur, prétérit, parfait ou plus-que-parfait.

> Er blieb **vom 5. bis zum** 27. März bei uns.
>
> *Il resta chez nous du 5 au 27 mars.*

● *zwischen* : entre.

> Sie spielen Karten **zwischen** 6 und 7.
>
> *Ils jouent aux cartes de 6 à 7.*

● *seit* : depuis. Le verbe est au passé.

> Er hatte **seit** dem 1. April keine Arbeit mehr.
>
> *Depuis le 1er avril, il n'avait plus de travail.*

4. La durée n'est pas liée au jour J ; le début et la fin ne sont pas précisées. Temps du verbe indifférent.

● *accusatif* :

> Die Ferien dauern **einen Monat.**
>
> *Les vacances durent un mois.*

- *während* + génitif (voir n° 184) : pendant.

    Er ist **während** des Krieges geboren.
    Il est né pendant la guerre.

- *innerhalb* + génitif, ou *innerhalb von* + dat. : en l'espace de.

    Die Arbeit muß **innerhalb** einer Woche fertig sein.
    Le travail doit être déterminé en l'espace d'une semaine.

EXERCICE

Traduisez en allemand :

1. Jusqu'à quand restes-tu à Munich ?
2. Depuis trois mois, il n'a pas plu.
3. Le concert a duré trois heures.
4. Je reste un mois dans les Alpes.

5. De Noël à Pâques, j'aurai beaucoup de travail.
6. Depuis trois ans, la maison n'avait pas été chauffée (heizen).
7. A partir de jeudi, il doit faire beau.

---

234 Temps du verbe et répétition

Lorsqu'un événement se répète, le temps du verbe est indifférent : il peut se répéter au présent, au passé, au futur...

1. Accusatif avec *jeder :*

    Er steht **jeden Morgen** um 7 auf.
    Il se lève tous les matins à 7 heures.

2. Adverbes de temps :

- *morgens,* le matin - *samstags,* le samedi - *nachts,* le nuit...

- *monatlich,* tous les mois, *wöchentlich,* toutes les semaines, *jährlich,* tous les ans.

3. Certains compléments de temps accompagnés de *immer,* toujours (voir n° 238), *ab und zu,* de temps à autre, *manchmal,* parfois...

    Er geht **am Abend immer** in den Park spazieren.
    Le soir, il va toujours se promener dans le parc. (= Tous les soirs...)

Une fois par.. se traduit *einmal im,* ou *am...,* deux fois, *zweimal...,* etc.
Tous les deux, trois... se traduit par *alle zwei, drei...* ou *jeden zweit-, dritt-...*

    Er fährt **alle vierzehn Tage** nach Deutschland.
    Il va tous les quinze jours en Allemagne.

Traduisez en allemand :
1. Tous les mois, il rend visite à son oncle.
2. Deux fois par an, il va en Allemagne.
3. Tous les soirs, ils regardent la télévision.
4. Le matin, je ne peux jamais me réveiller.
5. Les Jeux Olympiques ont lieu tous les quatre ans.

235 Temps et modes du verbe : quelques cas de non-correspondance avec le français

Les cas les plus importants de divergences entre le français et l'allemand sont les suivants :

1. Dans les subordonnées suivantes avec « que », le français emploie le subjonctif, l'allemand l'indicatif :

● **temporelles :** avant que *(bevor)*, après que *(nachdem)*, jusqu'à ce que *(bis)* :

> Ich warte, bis du **zurückkommst.**
> *J'attends jusqu'à ce que tu reviennes.*

● **concessives :** bien que, quoique *(obwohl, obgleich)*.

> Er ist ausgegangen, obwohl er Fieber **hat.**
> *Il est sorti, bien qu'il ait de la température.*

> si...que, quoi que...

> So stark er auch **ist** (*ou* sei), er wird ihn nicht niederwerfen können.
> *Si fort qu'il soit, il n'arrivera pas à le mettre par terre.*

● **de but :** pour que *(damit)*, de façon à ce que, de sorte que *(so daß)*.

> Komm ein bißchen früher, damit wir um 6 abfahren **können.**
> *Arrive un peu plus tôt, pour que nous puissions partir à 6 heures.*

● **après des verbes exprimant une hypothèse :** il est possible que *(es ist möglich, daß)*, il semble que *(es scheint, daß)*, il se peut que *(es kann sein, daß)*, admettons que *(nehmen wir an, daß)*.

> Es **kann** sein, daß er morgen kommt.
> *Il se peut qu'il vienne demain.*

2. Dans certaines relatives (superlatif + relative, le seul + relative...), le français emploie le subjonctif, l'allemand l'indicatif.

> Das ist das schönste Haus, das ich je gesehen **habe.**
> *C'est la plus belle maison que j'aie jamais vue.*

> Er ist der einzige, der **gekommen ist.**
> *Il est le seul qui soit venu.*

3. Les conditionnelles et les subordonnées de comparaison sont à l'imparfait ou au plus-que-parfait de l'indicatif en français; elles sont au subjonctif II en allemand :

Wenn du Geld **hättest,** könntest du dir eine Schallplatte kaufen.
Si tu avais de l'argent, tu pourrais t'acheter un disque.

Wenn ich das **gewußt hätte,** wäre ich nicht gekommen.
Si j'avais su cela, je ne serais pas venu.

Er tut, als ob er Angst **hätte.**
Il fait comme s'il avait peur.

4. Le futur français peut correspondre à un présent de l'allemand (voir n° 96).

Ich **komme** morgen.
Je viendrai demain.

5. Le passé simple et l'imparfait du français se traduisent par le prétérit de l'allemand.

Er **fragte** den kleinen Jungen, der vor der Tür **stand.**
Il interrogea le petit garçon qui se trouvait devant la porte.

6. Le prétérit allemand est souvent rendu par un parfait en français.

Er **schrieb** mir, daß er einverstanden war.
Il m'a écrit qu'il était d'accord.

7. Pour le discours indirect, voir n°ˢ 77, 78.

EXERCICE

Traduisez en allemand :

1. Admettons qu'il ne vienne qu'à trois heures.
2. Je voudrais que tu sois à l'heure (pünktlich).
3. Achète du pain pour que nous ayons au moins quelque chose à manger.
4. Bien que j'aie lu ce livre il y a peu de temps, je ne me souviens plus de l'histoire.
5. Connais-tu un restaurant qui ne soit pas trop cher?
6. Avant que tu ne viennes, il avait déjà bu trois verres de vin.

---

236 Titres et noms propres : déclinaison

Dans les associations « titre + nom propre », il faut distinguer deux cas :

1. **Le titre est précédé d'un déterminatif (article, adjectif possessif) : alors c'est le titre qui prend les marques de cas** (le problème se pose surtout au génitif) ; **le nom propre est invariable** :

> Das Schloß des **Königs Ludwig XIV.** : *le château du roi Louis XIV.*

Attention : les indications chiffrées qui suivent certains noms propres (rois, empereurs, papes...) sont des ordinaux en allemand ; ces ordinaux se déclinent (le point qui suit le chiffre est obligatoire et indique qu'ils se mettent au cas du nom propre).
des Königs Ludwig XIV. se lit : **des Königs Ludwig des Vierzehnten** (noter la majuscule de *Vierzehnten*).

Remarques :

● lorsque plusieurs titres se suivent, seul le premier est en général décliné :

> die Rede des **Rektors** Professor Dr. Schnabel
> *le discours du recteur, le Professeur Docteur Schnabel*

● en revanche, le titre *Herr* (Monsieur) est toujours décliné :

> der Brief des **Herrn Professors** Franke
> der Brief von **Herrn Professor** Franke
> *la lettre de Monsieur le Professeur Franke*

● le titre *Doktor* (docteur : titre universitaire, abrégé *Dr.* est toujours invariable :

> das Haus des **Dr.** Schneider
> *la maison du Dr. Schneider*

2. **Le titre n'est pas précédé d'un déterminatif ; alors c'est le nom propre qui se décline :**

> Die Reise Papst **Pauls VI.** (des Sechsten)
> *le voyage du pape Paul VI*
>
> Die Vorlesung Professor **Steins** *ou* Professor **Steins** Vorlesung
> *le cours du Professeur Stein*

EXERCICE

Traduisez en allemand :

1. Les victoires de l'empereur Charlemagne (Karl der Große) : deux traductions.
2. J'ai une lettre pour Monsieur le professeur Meyer.
3. Il est chez notre directeur Monsieur Müller.
4. Le cheval du roi Henri (Heinrich) IV était-il blanc ? deux traductions.
5. Le discours du Chancelier (Kanzler) Schmidt a été publié (veröffentlicht).
6. J'ai écrit à Monsieur le Docteur Braun.

237 Der Tod - tot - sterben

Ne confondez pas :

1. *Der Tod* (avec une majuscule et un *d* final à l'orthographe !) = la mort.

> **Heute morgen hat man den Tod das Präsidenten angekündigt.**
> *Ce matin on a annoncé la mort du président.*

2. *tot* (avec une minuscule et un *t* final à l'orthographe, mais se prononce comme *Tod*) = mort (adjectif, adverbe ou adjectif substantivé).

> **Der Hund ist von einem Auto überfahren worden ; er ist tot.**
> *Le chien a été écrasé par une voiture ; il est mort.*
> **Er hat ihn totgeschlagen.**
> *Il l'a frappé à mort.*
> **Manche Völker ehren die Toten besonders.**
> *Certains peuples vénèrent particulièrement les morts.*

3. *Sterben* (a, o, i) = mourir (verbe fort)

> **Er ist am 21. Januar gestorben.**
> *Il est mort le 21 janvier.*

Attention : la phrase française « Il est mort... » peut se traduire en allemand de plusieurs manières selon le sens :

● pour exprimer un état : *tot sein*

> **Als der Arzt kam, war er schon tot.**
> *Quand le médecin arriva, il était déjà mort.*

● pour exprimer un événement : *sterben*

> **Sie ist vor drei Jahren gestorben.**
> *Elle est morte il y a trois ans.*

● dans le sens figuré (avec des verbes comme « rire »...) : *sich totlachen* (ou *sich zu Tode lachen*) voir n° 107

> **Heute abend werden wir uns garantiert totlachen.**
> *Ce soir, nous allons mourir de rire, je vous le garantis.*

EXERCICES

Complétez par Tod(e) *ou* tot.
1. Seit wann ist er... ?
2. Er hat sich zu ... gearbeitet.

3. Weißt du, daß sie eine ... Maus gesehen hat ?
4. Sie hat keine Angst vor dem ... .

Traduisez en allemand :
1. Goethe est mort en 1832.
2. De quelle maladie est-il mort ?
3. Cela fait 20 ans qu'il est mort !

4. La forêt meurt.
5. Il ne serait pas mort, aujourd'hui, si l'on avait découvert ce médicament (das Medikament) plus tôt.

238 Comment traduire «toujours»?

1. *Immer*. On traduit «toujours» par *immer* lorsqu'il a le sens de «en tout temps»; «généralement».

> Ich habe ihm **immer** geglaubt.   Sie ist **immer** pünktlich.
> *Je l'ai toujours cru.*   *Elle est toujours ponctuelle.*

2. *Immer noch ; noch immer* s'emploient lorsqu'il s'agit d'un événement qui dure (= encore). Voir n° 114.

> Es regnet **immer noch**.   Wir warten **immer noch**.
> *Il pleut toujours.*   *Nous attendons toujours.*
> Unsere Freunde sind **noch immer** (*ou* **immer noch**) nicht da.
> *Nos amis ne sont toujours pas là.*

3. *Immer wieder* est employé lorsqu'il s'agit d'une répétition.

> Ich habe dir **immer wieder** gesagt, daß du das nicht tun sollst.
> *Je t'ai toujours dit qu'il ne fallait pas faire cela.*

4. *Schon immer ; von jeher* sont employés lorsque le sens est «depuis toujours».

> Was ich **schon immer** wissen wollte, ist...
> *Ce que j'ai toujours voulu savoir, c'est...*
> Wir haben ihn **schon immer** (*ou :* **von jeher**) gekannt.
> *Nous le connaissons depuis toujours.*

Expressions ——

> **wie immer** ou **wie gewöhnlich**   **auf immer** ou **für immer**
> *comme toujours*   *pour toujours*
>
> **immer mehr**   **immer weniger**
> *toujours plus*   *toujours moins*
>
> **immer** + comparatif : *de plus en plus* :
>
> Es wird **immer** wärmer.
> *Il fait de plus en plus chaud (= toujours plus chaud).*

EXERCICE ——

Complétez par le terme qui convient :
1. Arbeitest du denn ... ...!
2. Die Abwesenden haben ... unrecht.
3. Warum fängst du ... ... damit an!
4. Sie hat den Schauspieler ... ... verehrt.
5. Hast du den Großeltern ... ... nicht geschrieben?
6. Sein Benehmen war ... ... etwas merkwürdig.

239 Comment traduire « traverser », « à travers » ?

En langue courante, on emploie surtout verbe + *durch* et verbe + *über*. En langue plus soignée, on utilise également les verbes *durchqueren* et *überqueren*.
Durch correspond à la traversée de ce qui est considéré comme un <u>volume</u>.
Über correspond à un passage au-dessus d'une <u>surface</u>.

1. *Durch*

● Verbe + *durch* + acc. :

Traverser un tunnel, la ville, les rues (en se promenant), l'appartement, la chambre, le village, le jardin, le pays, la campagne, la forêt, la vallée, la montagne, l'air ; passer une porte, une fenêtre, un portail ; traverser une foule, la vie, la nuit, l'obscurité, le désert. <u>Le verbe précise le mode de locomotion</u>.

> Der Bach **fließt durch** das Tal.
> *Le ruisseau traverse la vallée.*
> Sie **bummelten durch** die Straßen (**durch** die Stadt).
> *Elles flânaient dans les rues (à travers la ville).*
> Sie **ritten** auf Kamelen **durch** die Wüste.
> *Ils traversèrent le désert à dos de chameau.*
> Er **bahnte sich** einen Weg **durch** die Menschenmenge.
> *Il se fraya un chemin à travers la foule.*

● *Durchqueren* + acc. : (mêmes possibilités d'emploi que « *durch* + verbe », mais d'un style plus élevé). Le mode de locomotion n'est pas précisé.

> Sie **durchquerten** das ganze Land.
> *Ils traversèrent tout le pays.*

2. *Über*

● Verbe + *über* + acc. :

Traverser une rue, une place, un carrefour, un pré, un pont, un lac, un fleuve (en bateau ou à la nage), la mer. <u>Le verbe précise le mode de locomotion</u>.

> Paß auf, wenn du **über** die Straße **gehst**!
> *Fais attention en traversant la rue.*
> Wir **fliegen über** den Atlantischen Ozean.
> *Nous traversons (en avion) l'Atlantique.*
> Die Tränen **liefen** ihr **über** das Gesicht.
> *Les larmes ruisselèrent sur son visage.*
> Eine Brücke **führt über** die Autobahn.
> *Un pont traverse l'autoroute.*

● *Überqueren* + acc. (mêmes possibilités d'emploi que pour *über* + verbe, mais d'un style plus élevé). Le mode de locomotion n'est pas précisé.

> **Wir konnten nur mühsam die Kreuzung überqueren.**
> *Nous avons eu du mal à traverser le carrefour.*

EXERCICE

Utilisez «durch» ou «über» + verbe en choisissant chaque fois le verbe approprié :

1. As-tu déjà traversé le tunnel du Mont Blanc ?
2. Les canards traversent l'étang (der Teich).
3. Nous avons traversé la Forêt Noire (der Schwarzwald) à pied.
4. A cause de la circulation, il est impossible de traverser la place à pied.
5. Ils traversent la pièce en dansant.
6. Un papillon est passé par la fenêtre.
7. Nous avons survolé les Alpes.
8. Ils ont traversé la forêt en vélo.
9. Il ne faut jamais traverser la rue sans regarder à gauche et à droite.
10. Elle a traversé le lac à la nage.

---

240 Überhaupt
(nicht, nichts, kein, niemand)

---

1. Ne... pas du tout (de)

● Ne + verbe + $\begin{cases} \text{pas du tout} \\ \text{absolument pas.} \end{cases}$ = Verbe + *überhaupt (gar) nicht*

● Ne + verbe + $\begin{cases} \text{pas du tout de} \\ \text{absolument pas de.} \end{cases}$ = Verbe + *überhaupt kein-*

> **Ich habe überhaupt (gar) nicht geschlafen.**
> *Je n'ai pas du tout dormi.*
> **Ich habe überhaupt (gar) kein Geld.**
> *Je n'ai pas du tout d'argent.*

2. Ne... plus du tout (de)

● Ne + verbe + plus du tout = Verbe + *überhaupt (gar) nicht mehr*

● Ne + verbe + plus du tout (de) = Verbe + *überhaupt (gar) kein- ...mehr*

> **Er spielt überhaupt (gar) nicht mehr mit mir.**
> *Il ne joue plus du tout avec moi.*
> **Ich habe überhaupt (gar) kein Geld mehr.**
> *Je n'ai plus du tout d'argent.*

3. Ne... rien du tout ; ne... personne du tout

- Ne + verbe + $\begin{cases} \text{rien du tout} \\ \text{absolument rien} \end{cases}$ = Verbe + *überhaupt (gar) nichts*

- Ne + verbe + $\begin{cases} \text{personne du tout} \\ \text{absolument personne} \end{cases}$ = Verbe + *überhaupt niemand(en)*

Ich sehe überhaupt (gar) nichts.
Je ne vois rien du tout.

Hier kenne ich überhaupt niemand(en)
Ici je ne connais absolument personne.

4. Ne... plus rien du tout ; ne... plus personne du tout

- Ne + verbe + $\begin{cases} \text{plus rien du tout} \\ \text{absolument plus rien} \end{cases}$ = Verbe + *überhaupt (gar) nichts mehr*

- Ne + verbe + $\begin{cases} \text{plus personne du tout} \\ \text{absolument plus personne} \end{cases}$ = Verbe + *überhaupt niemand(en) mehr*

Er ißt überhaupt (gar) nichts mehr.
Il ne mange plus rien du tout.

Es ist überhaupt niemand mehr da.
Il n'y a plus personne du tout.

EXERCICE

Traduire.

1. Je ne sais rien du tout.
2. Il ne lit plus du tout de romans.
3. Il ne joue plus du tout avec Paul.
4. Je crois qu'il ne trouvera plus rien du tout.
5. Je n'invite absolument personne.
6. Je n'entends absolument plus rien.
7. Il ne boit absolument pas d'alcool.

---

241 Comment traduire « valoir » ?

1. *Kosten* (*viel, wenig* ou + acc.) = « valoir » dans le sens de « coûter ».

> Dieses Gemälde von Renoir **kostet viel** (Geld).
> *Ce tableau de Renoir vaut cher.*
> **Wieviel kostet** ein Kilo Äpfel?
> *Combien vaut un kilo de pommes?*

2. *Teuer sein* = « valoir cher » (pour les prix).

> Kunstbücher sind **teuer**.
> *Les livres d'art valent cher.*

3. *Wert sein* (*viel, wenig* ou + acc.) = « avoir une certaine valeur ».

> Wieviel **ist** dieser goldene Ring **wert**?
> *Combien vaut cette bague en or?*
> Dieses alte Auto **ist nichts** mehr **wert**.
> *Cette vieille voiture ne vaut plus rien.*
> Das **ist keinen** Heller **wert**.
> *Cela ne vaut pas un sou.*
> Paris **ist** eine Messe **wert**.
> *Paris vaut bien une messe.*

Notez :

> Das **ist** nicht die Mühe (der Mühe) **wert**.
> *Cela ne vaut pas la peine.*

4. *Gelten* = « avoir de la valeur » ; « être valable pour ».

> Meine Stimme **gilt** ebensoviel wie seine.
> *Ma voix vaut autant que la sienne.*
> Was ich gesagt habe, **gilt** für alle.
> *Ce que j'ai dit vaut pour tous.*

5. *Es wäre besser* + groupe inf. ou *es wäre besser, wenn* + subj. II). « Il vaudrait mieux + infinitif ».

> **Es wäre besser**, noch etwas **zu** warten.
> *Il vaudrait mieux attendre encore un peu.*
> **Es wäre besser gewesen**, wenn du nach Deutschland gefahren wärest.
> *Il aurait mieux valu que tu partes en Allemagne.*

6. *Es lohnt sich* + groupe infinitif ou *es lohnt sich, daß...* = « cela vaut la peine de ».

> **Es lohnt sich nicht**, darüber **zu** reden (*ou :* **daß** wir darüber reden).
> *Cela ne vaut pas la peine d'en parler (ou : qu'on en parle).*

● *Etw. (nom.)* lohnt sich = «qqch. vaut la peine».

> Der Spaziergang hat sich **gelohnt.**
> *Cette promenade valait la peine.*

EXERCICE

Traduisez en allemand :

1. Est-ce que ce tapis vaut cher (3 solutions)?
2. Il vaudrait mieux recommencer.
3. Combien valent les billets de théâtre?
4. Cela ne vaut pas la peine d'essayer.
5. Berlin vaut le voyage.
6. Ce livre vaut 50 DM.
7. Cela valait la peine de visiter ce musée.
8. Il aurait mieux valu appeler le médecin tout de suite.

242 Comment traduire «venir de + infinitif», «aller + infinitif»?

Ces tournures qui expriment un passé récent et un futur proche sont rendues en allemand par des adverbes.

1. Venir de + infinitif :

● *Ich habe gerade* (ou *eben, soeben*) *etwas getan* = «je viens de faire qqch.».

Le parfait allemand + *gerade* correspond au présent français de «venir».

> Sie **ist gerade** mit ihren Aufgaben fertiggeworden.
> *Elle vient de terminer ses devoirs.*

● *Ich hatte gerade* (ou *eben, soeben*) *etwas getan* = «je venais de faire qqch.».

Le plus-que-parfait allemand correspondant à l'imparfait français de «venir».

> Sie **hatte soeben** den Tisch **gedeckt.**
> *Elle venait de mettre la table.*

2. Aller + infinitif :

Gleich etw. tun = «faire qqch. tout de suite»; le verbe est au présent.

> **Gleich** regnet es.
> *Il va pleuvoir.*
> Das Essen ist **gleich** fertig.
> *Le repas va être prêt.*
> Ich mache **gleich** meine Zigarette aus.
> *Je vais éteindre ma cigarette.*

Attention : *Gleich* exprime un <u>futur immédiat</u>. Lorsqu'en français « aller + infinitif » indique un futur plus éloigné, il faut avoir recours à d'autres traductions.

● lorsque le futur est associé à une idée de volonté, on emploie *wollen* + **infinitif.**

> Ich **will** mit dem Rauchen aufhören.
> *Je vais arrêter de fumer.*

● lorsqu'un terme quelconque (adverbe, complément de temps ou autre terme) indique que l'action est à situer dans le futur, le **présent** suffit.

> Wir **verbringen** den kommenden Sommer in Österreich.
> *Nous allons passer l'été prochain en Autriche.*

● **Notez :**

Ich wollte gerade etwas tun = « J'allais faire qqch. ». L'intention de faire qqch. se situe dans un passé récent.

> Er **wollte gerade** die Polizei anrufen.
> *Il allait appeler la police.*

EXERCICE ───────────────────────────────

Traduisez en allemand :

1. Ils vont faire du tennis dimanche prochain.
2. Je viens de lire un livre en entier (ein Buch auslesen).
3. Allons nous mettre au travail (anfangen mit) !
4. Ils venaient de déjeuner (zu Mittag essen).
5. Il va neiger.
6. Je viens de constater que j'ai perdu mon porte-monnaie.
7. J'allais justement vous appeler.

243 Verbe faible ou verbe fort?

Certains verbes faibles sont issus de verbes forts, soit avec la même forme à l'infinitif, soit avec une forme différente ; ces verbes faibles signifient toujours « faire l'action de... ».

IL NE FAUT PAS LES CONFONDRE! Leur sens est différent :

1. Les verbes de position (voir n° 245)

Les verbes faibles *legen, setzen, stellen, hängen* (« faire l'action de » coucher, asseoir, mettre debout, suspendre) s'opposent aux verbes forts *liegen, sitzen, stehen, hängen* (être couché, assis, debout, pendu).

2. Les verbes faibles dits factitifs suivants :

Verbes faibles		Verbes forts
erschrecken : effrayer qqn.	s'oppose à	*erschrecken(a,o)* : s'effrayer
fällen : abattre (un arbre...)	" " "	*fallen(ie,a)* : tomber
führen : conduire qqn.	" " "	*fahren(u,a)* : aller (en voiture)
löschen : éteindre (un feu)	" " "	*erlöschen(o,o)* : s'éteindre
schmelzen : faire fondre	" " "	*schmelzen(o,o)* : fondre
schwellen : faire gonfler	" " "	*schwellen(o,o)* : enfler
tränken : abreuver	" " "	*trinken(a,u)* : boire

3. Attention aux verbes

faibles : *schaffen* = travailler   forts *(schuf-geschaffen)* = créer
faibles : *wiegen* = balancer   forts *(wog, gewogen)* = peser

---
EXERCICE

Traduisez en allemand :
1. Comment as-tu éteint le feu ?
2. Il est allé en ville en voiture.
3. Qu'est-ce qui t'avait effrayé ?
4. La neige a fondu.
5. Pourquoi t'es-tu effrayé ?

---

244 Les verbes impersonnels

Les verbes impersonnels comportent tous comme sujet *es*. On distingue :

1. Les verbes qui désignent des phénomènes météorologiques.

Es regnet, schneit, hagelt, donnert...
Il pleut, neige, grêle, tonne...

2. Les verbes de bruit.

Es klopft, rattert, knistert...
Ça frappe, pétarade (moteur), crépite (feu)...

3. Les verbes qui expriment l'idée de croître (plantes et humains).

> **Es blüht.**
> *Ça fleurit.*

4. Les verbes qui expriment des sensations physiques.

> **Es friert** mich.   **Es ekelt** mir ou mich davor.
> *Je gèle.*   *Cela me dégoûte.*

Mais l'emploi personnel de ces verbes est de plus en plus fréquent : *ich friere, ich ekele mich davor.*

5. Autres verbes.

> es **handelt** sich um... : ⎱
> es **geht** um... : ⎰ *il s'agit de... il est question de...*
> es **gibt** + acc. : *il y a...*

Remarque : Pour tous ces verbes, sauf ceux du groupe n° 4, *es* est conservé quelle que soit la forme syntaxique employée :

> **Heute regnet es.**
> *Aujourd'hui il pleut.*

Mais : **Mich** friert. *Je gèle.*

EXERCICE ————————————————————

Traduisez en allemand :
1. Depuis trois jours il neige.
2. Dans ce village, il n'y a pas de gare.
3. Dans cet article de journal, il est question de l'Italie.
4. Tu entends comme ça crépite ?
5. Tous les soirs ça pétarade jusqu'à 11 heures.

---

245 Les verbes de position

On distingue quatre positions : assise, couchée, debout et suspendue ; à chacune de ces positions correspondent deux verbes : l'un qui
indique la position dans laquelle on est (verbe fort + locatif éventuellement), l'autre la position dans laquelle on se met (verbe faible
+ directionnel éventuellement). Il ne faut pas confondre ces verbes et les employer correctement avec d'éventuels compléments (voir
locatif n° 137 et directionnel n° 76).

verbes forts intransitifs + locatif	verbes faibles transitifs + directionnel

1. Position assise

sitzen (a, e) : être assis	*(sich) setzen* : (s')asseoir
Er **sitzt** auf dem Stuhl.	Er **setzt sich** auf den Stuhl.
Il est assis sur la chaise	*Il s'assoit sur la chaise*

2. Position couchée

liegen (a, e) : être couché	*(sich) legen* : (se) coucher, poser
Er **liegt** auf dem Boden.	Er **legt sich** auf den Boden.
Il est couché par terre.	*Il se couche par terre.*

3. Position debout

stehen (a, a) : être debout	*stellen* : mettre debout, poser
Er **steht** auf dem Tisch.	Er **stellt** die Flasche auf den Tisch.
Il est (debout) sur la table.	*Il pose la bouteille sur la table.*

4. Position suspendue

hängen (i, a) : être suspendu	*hängen* : suspendre
Das Bild **hing** an der Wand.	Ich **hängte** das Bild an die Wand.
Le tableau était suspendu au mur.	*Je suspendis le tableau au mur.*

Remarques :

1. Pour la position suspendue, on utilise actuellement le verbe faible
hängen au présent quel que soit le sens du verbe :

Das Bild **hängt** an der Wand.	Ich **hänge** das Bild an die Wand.
Le tableau est suspendu au mur.	*Je suspends le tableau au mur.*

2. Bien noter que les verbes français être assis, couché, debout,
pendu se traduisent par un seul verbe en allemand :
Je suis assis = *Ich sitze* et non : *ich ~~bin gesessen~~*.

3. Au passé composé, les verbes forts se conjuguent avec *haben* :

Ich habe den ganzen Tag **gestanden.**
J'ai été debout toute la journée.

4. Bien noter que poser à plat se traduit par *legen* et poser debout par *stellen*.

EXERCICE

Traduisez en allemand :
1. Pose l'assiette sur la table !
2. Il s'assoit sur le banc (die Bank).
3. Le livre est posé sur la table.
4. Il est assis à côté de moi.
5. Il a accroché des étoiles à l'arbre de Noël.
6. Mets la caisse (die Kiste) dans le garage !

---

246 Les verbes prétérito-présents

Les verbes prétérito-présents ont une caractéristique commune : ils présentent au singulier de l'indicatif présent des formes qui ressemblent à des formes de prétérit des verbes forts, c'est-à-dire une voyelle différente de celle de l'infinitif (sauf pour *sollen*) et 1re et 3e personne semblables.

Font partie des prétérito-présents les six verbes de modalité : *können, dürfen, mögen, wollen, sollen, müssen,* le verbe *wissen*.

Verbe fort : *kommen* prétérit : *ich kam*
du kamst
er kam

Prétérito-présent : *dürfen* présent : *ich darf*
du darfst
er darf

N.B. Pour la conjugaison de ces verbes voir A 11.

EXERCICE

Introduisez le verbe à l'indicatif présent :
1. Ich ... (wissen) nicht, ob er zu Hause ist.
2. Er ... (müssen) in die Schule gehen.
3. ... (wollen) du mitfahren ?
4. Er ... (können) nicht mehr aufstehen.
5. Das ... (mögen) wahr sein.
6. ... (wissen) du, ob er krank ist ?
7. Er ... (sollen) jetzt aufstehen.

---

247 Les verbes pronominaux

Les verbes pronominaux sont des verbes qui s'emploient toujours avec le pronom *mich, dich, sich...* :

> ich beeile **mich** : *je me dépêche.*
> du beeilst **dich** : *tu te dépêches.*
> er beeilt **sich** : *il se dépêche ...*

Autres verbes du même type : *sich schämen* (avoir honte), *sich auskennen* (être au courant), *sich bücken,* (se baisser), *sich benehmen,* (se comporter), *sich befreunden* (se lier d'amitié), *sich entschließen* (se décider), *sich erholen* (se reposer).

EXERCICE

Traduisez en allemand :
1. Pourquoi vous dépêchez-vous tant ?
2. Nous nous sommes reposés à la montagne.
3. Comment s'est-elle comportée ?
4. J'ai été obligé de me baisser pour ramasser (aufheben) mon sac.
5. J'ai eu honte.

---

248 Les verbes réfléchis

Certains verbes peuvent s'employer avec le pronom réfléchi *mich, dich, sich...* ; ils peuvent aussi être employés avec d'autres compléments à l'accusatif :

> Er **wäscht sich.**   Er **wäscht ihn.**
> *Il se lave.*   *Il le lave.*

Autres exemples : *sich setzen* (s'asseoir), *sich legen* (se coucher), *sich umdrehen* (se retourner), *sich anschnallen* (mettre sa ceinture de sécurité), *sich schneiden* (se couper), *sich anziehen* (s'habiller), *sich kämmen* (se peigner), *sich ernähren* (se nourrir), *sich vorbereiten* (se préparer), *sich freuen* (se réjouir)...

Attention !

● Certains verbes réfléchis ou pronominaux en allemand ne le sont pas en français :
par exemple : *sich ändern* : changer
            sich schämen : avoir honte
            sich fürchten : avoir peur

● Inversement certains verbes réfléchis ou pronominaux en français ne le sont pas en allemand ; par exemple :

aufstehen : se lever
staunen : s'étonner
geschehen : se produire
spazierengehen : se promener

erschrecken : s'effrayer
aufwachen : se réveiller
ertrinken : se noyer
entlaufen : se sauver

Attention! Il ne faut pas confondre les verbes réfléchis ou pronominaux avec des verbes qui peuvent avoir un pronom réfléchi au datif, au sens de «pour soi». Le datif de la 3e personne du pronom est alors également *sich,* mais la 1re est *mir,* la 2e *dir* au singulier, *uns* et *euch* au pluriel :

> Er kauft **sich** einen Hut.
> *Il s'achète un chapeau.*

> Ich kaufe **mir** einen Hut.
> *Je m'achète un chapeau.*

EXERCICE

Traduisez en allemand :

1. Toute la journée je me suis ennuyé (sich langweilen).
2. Le chien s'est noyé dans le fleuve.
3. Il s'est assis par terre.
4. Il s'est levé à 8 heures.
5. Ces derniers temps Pierre a beaucoup changé.
6. Je me suis réveillé trois fois dans la nuit.
7. Il s'est habillé chaudement.
8. Pourquoi te retournes-tu ?
9. Va te chercher une chaise !
10. Ils se sont acheté un appartement.

---

249 La virgule

1. La virgule et les subordonnées

La virgule marque les limites antérieures et postérieures de la subordonnée (et du groupe infinitif). On peut distinguer trois cas d'intégration de la subordonnée et du groupe infinitif dans la phrase :

● ..., surbordonnée, ...

> Das Auto, **das vor dem Haus steht,** gehört meinem Vater.
> *La voiture qui est devant la porte appartient à mon père.*

● Subordonnée, ...

> **Als er ankam,** war nichts mehr zu essen da.
> *Lorsqu'il arriva, il n'y avait plus rien à manger.*

> **Um gesund zu bleiben,** mußt du ein bißchen Sport treiben.
> *Pour rester en bonne santé, tu dois faire un peu de sport.*

● ..., subordonnée.

> Er glaubt, **daß er gewonnen hat.**
> *Il croit qu'il a gagné.*

> Er schläft, **anstatt zu arbeiten.**
> *Il dort au lieu de travailler.*

Remarques :

● Lorsque la conjonction de subordination est complexe, la virgule se place devant l'ensemble, par exemple :
,ohne daß
,als ob
,vor allem weil (ou *wenn*) à condition que *vor allem weil* (ou *wenn*) forment une unité.

Comparer :

> Ich freue mich auf deinen Besuch, **vor allem weil** ich dich schon lange nicht mehr gesehen habe.
> *Je me réjouis de ta visite, surtout parce que je ne t'ai pas vu depuis longtemps.*
>
> Aber ich freue mich vor allem auf deinen Besuch, **weil** ich oft allein bin.
> *Mais je me réjouis surtout de ta visite parce que je suis souvent seul.*

● Dans les cas de l'infinitif avec *zu; zu* + infinitif n'est pas précédé d'une virgule lorsqu'il est intégré à la proposition ou lorsque l'infinitif n'a pas de complément.

> Er kam schnell nach Hause, weil es **stark zu regnen** begann.
> *Il rentra vite à la maison parce qu'il se mit à pleuvoir violemment.*
>
> Er hat keine Lust **zu singen.**
> *Il n'a pas envie de chanter.*

Mais cette règle ne s'applique pas lorsque plusieurs groupes infinitifs se suivent, ou lorsque le groupe infinitif est sujet ou attribut en position autre que la première.

> Du hast keinen Grund, **zu schreien und zu weinen.**
> *Tu n'as aucune raison de crier et de pleurer.*
>
> Seine Absicht war, **fortzulaufen** (= *Fortzulaufen war seine Absicht*).
> *Son intention était de s'enfuir.*

● Toutes les relatives sont précédées d'une virgule en allemand, contrairement au français :

> Der Hund, **der bellt,** heißt Bello (relative déterminative).
> *Le chien qui aboit s'appelle Bello.*
>
> Meine Freunde, **die morgen mit dem Zug kommen,** bleiben bis Donnerstag (relative appositionnelle).
> *Mes amis, qui arrivent demain par le train, restent jusqu'à jeudi.*

2. La virgule et les conjonctions de coordination *und* et *oder*.

● Lorsque *und* et *oder* relient des propositions, ils sont précédés d'une virgule si le sujet de la deuxième proposition n'est pas sous-entendu :

> Peter spielt, **und Paul arbeitet.**
> *Pierre s'amuse et Paul travaille.*

Mais :

> Peter spielt Schach **und denkt nicht an die Schule.**
> *Pierre joue aux échecs et ne pense pas à l'école.*

● Lorsque *und* ou *oder* relient des subordonnées, ils ne sont pas précédés d'une virgule :

> Ich glaube, daß er in Deutschland ist **und daß er erst am Sonntag zurückkommt.**
> *Je crois qu'il est en Allemagne et qu'il ne rentre que dimanche.*

3. La virgule et les adjectifs épithètes.

Lorsqu'un groupe nominal comporte plusieurs adjectifs épithètes, la virgule indique qu'ils sont coordonnés, l'absence de virgule qu'ils sont dans une relation de subordination avec le nom.

> **ein großer, blonder Mann** = *un homme grand et blond.*
> **eine große schwarze Tafel** = *un grand tableau noir (un tableau noir qui est grand).*

Attention : Les sujets et compléments de la proposition en première place ne peuvent pas être précédés ou suivis de virgules en allemand :

> **Heute bleibe ich** zu Hause.   **Heute** ~~bleibe~~ **ich...** est impossible.
> *Aujourd'hui, je reste à la maison.*

Seule l'apposition est obligatoirement délimitée par des virgules ou d'autres signes de ponctuation :

> **Dieses Schloß,** das habe ich schon gesehen.
> Mais : **Dieses Schloß habe** ich schon gesehen.
> *Ce château, je l'ai déjà vu.*
> Paul, **mein bester Freund,** wohnt jetzt in Bayern.
> *Paul, mon meilleur ami, habite maintenant en Bavière.*

EXERCICE ──────────────────────────

Insérez une virgule lorsque c'est nécessaire.

1. Hattest du Gelegenheit zu schwimmen?
2. Er tut als ob er etwas wüßte.
3. Er hofft bald nach Frankreich fahren zu dürfen.
4. Diese Geschichte die habe ich schon einmal gehört.
5. Seine Schwester wohnt in Amerika und sein Bruder lebt in Spanien.
6. Du kannst kommen wenn du Lust hast und wenn deine Eltern einverstanden sind.
7. Kannst du mir das Buch geben ohne aufzustehen?
8. Ich möchte nicht daß du zu lange wartest und daß du dich langweilst.

250 Weder ... noch ... / entweder ... oder ...

1. Ni ... ni ... se traduit par : *weder ... noch ...* pour mettre en corrélation :

● des éléments de la proposition :

Weder seine Mutter **noch** sein Vater wußten es.
Ni sa mère ni son père ne le savaient.

Sie hatte **weder** gegessen **noch** getrunken.
Elle n'avait ni mangé ni bu.

● des propositions entières (plus rarement) :

Die Eltern haben ihm **weder** bei den Hausaufgaben geholfen, **noch** haben sie ihm geraten, einen Freund anzurufen.
Les parents ne l'ont ni aidé à faire ses devoirs, ni ne lui ont conseillé d'appeler un ami.
Ses parents ne l'ont pas aidé à faire ses devoirs et ne lui ont pas non plus conseillé d'appeler un ami.

Dans ce cas, *noch* est précédé d'une virgule.

Remarque :

● La répétition des ni ... se rend par : *weder ..., weder ..., weder ... noch* (noter la place des virgules) !

2. Ou (bien) ... ou (bien) ..., soit ... soit se traduit par : *entweder ... oder ...* pour mettre en corrélation :

● des éléments de la proposition :

Ich komme **entweder** mit meinem Vater **oder** mit meinem Bruder.
Je viendrai soit avec mon père soit avec mon frère.

● des propositions entières :

Entweder kommst du (*ou :* du kommst) jetzt mit mir, **oder** ich lasse dich allein.
Ou bien tu viens avec moi, ou bien je te laisse seul.

Remarques :

● noter l'absence de virgule dans le premier exemple et la virgule obligatoire dans le deuxième.

● noter la place du verbe dans le deuxième exemple.

EXERCICE

Traduisez en allemand :
1. Ou bien je reste à Paris, ou bien je pars en Allemagne.
2. Je n'ai vu ni son père ni sa mère.
3. Ils n'ont ni chien, ni chat, ni oiseaux.
4. Je m'achèterai soit un livre soit un disque.
5. Je n'ai visité ni le musée ni l'église.
6. Ou bien je lui achète des livres, ou bien je lui donne de l'argent.

251 Weit ... entfernt (von), weit ... von, weit

Ces expressions correspondent à «être loin de», «être éloigné», «être à une certaine distance de».

1. *Weit ... entfernt von* = «être loin de».

> Wohnst du **weit vom** Stadtinneren **entfernt?**
> *Est-ce que tu habites loin du centre ville?*

● *Weit* est facultatif lorsqu'une indication de distance est donnée :

> Das Dorf liegt 5 **Kilometer (weit) von hier entfernt.**
> *Le village est à 5 km d'ici.*

● La question pour connaître une distance est introduite par «wie» :

wie weit .... von ... entfernt : «à quelle distance est...?»

> **Wie weit** ist der Bahnhof **von** hier **entfernt?**
> *A quelle distance d'ici est la gare?*

2. *Weit ... von* peut s'employer sans *entfernt* lorsqu'une indication de lieu est donnée.

> **Wie weit** ist es **von** hier zur Post?
> *Quelle est la distance d'ici au bureau de poste?*
> Es ist nicht **weit von** hier.
> *Ce n'est pas loin d'ici.*

3. *Weit.*

● *weit* signifie «loin» :

> Ist **es** noch **weit?** ou **Wie weit** ist es noch?
> *Est-ce encore loin?*
> Jetzt ist **es** nicht mehr sehr **weit.**
> *Ce n'est plus très loin maintenant.*

● *weit* demande un complément à l'accusatif :

> Es ist noch ein**en** Kilometer **weit.**
> *C'est encore à un kilomètre.*

EXERCICE

Traduisez en allemand :

1. Ils habitent à une heure de voiture de chez leurs parents (die Autostunde).
2. Berlin est à 1 000 km de Paris.
3. A quelle distance d'ici est l'aéroport?
4. Est-ce que le château est loin de l'autoroute?
5. Mes grands-parents habitent loin de la ville.
6. Le prochain village n'est pas très éloigné d'ici.

252 Welch- ou was für?

1. Comme déterminatif dans un groupe nominal :
quel + nom...?

● « quel » au sens de : « lequel » parmi un ensemble d'éléments ? se traduit par *welch-* :

> **Welches** Auto meinst du? Das auf dem Bürgersteig?
> *De quelle voiture parles-tu? De celle qui est garée sur le trottoir?*

● « quel » au sens de : « quelle sorte de...? » se traduit par *was für* + groupe nominal (avec *ein* au singulier et sans déterminant au pluriel) :

> **Was für** ein Auto hat er gekauft? Einen Mercedes?
> *Quelle voiture a-t-il acheté? Une Mercédès?*
> **Was für** Bücher hast du mitgebracht? Krimis?
> *Quel genre de livres as-tu apportés? Des romans policiers?*

Attention!
Particularité morphologique :

Dans *was für, für* n'est pas une préposition; donc le cas du groupe nominal qui suit *was für* dépend de sa fonction dans la proposition et non de ce *für* :

> Mit **was für** einem Flugzeug ist er nach Düsseldorf geflogen? (*et non* : mit was für ein...).
> *Quel type d'avion a-t-il pris pour aller à Düsseldorf?*

● Particularité syntaxique :
Avec *was für,* une deuxième construction est possible :

> **Was** hat er **für** ein Auto? *à côté de* : **Was für** ein Auto hat er?

2. Comme pronom interrogatif : lequel...?
Dans le cas du pronom interrogatif, la distinction de sens entre *welch-* et *was für* est la même que précédemment :

> Sie hat zwei Töchter. Mit **welcher** ist sie spazieren gegangen?
> *Elle a deux filles. Avec laquelle est-elle allée se promener?*

Mais attention aux particularités d'emploi de *was für,* qui interroge sur l'espèce, le genre, la race...

> Peter hat sich einen Hund gekauft. — **Was für** einen?
> *Pierre s'est acheté un chien. — De quelle race?*
> Er hat viele Bäume in seinem Garten. — **Was für** Bäume? (reprise du nom obligatoire au pluriel; en Allemagne du nord, on entend : Was für welche?)
> *Il a beaucoup d'arbres dans son jardin. — Quelles sortes d'arbres?*

Traduisez en allemand les phrases qui ne sont pas entre parenthèses.

1. Quels livres préfères-tu ? (les romans, les récits d'aventure ou les bandes dessinées ?).
2. (Voici trois chemises.) Laquelle veux-tu acheter à ton père ?
3. Dans quel pays roule-t-on à gauche ?
4. Dans quel genre de bateau as-tu passé la nuit ? (dans un voilier ou un bateau à moteur ?)
5. (J'ai acheté une machine à écrire.) Une machine de quel type ? (électrique ou électronique ?)

253 **Wenn** ou **ob** ?

Les confusions des francophones entre *wenn* et *ob* s'expliquent par le fait que ces deux conjonctions de subordination peuvent se traduire par « si ».

Mais :

● *wenn* = « si » conditionnel (voir n° 63)
● *ob* = « si » de l'interrogation indirecte (voir n° 123).

> **Wenn** er Geld hätte, würde er sich einen Computer kaufen.
> *S'il avait de l'argent, il s'achèterait un ordinateur.*

> Ich frage mich, **ob** er wirklich krank ist.
> *Je me demande s'il est vraiment malade.*

L'interrogative indirecte introduite par *ob* peut parfois se trouver en tête de proposition

● comme complément du verbe avec une reprise par le démonstratif *das* :

> **Ob er heute zu Hause ist,** das frage ich mich.
> *S'il est à la maison aujourd'hui, ça je me le demande.*

● comme sujet du verbe de la proposition :

> **Ob er morgen kommen wird,** ist fraglich.
> *Quant à savoir s'il viendra demain, ce n'est pas sûr.*

Introduisez wenn *ou* ob *dans les phrases suivantes.*

1. Frag ihn doch,... er mit dem Zug kommt oder mit dem Auto.
2. ... du willst, kannst du bei mir schlafen.
3. ... er am Sonntag zu Hause bleibt, ist noch nicht sicher.
4. Weißt du,... in Deutschland die Geschwindigkeit begrenzt ist ?
5. Ich weiß nicht,... er zufrieden gewesen wäre,... ich ihm dieses Buch geschenkt hätte.

Traduisez en allemand :

1. Je me demande s'il habite encore en France.
2. Si tu t'en vas, n'oublie pas de fermer la porte.
3. Je te donnerai le cadeau si tu viens me voir.
4. Il ne sait pas s'il a réussi à son examen (sein Examen bestehen).
5. Crois-tu que la représentation (die Aufführung) aura lieu (stattfinden) s'il pleut ?

254 Wenn ou wann ?

Il ne faut pas confondre *wenn* et *wann*, même si en français ils peuvent se traduire l'un et l'autre par « quand » :

1. *Wenn,* en dehors de son emploi conditionnel (voir n° 63), a aussi un sens temporel (voir n° 16) ; il signifie alors « quand » au sens de « chaque fois que » et introduit une subordonnée temporelle.

Wenn Hans Geige spielt, fängt der Hund an zu bellen.
Quand (= chaque fois que) Jean joue du violon, le chien se met à aboyer.

2. *Wann* signifie « quand » au sens de « au moment où, à n'importe quel moment que », dans les interrogations directes, indirectes et certaines subordonnées temporelles.

Wann kommt er ?
Quand vient-il ?

Ich frage mich, **wann** er mit seiner Arbeit fertig ist.
Je me demande quand il aura fini son travail.

Du kannst kommen, **wann** du willst.
Tu peux venir quand tu veux.

EXERCICE

Traduisez en allemand :
1. Quand il neige (schneien), les enfants sont contents.
2. Sais-tu quand le film commence ?
3. Quand as-tu écrit la lettre ?
4. Quand il est en Angleterre, on le prend pour un allemand.
5. Quand reviens-tu ?

255 Wissen, können, kennen

1. *Wissen* indique un savoir, des connaissances.
Il se construit avec l'accusatif, avec *über* + acc. ou *von* + dat. et avec des subordonnées. *Wissen* est fréquemment employé en relation avec *Bescheid* et prend alors, selon les prépositions, le sens de « être au courant de » ou de « s'y connaître ». (Pour les formes cf. A 11.)

● *Etw.* (acc.) *wissen* = « savoir qqch. » ;

Weißt du schon das Neueste ?
Connais-tu déjà la dernière nouvelle ?

Ich **weiß** es aus Erfahrung.
Je le sais d'expérience.

Weißt du deine Vokabeln ?
Est-ce que tu sais ton vocabulaire ?

Soviel ich **weiß,** hat er kein Telephon.
Autant que je sache, il n'a pas le téléphone.

● *etw. über etw.* (acc.) *wissen* ou *von etw.* (dat.) *wissen* = « savoir de ».

> Was **weißt** du **über** die Schlacht (ou : **von** der Schlacht) bei Waterloo ?
> *Qu'est-ce que tu sais de la bataille de Waterloo ?*
> Ich **weiß** nichts **darüber** (ou **davon**).
> *Je n'en sais rien.*

● *wissen* + subordonnée :

— *wissen, daß...* = « savoir que... »
> Ich **weiß, daß** ich nichts weiß.
> *Je sais que je ne sais rien.*

— *wissen, ob* = « savoir si » ;
> **Weißt** du, **ob** er einen Fernseher hat ?
> *Sais-tu s'il possède un téléviseur ?*

— *nicht wissen, ob* = « ne pas savoir si » ;
> Ich **weiß nicht, ob** er zu Hause ist.
> *Je ne sais pas s'il est chez lui.*

— *wissen* + interrogatif en *w-* (interrogation partielle) : *wer, was, wie, wieviel...* etc. = « savoir qui/ce que/comment/combien... » (etc.).

> **Weißt** du, **wer** angerufen hat ?
> *Sais-tu qui a appelé ?*
> **Wissen** Sie, **wie** man zum Bahnhof kommt ?
> *Savez-vous comment on va à la gare ?*
> Ich **weiß** nicht, **was** ich tun soll.
> *Je ne sais pas que faire*
> *(Je ne sais pas ce que je dois faire.)*
> **Wißt** ihr, **wieviel** das Buch kostet ?
> *Savez-vous combien coûte ce livre ?*

● *über etw.* (acc.) *Bescheid wissen* = « être au courant de qqch. » ; « en être informé » ; « avoir connaissance de » ;

> Ich **weiß über** seine Pläne nicht **Bescheid.**
> *Je ne suis pas au courant de ses plans.*

● *in etw.* (dat.) *Bescheid wissen* = *« s'y connaître »* ;

> **In** Geschichte **weiß** er gut **Bescheid.**
> *Il s'y connaît bien en histoire.*

2. *Können* indique un savoir-faire, la capacité ou la possibilité de faire qqch.
Il peut remplacer *dürfen* pour demander ou accorder une permission. *Können* est également employé pour l'expression d'une probabilité (voir aussi n° 131).

● *können* = « savoir faire qqch. » ; « avoir la capacité physique ou intellectuelle de faire qqch. » ;

Sie kann gut Klavier spielen.
Elle sait bien jouer du piano.

Sie konnte mit einem Jahr laufen.
Elle marchait à un an.

Kannst du Russisch?
Sais-tu le russe?

Kannst du dein Gedicht?
Sais-tu ton poème?

● *können* = « pouvoir » ; possibilité donnée selon les circonstances.

Heute nacht habe ich nicht schlafen **können**.
Cette nuit, je n'ai pas pu dormir.

Schade, ich **kann** nicht kommen.
C'est dommage, je ne peux pas venir.

Da **kann** man nichts machen.
On n'y peut rien.

● *können* = « pouvoir ». Pour demander à qqn. de faire qqch., on peut utiliser les formes de l'indicatif ou celles du subjonctif II, *könnte*.

Kannst du mir helfen?   **Könnte** ich einen Kaffee haben?
Peux-tu m'aider?   *Pourrais-je avoir du café?*

● *können* = « avoir le droit ». Pour exprimer une demande polie, on l'emploie également sous la forme du subjonctif II, *könnte*.

Kann (= darf ich) ich heute abend länger aufbleiben?
Est-ce que je peux rester debout plus longtemps ce soir?

Ja, das **kannst** (= darfst) du.
Oui, tu le peux.

Könnte (= dürfte) ich mal dein Auto benutzen?
Est-ce que je pourrais utiliser ta voiture?

● *können* = « Il se peut que », « Il se pourrait que ». *Können* à l'indicatif présent ou au subjonctif II peut être employé pour exprimer une probabilité plus ou moins forte. Dans ce sens, il est souvent renforcé par *wohl*. Il se construit avec l'infinitif présent ou l'infinitif passé.

Das **kann wohl** sein.   Du **könntest (wohl)** recht haben.
Cela se peut bien.   *Il se pourrait bien que tu aies raison.*

Contrairement au français, ce *« können »* ne se met pas à un temps composé.

Ich **kann** mich **geirrt haben**.
J'ai pu me tromper.
(= Il se peut que je me sois trompé.)

315

3. *Kennen* indique une connaissance obtenue par l'observation, l'expérience ou les études.

Il s'emploie également avec quelques abstraits comme *Angst, Furcht, Gnade, Mitleid, Maß.*

● *Jmn., etw.* (acc.) *kennen* = « connaître qqn., qqch. » ;

> Ich **kenne** hier niemanden.
> *Je ne connais personne ici.*
>
> **Kennst** du diese Beethoven-Sonate?
> *Connais-tu cette sonate de Beethoven?*
>
> Ich **kenne** ihn vom Sehen.
> *Je le connais de vue.*
>
> Ich **kenne** diese Gegend nicht.
> *Je ne connais pas cette région.*

● *sich* (acc.) *kennen* = « se connaître ».

> Wir **kennen uns** seit langem.
> *Nous nous connaissons depuis longtemps.*

● *jmn.* (acc.) *kennenlernen* = « faire la connaissance de qqn. ».

> Er hat sie in Rom **kennengelernt**.
> *Il a fait sa connaissance à Rome.*

● *sich in etw.* (dat.) *auskennen* (= in etw. Bescheid wissen) = « s'y connaître ».

> Ich **kenne mich** in dieser Stadt gut **aus**.
> *Je connais bien cette ville.*

EXERCICES

Complétez par wissen, können *ou* kennen *à la forme adéquate :*

1. ... du dich in Informatik...?
2. Sie ... keinen Ausweg mehr.
3. Er ... ausgezeichnet Ski laufen.
4. In dieser Stadt ... ich gut....
5. ... du seinen Großvater?
6. ... ich heute meine Freunde einladen?
7. ... ihr, ob alle benachrichtigt sind?
8. ... (subj. II) ich Sie einen Augenblick sprechen?
9. Wie ... (prétérit) du das tun!
10. Er ... (prés.) verreist sein, er ... (subj. II) aber auch umgezogen sein.

Traduisez en allemand :

1. Je ne peux pas me lever.
2. Elle ne sait pas nager.
3. Pourrais-je avoir un kilo de pommes?
4. Elle s'y connaît en géographie (2 possibilités).
5. Sais-tu comment il s'appelle?
6. Il se peut qu'il soit malade.
7. Je n'ai pas pu le savoir.
8. J'ai fait sa connaissance l'an dernier.
9. Es-tu au courant des dernières nouvelles?
10. Il ne connaît pas la peur.

256 Wollen : emplois

Pour la conjugaison de *wollen* voir A 11.

Pour l'expression du futur immédiat et du passé récent voir n° 242/2.

1. Sens de «vouloir», expression de la volonté.

> Er **will** nichts essen.
> *Il ne veut rien manger.*
>
> Er **will** unbedingt, daß ich mit ihm spazieren gehe.
> *Il veut absolument que j'aille me promener avec lui.*

2. Sens de «prétendre», «vouloir faire croire» (souvent avec l'infinitif passé).

> Er **will** das nicht geschrieben haben. (= Er behauptet, daß er das nicht geschrieben hat).
> *Il prétend n'avoir pas écrit cela.*

EXERCICE

Traduisez en allemand :

1. Je veux rester à la maison ce soir.
2. Elle prétend n'avoir que 30 ans.
3. Il veut que je l'accompagne jusqu'à la gare.
4. Veux-tu y aller à ma place ?

---

257 Comment traduire «y» (pronom) ?

1. *Dort,* pour le pronom exprimant la localisation (locatif) :

> Ich kenne gut Hamburg; ich bin **dort** geboren.
> *Je connais bien Hambourg; j'y suis né.*

2. *Dorthin ou hin,* ou les composés avec *hin* (*hinab, hinauf...* selon le sens) pour le pronom exprimant le directionnel :

> Das Geschäft ist bald zu; soll ich dich **hin**fahren?
> *Le magasin ferme bientôt; dois-je t'y amener en voiture ?*
>
> Ich steige auf das Dach. — Soll ich auch **hinauf**steigen?
> *Je monte sur le toit. — Dois-je y monter moi aussi ?*

3. *Da* + préposition selon la rection du verbe ou de l'adjectif :

> Er hat sich **daran** gewöhnt.
> *Il s'y est habitué.*
>
> Er hat **darauf** angespielt.
> *Il y a fait allusion.*
>
> Er ist **dazu** entschlossen.
> *Il y est décidé.*

4. *Es* dans certaines expressions :

> Er hat **es** geschafft.
> *Il y est arrivé.*

EXERCICE ──────────────

Introduisez l'équivalent allemand de « Y ».

1. ... bin ich schon einmal gewesen.
2. Hast du morgen Schule? Gehst du ...?
3. Es ist zu teuer; ich muß ... verzichten.
4. Er hat dir doch einen Brief geschickt; hast du schon ... geantwortet?
5. Morgen veranstalten wir ein Fußballspiel; willst du ... teilnehmen?

258 Zahlen, zählen, rechnen

Ne confondez pas :

1. *Zahlen* = *bezahlen* = payer.

> Herr Ober, ich möchte **zahlen**!
> *Garçon, l'addition! (= littéralement : je voudrais payer).*
> Der Kunde kann nicht **zahlen**.
> *Le client ne peut pas payer.*

2. *Zählen* = compter

● faire les comptes :

> Er **zählt** sein Geld.
> *Il compte son argent.*
> Er kann bis 3 **zählen**.
> *Il sait compter jusqu'à 3.*

● comporter :

> Das Dorf **zählt** 300 Einwohner.
> *Le village compte 300 habitants.*

● faire partie :

> Ich **zähle zu** seinen Freunden.
> *Je compte parmi ses amis.*

● avoir une valeur :

> Das **zählt** nicht.
> *Cela ne compte pas.*

● faire confiance à :

> Ich **zähle auf** dich.
> *Je compte sur toi.*

3. *Rechnen* = compter

● calculer :

> **Er kann gut rechnen.**
> *Il est bon en calcul (= il sait bien calculer).*

● faire partie :

> **Ich rechne ihn zu meinen Freunden.**
> *Je le compte parmi mes amis.*

● compter sur :

> **Ich rechne auf dich.**
> *Je compte sur toi (= que tu viennes).*

● s'attendre à ce que :

> **Ich rechne damit,** daß heute abend alle kommen.
> *Je m'attends à ce que ce soir tout le monde vienne.*

EXERCICE

Insérez l'un des trois verbes selon le sens.

1. Die Kinder ... die Tage bis Weihnachten.
2. Mit welchem Geld willst du das...?
3. Für morgen abend ... ich auf deine Freunde.
4. Was habe ich zu ...?
5. Ich ... zwei Stunden bis Hamburg.
6. Hast du die Kinder ...?
7. Wie soll ich das Kleid ...?

259 Zeit, Stunde, Uhr

1. *Die Zeit*

● « le temps qui passe » (ne pas confondre avec *das Wetter* = « le temps qu'il fait » !)

> **Ich habe keine Zeit.**
> *Je n'ai pas le temps.*

● « l'heure » au sens de « moment précis, défini ».

> **Hast du die genaue Zeit?** **Es ist Abendbrotzeit**
> *As-tu l'heure exacte?* *C'est l'heure du dîner.*

2. *Die Stunde* = « l'heure », correspond à un espace de temps (la durée).

> **Eine Stunde** hat sechzig Minuten.
> *Une heure a soixante minutes.*

> **eine Viertelstunde** **eine halbe Stunde**
> *un quart d'heure* *une demi-heure*

eine Dreiviertelstunde
trois quarts d'heure

Er kommt in einer **Dreiviertelstunde.**
ou in **drei Viertelstunden**
Il vient dans trois quarts d'heure.

Notez :
Stunde se met au pluriel à partir d'une heure et demie :

anderthalb Stunden   **zwei Stunden**
une heure et demie   *deux heures*

Er blieb nur **anderthalb Stunden.**
Il ne resta qu'une heure et demie.

3. *Die Uhr* = « l'heure » (également « l'horloge », « la montre »), correspond à un point précis de la journée par référence à une horloge.

Wieviel Uhr ist es?   **Es ist sieben Uhr.**
Wie spät ist es?   *Il est sept heures.*
Quelle heure est-il?

● Indication de l'heure dans la langue courante :

- Les <u>quarts d'heure</u> et la <u>demi-heure</u> sont comptés par rapport à l'heure qui vient (pour le quart on peut aussi se référer à l'heure passée) :

Es ist **viertel acht** (Uhr).
ou : Es ist **Viertel nach sieben.**
Il est 7 h un quart.

Es ist **halb acht** (Uhr).
Il est 7 h et demie.

Es ist **dreiviertel acht** (Uhr).
ou : Es ist **Viertel vor acht.**
Il est 8 h moins le quart.

- Pour les <u>minutes</u>, on compte la première demi-heure par rapport à l'heure passée :

Es ist **fünf** (Minuten) **nach sieben** (Uhr). *Il est 7 h 5.*
Es ist **zehn** (Minuten) **nach sieben** (Uhr). *Il est 7 h 10.*
Es ist **zwanzig** (Minuten) **nach sieben** (Uhr). *Il est 7 h 20.*

- La deuxième demi-heure est comptée en se référant à l'heure qui vient :

Es ist **zwanzig** (Minuten) **vor acht** (Uhr). *Il est 8 h moins 20.*
Es ist **zehn** (Minuten) **vor acht** (Uhr). *Il est 8 h moins 10.*
Es ist **fünf** (Minuten) **vor acht** (Uhr). *Il est 8 h moins 5.*

- Cependant, pour les minutes autour de la demi-heure, par ex. entre 7 h 20 et 7 h 40, on se réfère généralement à la demie :

Es ist **zehn** (Minuten) **vor halb acht** (Uhr). *Il est 7 h 20.*
Es ist **fünf** (Minuten) **vor halb acht** (Uhr). *Il est 7 h 25.*
Es ist **fünf** (Minuten) **nach halb acht** (Uhr). *Il est 7 h 35.*
Es ist **zehn** (Minuten) **nach halb acht** (Uhr). *Il est 7 h 40.*

● Indication de l'heure à la radio, à la télévision et dans les gares :

Es ist **19 Uhr 30** (neunzehn Uhr dreißig). *Il est 19 h 30.*
Der Zug fährt **um 6 Uhr 57** (sechs Uhr siebenundfünfzig) ab.
Le train part à 6 h 57.

● Prépositions :
La préposition utilisée pour l'heure précise est *um* :

Um wieviel Uhr kommt sie?   Sie kommt **um** drei Uhr.
A quelle heure vient-elle ?   *Elle vient à trois heures.*

La préposition utilisée pour l'heure approximative est *gegen* :

Ich habe sie **gegen** 5 Uhr getroffen.
Je l'ai rencontrée vers 5 heures.

Expressions

kurz vor + GN	**kurz nach** + GN	**kurz vorher**	**kurz darauf**
peu avant + GN	*peu après* + GN	*peu de temps auparavant*	*peu après*

Es läutete **kurz vor** Mitternacht.
On sonna peu avant minuit.

Kurz nach 12 Uhr gab es ein Gewitter.
Peu après midi, il y eut un orage.

EXERCICE

Traduisez en allemand :

1. Veux-tu rester une demi-heure de plus? C'est l'heure du goûter (die Vesper).
2. Le train est parti à 15 h 45.
3. J'ai un rendez-vous (die Verabredung) à 5 heures et demie.
4. Il fut battu en un quart d'heure.
5. Quelle heure est-il? — Il est 10 h moins 5.
6. Quelqu'un a appelé peu avant 7 heures.
7. J'ai dû attendre une heure et demie chez le docteur.
8. A quelle heure t'es-tu couché? — Peu après minuit.
9. Il est venu à 9 heures moins le quart.
10. Il est reparti à 10 heures un quart.

260 Place de « zu » dans le groupe infinitif

Dans le groupe infinitif, *zu* se place :

● **immédiatement devant l'infinitif, même lorsque cet infinitif a des compléments :**

> Peter hat keine Lust **zu** arbeiten.
> *Pierre n'a pas envie de travailler.*
> Birgit hat keine Angst, über die Holzbrücke **zu** gehen.
> *Brigitte n'a pas peur de traverser le pont de bois.*

● **entre l'infinitif et les particules verbales accentuées** (y compris les éléments intégrés au verbe) ; particule, *zu* et infinitif sont alors graphiquement liés :

> Bist du froh weg**zu**fahren ?
> *Es-tu content de partir ?*
> Hast du Lust rad**zu**fahren ?
> *As-tu envie de faire du vélo ?*

EXERCICE

Traduisez en allemand :

1. As-tu envie d'aller au restaurant ?
2. J'ai peur de tomber par terre (hinfallen).
3. As-tu le temps de visiter (besichtigen) le musée (das Museum) ?
4. As-tu l'intention (die Absicht) d'aller en Allemagne ?
5. Je suis content de pouvoir me lever.

261 Présence ou absence de « zu » devant un infinitif ou un groupe infinitif

Certains verbes peuvent avoir un infinitif ou un groupe infinitif comme complément. L'infinitif est ou n'est pas précédé de *zu*.

1. Ne sont pas précédés de *zu* les infinitifs dépendants :

● des 6 verbes de modalité *können, dürfen, müssen, sollen, wollen, mögen.*

> Er darf ins Kino **gehen.**
> *Il peut (= a le droit) aller au cinéma.*

● du verbe *werden* (= futur)

> Ich werde trotzdem **kommen.**
> *Je viendrai quand même.*

● des verbes *hören* (entendre), *sehen* (voir), *fühlen* (sentir), *lassen* (laisser, faire), *lernen* (apprendre), *lehren* (enseigner).

> Ich höre ihn **kommen.**
> *Je l'entends venir.*

2. Sont précédés de *zu* les infinitifs dépendants :

● des autres verbes, et en particulier des verbes *glauben* (croire), *wissen* (savoir), qui n'entraînent ni « de » ni « à » en français.

> Er glaubt, intelligent **zu sein.**
> *Il croit être intelligent.*

● des verbes *haben* et *sein.*

> Er hat **zu gehorchen.**
> *Il doit obéir (litt. Il a à obéir).*
> Er hat etwas **zu verkaufen.**
> *Il a quelque chose à vendre.*
> Es ist **zu verkaufen.**
> *C'est à vendre.*

● des expressions telles que *Lust haben* (avoir envie), *Zeit haben* (avoir le temps), *froh sein* (être content)...

> Hast du Zeit, mit uns **zu kommen?**
> *As-tu le temps de venir avec nous?*

● L'usage hésite pour *helfen* (aider) et *heißen* (au sens de donner l'ordre); en principe, absence de *zu* si l'infinitif n'a pas de complément, présence de *zu* s'il en a :

> Ich helfe ihr **aufräumen.** Ich helfe ihm, das Gepäck **zu tragen.**
> *Je l'aide à débarrasser.*   *Je l'aide à porter les bagages.*

Pour *brauchen* voir n° 51.

EXERCICE ———————————————————————

Traduisez en allemand :
1. Cette voiture est-elle à vendre?
2. Il croit tout savoir.
3. Sait-il nager?

4. As-tu le temps de venir chez moi?
5. A-t-il peur de skier (Ski laufen)?
6. Aide la dame à traverser la rue!

---

262 Zwei, beide, doppelt

---

1. *Zwei* = deux.

● non décliné :

> die ersten **zwei**   viele Grüße von **zwei** alten Freunden
> *les deux premiers*   *meilleurs souvenirs de deux vieux amis*

> die Aussagen der **zwei** Zeugen
> *les dépositions des deux témoins*

● décliné (au génitif pluriel s'il n'est pas précédé d'un article).

> die Aussagen **zweier** Zeugen
> *les dépositions de deux témoins*

Lorsque *zweier* est suivi d'un adjectif, d'un adjectif ou d'un participe substantivés, ceux-ci prennent également la marque du déterminatif (type 2, voir n° 104).

> Er ist Vater **zweier** hübsch**er** Töchter.
> *Il est le père de deux jolies filles.*

> das Büro **zweier** Angestellter
> *le bureau de deux employés*

Expressions————————————

> **zu zweit** *à deux, par deux.*
>
> Sie machen die Aufgaben **zu zweit**.
> *Ils font leurs devoirs à deux.*
>
> Sie gehen immer **zu zweit**.
> *Ils vont toujours par deux.*

2. *Beide* = « les deux », « tous les deux », se réfère à deux personnes ou objets déjà connus.

● *beide* pronom :

> Ich habe **zwei** Brüder. **Beide** sind Arzt geworden.
> *J'ai deux frères. Ils sont devenus médecins tous les deux.*

● *beide* adjectif épithète :

> die beid**en** Kinder   beide Kinder
> *les deux enfants*   *les deux enfants*

> das Leben beid**er** Kinder
> *la vie des deux enfants*

● *beide* déterminatif :

L'adjectif, l'adjectif ou le participe substantivés placés après *beide* portent la marque *-en* (type 1, voir n° 104).

> **beide** klein**en** Kinder   **beide** Jugendlich**en**
> *les deux petits enfants*   *les deux adolescents*

> die Eltern **beider** Jugendlich**en**
> *les parents des deux adolescents*

Notez :

● *beide* précédé d'un pronom personnel porte la marque du déterminatif.
Lorsqu'il se réfère au sujet, il peut se placer à côté de celui-ci ou dans le groupe verbal.

> Er hat uns **beiden** geschrieben.   Ich denke an euch **beide**.
> *Il nous a écrit à tous deux.*   *Je pense à vous deux.*

> Wir **beide** sind allein.   Wir sind jetzt endlich **beide** allein.
> *Nous sommes seuls tous les deux.*   *Maintenant, nous sommes enfin seuls tous les deux.*

- *beides* = «les deux», pronom neutre, se réfère à deux objets ou deux événements différents.

> **Der Film oder die Oper? Beides** hat uns gefallen.
> *Le film ou l'opéra? Les deux m'ont plu.*

einer von beiden = «l'un des deux»
keiner von beiden = «aucun des deux»

> **Einer** (eine, eines) **von euch beiden** hat das Glas zerbrochen!
> *L'un de vous deux a cassé ce verre!*
> **Keiner** (keine, keines) **von uns beiden!**
> *Aucun de nous deux!*
> **Alle beide.**
> *Tous les deux.*

3. *Doppelt* = double, doublement; deux fois plus.

- *doppelt* = «double», à fonction d'adjectif.

> der **doppelte** Preis   in **doppelter** Ausfertigung
> *le double du prix*   *en double exemplaire*

- *doppelt so* + adj. + *wie* = «deux fois plus + adj. + que.

> **Dein Zimmer ist doppelt so** groß **wie** meins.
> *Ta chambre est deux fois plus grande que la mienne.*

- *doppelt soviel* + verbe + *wie* = «deux fois».

> **Er mußte doppelt soviel** bezahlen **wie wir.**
> *Par rapport à nous, il a dû payer le double.*

- *Doppel-* se trouve fréquemment comme déterminant dans des nom composés :

> **das Doppelbett**   **die Doppeltür**   **der Doppelmord**
> *les lits jumeaux*   *la double porte*   *le double meurtre*

EXERCICE

Traduisez en allemand :

1. Il est deux fois plus âgé que moi.
2. Meilleurs souvenirs de nous deux!
3. La double fenêtre est cassée.
4. L'expérience (der Versuch) des deux astronautes (Astronaut) américains...
5. Il me faut une facture en double exemplaire.
6. Il préfère faire du ski ou de la luge? Les deux (Ski laufen, Schlitten fahren).
7. On les voit toujours à deux.
8. Lequel de vous deux voudrait m'aider?

APPENDICES

1 Quelques « faux amis »

Les mots qui suivent ont une consonance proche d'un mot français. Ils ont ou bien un sens différent, ou bien également un autre sens que le mot français correspondant.

A

absolvieren :
ein Examen absolvieren = passer un examen avec succès
absoudre =
die Absolution erteilen (domaine religieux)
= *für straflos erklären* (domaine juridique)

der Adjutant (en) :
l'officier d'ordonnance, l'aide de camp
l'adjudant = der Feldwebel

der Akt(e) :
l'acte (pièce de théâtre), mais aussi : le nu (dessin, peinture...)

die Akte(n) :
un dossier

aktuell :
d'actualité, à l'ordre du jour
actuel = gegenwärtig, augenblicklich

die Ampel (n) :
les feux (de signalisation)
l'ampoule électrique = die elektrische Birne

der Antiquar (e) :
le marchand de livres d'occasion
l'antiquaire = der Antiquitätenhändler

das Atelier(s) :
l'atelier (d'un peintre), mais aussi : le studio (photo, film)
atelier (d'artisan) = die Werkstatt

der Automat (en) :
l'automate, mais aussi le distributeur automatique

B

die Bilanz :
le bilan (financier), mais aussi la balance (commerciale)

(sich)blamieren :
(se) rendre ridicule
blâmer = tadeln

C

der Christ (en) :
le chrétien
le Christ : Christus

D

die Daten :
les dates (pluriel de la date), mais aussi : les données (ordinateur) ou les caractéristiques (techniques)

die Diät :
le régime (alimentaire)
la diète complète =
die Hungerkur
la diète de l'Empire =
der Reichstag

der Dirigent(en) :
le chef d'orchestre
le dirigeant : der Leiter

die Dissertation(en) :
la thèse de doctorat
d'Université
la dissertation : der Aufsatz

der Dom(e) :
la cathédrale
le dôme = die Kuppel

E

der Etat :
le budget
l'état : der Zustand
l'Etat : der Staat

evangelisch :
protestant
évangélique = nach
(aus...) dem Evangelium

F

das Fagott(e) :
le basson
le fagot =
das Reisigbündel
(fagot de bois)

die Figur(en) :
la figure (géométrique...),
mais aussi : la pièce (jeu
d'échecs), la silhouette, le
personnage (de roman,
pièce de théâtre...)
la figure (visage) =
das Gesicht

die Filiale(n) :
la succursale
la filiale =
die Tochtergesellschaft

das Format(e) :
le format, mais aussi :
l'envergure (ein Mann von
Format)

die Fraktion(en) :
le groupe politique ou
parlementaire
la fraction (mathématique)
= der Bruch

G

die Garderobe :
la garde-robe, mais
aussi : le vestiaire

die Gondel(n) :
la gondole, mais aussi :
la nacelle (d'un ballon),
la cabine (d'un
téléphérique)

das Gymnasium (ien) :
le lycée
le gymnase = die Turnhalle

sich habilitieren :
passer sa thèse de
doctorat (l'habilitation)

der Humor :
l'humour
l'humeur = die Stimmung,
die Laune

I

immatrikulieren :
inscrire à l'Université
être immatriculé (voiture)
= zugelassen, angemel-
det sein

K

die Kamera (s) :
l'appareil de photo
la caméra =
die Filmkamera

die Kanalisation :
la canalisation, mais
aussi : les égouts

die Kapelle(n) :
la chapelle, mais aussi :
l'orchestre (de danse,
fanfare...)

die Karte(n) :
la carte, mais aussi :
ticket (train, bus...), billet
(théâtre...)

der Kavalier(e) :
homme galant
le cavalier = der Reiter

das Klavier(e) :
le piano
le clavier = die Klaviatur
ou Tastatur

der Koffer(-) :
la valise
le coffre (voiture) =
der Kofferraum

komisch
comique, mais aussi :
drôle, bizarre, curieux

der Kommandant (en) :
le commandant (d'une
région militaire...)
le commandant (grade
militaire) = der Major

der Kompaß(e) :
la boussole
le compas = der Zirkel

der Konkurs(e) :
la faillite
*le concours =
der Wettbewerb (sportif,
universitaire...)
= die Mitwirkung
(participation, aide...)*

das Konzert(e) :
le concert, mais aussi :
le concerto

das Kuvert(s) :
l'enveloppe (lettre)
*le couvert = das Gedeck
(table)*

L

der Leutnant(e) :
le sous-lieutenant
*le lieutenant = der Ober-
leutnant*

M

die Messe(n) :
la messe, mais aussi : la
foire

das Militär :
l'armée
le militaire = der Soldat

modisch :
à la mode
modique = niedrig (prix)

P

das Parkett :
le parquet, mais aussi :
l'orchestre (places de
théâtre)

das Parterre :
le rez-de-chaussée
*le parterre (de fleurs) =
das Blumenbeet*

der Paß ("e) :
le passeport, mais aussi :
le col (de montagne)

pausen :
décalquer
*faire une pause = eine
Pause machen*

die Phantasie :
l'imagination
*avoir de la fantaisie =
originelle Einfälle haben*

die Pille(n) :
la pilule
*la pile (lampe de poche) =
die Batterie (n)*

die Pistole(n) :
la pistole, mais aussi : le
pistolet

die Post :
la poste, mais aussi : le
courrier

der Praktikant(en) :
le stagiaire
*le pratiquant (religion) =
der Kirchgänger*

die Praxis :
la pratique, mais aussi :
le cabinet médical, la
clientèle médicale

das Protokoll(e) :
le protocole, mais aussi :
la contravention

Q

das Quartier(e) :
le quartier (militaire),
l'hébergement
*le quartier (ville) = das
Viertel*

R

die Rakete(n) :
la fusée
*la raquette (tennis) = der
Tennisschläger*

das Rezept(e) :
la recette (cuisine), mais
aussi : l'ordonnance
(médicale)

die Route(n) :
l'itinéraire
la route = die Straße

S

sortieren :
trier, classer
sortir = ausgehen

T

die Tablette(n) :
le cachet (médicament)
la tablette = das Brett

das Tablett(s) :
le plateau

der Tank :
le réservoir (voiture)
le tank (char) = der Panzerwagen

der Trakt(e) :
l'aile (d'un bâtiment)
le tract = das Flugblatt

der Tresor(e) :
le coffre-fort
le trésor = der Schatz

die Tresse(n) :
le galon (militaire)
la tresse = der Zopf

der Trupp(s) :
le groupe
la troupe = die Truppe

V

der Volontär(e) :
le stagiaire (non rétribué)
le volontaire = der Freiwillige

W

die Weste(n)
le gilet
la veste = die Jacke

Z

der Zylinder(-) :
le cylindre, mais aussi :
le haut-de-forme

2 Particularité orthographique : majuscule ou minuscule ?

En allemand, on emploie la majuscule selon trois critères.

1. Le degré de « substantivation ».

● Les noms propres prennent par définition, et comme en français, une majuscule :

> Peter und Heinrich sind da.
> *Pierre et Henri sont là.*

Prennent également une majuscule les adjectifs formés sur ces noms propres, lorsqu'ils qualifient une œuvre, une propriété... de ces noms propres, c'est-à-dire lorsqu'ils sont remplaçables par *von* + nom propre :

> die Schillerschen Dramen = *les drames schillériens (de Schiller)*
> die Mozartschen Opern = *les opéras mozartiens (de Mozart)*

mais : die platonische Liebe = *l'amour platonique*

Prennent aussi une majuscule les adjectifs invariables formés sur les noms de villes :

> die Pariser Mode : *la mode parisienne*

● Les noms communs prennent également une majuscule, contrairement au français :

> das Brot = *le pain*
> das Buch = *le livre*

Mais ceci ne concerne pas :

● les adverbes formés sur des noms communs :

> abends = *le soir (complément de temps)*
> morgens = *le matin (complément de temps)*

● certains noms qui forment des groupes verbaux avec des verbes :

> Er ist daran schuld (schuld sein) = *C'est de sa faute.*
> Nimmst du es ernst? (ernst nehmen) = *Tu le prends au sérieux?*
> Es tut mir leid (leid tun) = *Je regrette.*

Dans certains cas, ce nom est même attaché au verbe :

> radfahren = *faire de la bicyclette*

● certaines expressions à fonction prépositionnelle :

> in bezug auf = *se rapportant à*

Dans certains cas, il y a également soudure graphique :

> aufgrund = *en vertu de*
> anhand = *en se basant sur*

● les éléments substantivés : non seulement adjectifs substantivés (voir n° 11), participes substantivés (n° 174) et infinitifs substantivés (voir n° 118) mais aussi des éléments très divers comme les chiffres, les lettres, les pronoms...

der Fremde = *l'étranger*
der Angestellte = *l'employé*
das Lesen = *la lecture (le fait de lire)*
die Eins = *le numéro un*
das A = *la lettre a*
das Ich = *le moi*

Cependant, on ne **met pas** la majuscule dans les cas suivants :

● *der eine* : l'un ;
der andere : l'autre

● les adjectifs avec nom sous-entendu :

Zwei Schüler standen vor mir ; der erste weinte, der zweite (sous-entendu *Schüler*) lachte.
Deux élèves étaient debout devant moi, le premier pleurait, le deuxième riait.

● des adjectifs dans des expressions figées comme :

alt und jung = *les jeunes et les vieux*
arm und reich = *les riches et les pauvres*
im großen und ganzen = *en gros*

2. La ponctuation.

La seule différence importante avec le français concerne les deux points : en allemand, après deux points la phrase commence par une majuscule, sauf si ces deux points annoncent une énumération, un résumé...

Die Erklärung ist einfach : Es lag zu viel Schnee auf den Straßen.
L'explication est simple : il y avait trop de neige sur les routes.

Mais : Alle waren da : seine Mutter, sein Vater und seine zwei Brüder.
Tous étaient là : sa mère, son père et ses deux frères.

3. Les formules de politesse.

● Les pronoms (sauf *sich*) personnels, possessifs et les adjectifs possessifs prennent une majuscule dans les formes de politesse :

Wo arbeitet Ihr Sohn ?   Wann kann ich Sie anrufen ?
Où travaille votre fils ?   *Quand puis-je vous téléphoner ?*

● Dans les lettres, les mêmes pronoms prennent également une majuscule pour le tutoiement :

Ich danke Dir für Deinen Brief.
Je te remercie pour ta lettre.

La prononciation de l'allemand

1. Les signes phonétiques

● Voyelles (en syllabes accentuées)

Voyelles brèves :
[I] : ich, Mitte
[Y] : Müller
[U] : und, Mutter
[ɛ] : Erker, ätzen, Bett, Männer
[œ] : öffnen, können
[ɔ] : offen, Post
[ɑ] : alt, Hand

Voyelles longues :
[i:] : ihr, Bier, sie
[y:] : üben, Bühne
[u:] : Uhr, Huhn, Kuh
[e:] : Erde, beten, See

[ø:] : Öfen, Größe
[o:] : Ofen, groß, so
[ɛ:] : Ära, Bär
[ɑ:] : aber, brav, da

● Diphtongues :
[aI] : Ei, Bein, Blei
[aU] : aus, Haus
[ɔY] : Leute, läuten

● Consonnes :
[p] : Punkt, Rippe, Abt
[b] : blau, Rabe

[m] : Mutter, Kammer, Lamm
[t] : tanzen, Sitte, Lied
[d] : du, Lieder
[n] : nein, Tanne, dünn
[k] : kein, Rücken, Blick
[g] : gut, sagen
[ŋ] : singen, sinken, Ding
[f] : für, Affe, Brief, Vater

[v] : Wagen
[s] : Straße, Gras, küssen, Kuß
[z] : satt, Rose

[ʃ] : schön, Tasche, Tisch
[ç] : ich, streicheln
[j] : ja, Familie
[l] : lachen, fehlen, Knall
[h] : Hund
[r] : rund, Paris
[ɐ] : Tür

● Voyelles en syllabe inaccentuée :
[ə] : lieben
[ɐ] : Bäcker

2. L'accent dans les mots.
Les mots de l'allemand sont accentués selon leur nature :

● les mots simples d'origine allemande : 1re syllabe
'arbeiten, 'fühlen, das 'Eisen

● les mots dérivés : sur la syllabe accentuable du radical :
ver'kaufen, 'Achtung, die Er'ziehung

Mais le suffixe -*ei* est toujours accentué :

    die Büche'rei

● les mots composés : sur la syllabe accentuable du premier élément :

    die 'Eisenbahn, die Ver'kaufsbedingungen, 'aufstehen, der Philo'sophenweg

● les mots d'origine étrangère : selon le type de suffixe, souvent sur la dernière syllabe :

—*oph* : der Philo'soph	—*ent* : das Parla'ment
—*ist* : der Germa'nist	—*tät* : die Universi'tät
—*ur* : die Na'tur	—*ion* : die Na'tion
—*ie* : die Theo'rie	

souvent sur l'avant-dernière syllabe :

—*or* : der 'Doktor (pl. Dok'toren)	—*ierer* : der Hau'sierer
—*ie* : die Fa'milie	—*iner* : der Benedik'tiner
—*ose* : die Nar'kose	—*aner* : der Republi'kaner

parfois sur l'avant-avant dernière syllabe

—*iker* : der Po'litiker, der Mathe'matiker, der 'Chemiker

4   Liste des principaux homonymes

● De même origine mais de genre et de sens différents.

das Band (''er) : le ruban

der Erbe(n) : l'héritier
der Gefallen : la complaisance
der Gehalt(e) : la contenance
der Junge(n) : le jeune garçon

der Kaffee : le café (boisson)

der Schild(e) : le bouclier

der See(n) : le lac
das Steuer(-) : le volant
der Stift(e) : le crayon

der Band (''e) : le volume (livre)
das Erbe(-) : l'héritage
das Gefallen : le plaisir
das Gehalt(''er) : le salaire
das Junge(n) : le petit (animaux)
das Kaffee : le café (établissement)
das Schild(er) : la pancarte, l'enseigne
die See(n) : la mer
die Steuer(n) : l'impôt
das Stift(e) : l'hospice

● D'origine, de sens et de genre différents.

die Heide : la lande
der Kiefer(-) : la mâchoire
die Leiter(n) : l'échelle
die Mark : le mark
der Tau : la rosée
die Taube(n) : le pigeon
das Tor(e) : le portail

der Heide(n) : le païen
die Kiefer(n) : *le pin*
der Leiter(-) : le directeur
das Mark : la moëlle épinière
das Tau(e) : la corde
der Taube(n) : le sourd
der Tor(en) : le fou

Attention aux pluriels différents !

5 Liste des principaux homonymes au singulier, non homonymes au pluriel

Singulier	Pluriel
das Band le ruban le lien	*die Bänder* *die Bande*
die Bank la banque le banc	*die Banken* *die Bänke*
das Gesicht : le visage	*die Gesichter* *die Gesichte* : les visions (pluriel seulement)
der Rat le conseiller le conseil	*die Räte* *die Ratschläge*
der Stock la canne l'étage	*die Stöcke* *die Stockwerke* ou *Stock* comme unité de mesure (Das Haus ist drei Stock hoch : la maison est haute de trois étages)
der Strauß le bouquet l'autruche	*die Sträuße* *die Strauße*
das Wort le mot la parole	*die Wörter* *die Worte*

6 Pluriel des noms

Liste des principaux masculins avec pluriel en *-e* sans inflexion (alors qu'elle est possible).

der Abend : le soir
der Arm : le bras
der Apparat : l'appareil
der Beruf : la profession
der Besuch : la visite
der Dom : la cathédrale
der Erfolg : le succès
der Gehalt : le contenu
der Gemahl : l'époux
der Grad : le degré
der Gurt : la ceinture
der Huf : le sabot
der Hund : le chien

der Laut : le son
der Monat : le mois
der Mord : le meurtre
der Ort : le lieu
der Pfad : le sentier
der Pol : le pôle
der Punkt : le point
der Ruf : l'appel
der Schuh : la chaussure
der Stoff : l'étoffe
der Tag : le jour
der Versuch : l'essai

Liste des principaux masculins avec pluriel en -*(e)n*

der Dorn : l'épine
der Schmerz : la douleur
der See : le lac
der Staat : l'État
der Strahl : le rayon (lumineux)

Liste des principaux masculins avec pluriel en -̈

der Acker : le champ
der Apfel : la pomme
der Bogen : l'arc
der Bruder : le frère
der Faden : le fil
der Garten : le jardin
der Graben : le fossé
der Hafen : le port
der Hammer : le marteau
der Kasten : la boîte, le coffre

der Laden : le magasin
der Mangel : le défaut
der Mantel : le manteau
der Nagel : le clou
der Ofen : le poële
der Schaden : le dommage
der Schwager : le beau-frère
der Vater : le père
der Vogel : l'oiseau

Liste des principaux masculins avec pluriel en -̈*er*.

der Gott : le dieu
der Irrtum : l'erreur
der Mann : l'homme
der Mund : la bouche

der Rand : le bord
der Reichtum : la richesse
der Wald : la forêt
der Wurm : le ver

Liste des principaux neutres avec pluriel en -*e*

das Beet : le parterre (de fleurs)
das Bier : la bière
das Boot : le bateau
das Brot : le pain
das Ding : la chose
das Dutzend : la douzaine
das Fest : la fête
das Gift : le poison
das Haar : le(s) cheveu(x)
das Heft : le cahier
das Jahr : l'année

das Jahrhundert : le siècle
das Reh : le cerf
das Reich : l'empire
das Rohr : le tuyau
das Schaf : le mouton
das Schiff : le bateau
das Schwein : le porc
das Seil : la corde
das Spiel : le jeu
das Stück : le morceau
das Tier : l'animal
das Tor : le portail

das *Jahrzehnt* : la décennie
das *Kreuz* : la croix
das *Meer* : la mer
das *Netz* : le filet, le réseau
das *Paar* : la paire
das *Pferd* : le cheval
das *Recht* : le droit

das *Zelt* : la tente
das *Zeug* : la chose
das *Ziel* : le but
das *Weh* : le mal
les composés en *-werk*
les dérivés en *-sal, -nis, -bot*

Liste des principaux neutres avec pluriel en *-(e)n*

das *Auge* : l'œil
das *Bett* : le lit
das *Ende* : la fin
das *Hemd* : la chemise

das *Herz* : le cœur
das *Leid* : la souffrance
das *Ohr* : l'oreille

Liste des principaux masculins et neutres avec pluriel en *-s*

der *Bankier* : le banquier
der *Chef* : le chef
der *Klub* : le club

der *Park* : (aussi : *Parke*) :
le parc
der *Salon* : le salon
der *Scheck* (aussi : *Schecke*) :
le chèque
der *Streik* (aussi : *Streike*) :
la grève

das *Auto* : la voiture
das *Büro* : le bureau (pièce)
das *Café* : le café (établissement)
das *Hotel* : l'hôtel

das *Kino* : le cinéma
das *Photo* : la photographie

das *Sofa* : le sofa

Liste des principaux féminins avec pluriel en *-̈e*

die *Angst* : la peur
die *Axt* : la hache
die *Bank* : le banc
die *Brust* : la poitrine
die *Faust* : le poing
die *Frucht* : le fruit
die *Gans* : l'oie
die *Hand* : la main
die *Kraft* : la force
die *Kuh* : la vache
die *Kunst* : l'art
die *Laus* : le pou

die *Luft* : l'air
die *Macht* : la puissance
die *Maus* : la souris
die *Nacht* : la nuit
die *Naht* : la couture
die *Nuß* : la noix
die *Stadt* : la ville
die *Wand* : le mur
die *Wurst* : la saucisse

7   Les mots dérivés

Un grand nombre de préfixes et de suffixes permet de former des mots (verbes, adjectifs, noms, adverbes) à partir de bases simples. Voici les plus importants :

1. Verbes dérivés.

Il existe des verbes dérivés à l'aide de préverbes : voir n°ˢ 188-194.

2. Adjectifs dérivés.
Suffixes.

● à partir des noms :
-lich

	das Glück	→	**glücklich**
	le bonheur		*heureux*
	der Osten	→	**östlich**
-bar	*l'est*		*oriental*
	die Furcht	→	**furchtbar**
-haft	*la peur*		*terrible*
	der Vorteil	→	**vorteilhaft**
-isch	*l'avantage*		*avantageux*
	der Franzose	→	**französisch**
-ig	*le Français*		*français*
	die Freude	→	**freudig**
	la joie		*joyeux*

● à partir d'adjectifs :
-sam

	lang	→	**langsam**
-lich	*long*		*lent(ement)*
	klein	→	**kleinlich**
	petit		*mesquin*

● à partir d'adverbes :
-ig

| | heute | → | **heutig** |
| | *aujourd'hui* | | *d'aujourd'hui* |

- à partir de verbes :

-bar

> tragen → **tragbar**
> *porter* *portable*

Préfixe.

- *un-* permet de former, dans certains cas, des adjectifs de sens contraire :

> **unglücklich :** *malheureux*
> **unerreichbar :** *inaccessible*
> **unbekannt :** *inconnu*
> **ungerecht :** *injuste*

3. Noms dérivés à l'aide de suffixes.

- *-er :* noms d'agent

> **der Maler** (malen) : *le peintre (peindre)*

- *-in :* noms féminins

> **die Lehrerin** (der Lehrer) : *l'institutrice (l'instituteur)*

- *-chen* et *-lein :* diminutifs

> **das Häuschen** (das Haus) : *la maisonnette (la maison)*
> **das Fräulein** (die Frau) : *la demoiselle (la dame)*

- *-heit*

> **die Dummheit** (dumm) : *la bêtise (bête)*

- *-keit*

> **die Heiterkeit** (heiter) : *la gaieté (gai)*

- *-igkeit*

> **die Traurigkeit** (traurig) : *la tristesse (triste)*

- *-schaft*

> **die Wissenschaft** (wissen) : *la science (savoir)*

- *-tum*

> **der Reichtum** (reich) : *la richesse (riche)*

- *-nis*

> **die Kenntnis** (kennen) : *la connaissance (connaître)*

- *-ung*

> **die Überlegung** (überlegen) : *la réflexion (réfléchir)*

- *-ei, -erei*

> **die Bäckerei** (der Bäcker) : *la boulangerie (le boulanger)*

Il existe, d'autre part, des suffixes d'origine étrangère, comme par exemple : -*ismus* (*der Humanismus* : l'humanisme), -*iker* (*der Mathematiker* : le mathématicien), -*ist* (*der Germanist* : le germaniste), -*ent* (*der Student* : l'étudiant), -*eur* (*der Ingenieur* : l'ingénieur), -*or* (*der Sektor* : le secteur)...

Il faut donc apprendre à décomposer les mots dérivés pour retrouver le terme de base :

> die Undankbarkeit : *l'ingratitude*
> cf. **danken** : *remercier*

8 Principaux verbes forts

Remarques :

● Cette liste n'est pas exhaustive.

● Les traductions ne sont données qu'à titre indicatif ; elles peuvent être différentes selon les contextes.

● Un verbe simple a les mêmes formes qu'un verbe à particule accentuée (cf. *stehen-aufstehen*).

● Les verbes qui se conjuguent avec *sein,* ou avec *sein* et *haben* sont indiqués par la présence de ces verbes à côté du participe.

● L'infinitif de certains verbes est suivi des voyelles de la 2e et de la 3e personne du singulier de l'indicatif présent.

● On a donné les indications phonétiques uniquement dans les cas où la graphie ne permet pas de décider.

Mais attention !! Ne confondez pas :

● Les verbes faibles et les verbes forts qui ont le même infinitif (voir n° 243).

● Les verbes *bitten (a,e)* : demander, prier.
  bieten (o,o) : offrir
  beten (v. faible) : prier, faire sa prière.

● Les verbes de position faibles et forts (voir n° 245).

● *waschen,* laver et *wachsen,* grandir.

● *lügen,* mentir et *liegen,* être couché.

infinitif	prétérit	participe passé

B

backen (ä,ä), *cuire au four*	backte (buk)	gebacken
befehlen (ie,ie), *commander*	befahl	befohlen
beginnen, *commencer*	begann	begonnen
beißen, *mordre*	biß (I)	gebissen
biegen, *courber*	bog (o:)	gebogen
bieten, *offrir*	bot (o:)	geboten
binden, *lier*	band (a)	gebunden (U)
bitten, *prier, demander*	bat (a:)	gebeten
blasen (ä,ä), *souffler*	blies	geblasen
bleiben, *rester*	blieb	geblieben (ist)
braten (ä,ä), *rôtir*	briet	gebraten
brechen (i,i), *briser*	brach (a:)	gebrochen (ɔ)

D

dringen, *pénétrer*	drang (a)	gedrungen (U) (ist)

E

empfehlen (ie, ie), *recommander*	empfahl	empfohlen
erbleichen, *pâlir*	erblich (I)	erblichen (I) (ist)
erlöschen (i,i), *s'éteindre*	erlosch (ɔ)	erloschen (ɔ) (ist)
erschrecken (i,i), *s'effrayer*	erschrak (a:)	erschrocken (ist)
essen (i,i), *manger*	aß (a:)	gegessen

F

fahren (ä,ä), *aller (voiture...) conduire*	fuhr	gefahren (ist)
fallen (ä,ä), *tomber*	fiel	gefallen (ist)
fangen (ä,ä), *attraper*	fing	gefangen
finden, *trouver*	fand (a)	gefunden (U)
fliegen, *voler*	flog (o:)	geflogen (ist)
fliehen, *s'enfuir*	floh	geflohen (ist)
fließen, *couler*	floß (ɔ)	geflossen (ist)
fressen (i,i), *manger (animaux)*	fraß (a:)	gefressen
frieren, *geler*	fror (o:)	gefroren (ist/hat)

G

geben (i,i), *donner*	gab (a:)	gegeben
gehen, *aller*	ging	gegangen (ist)
gelingen, *réussir*	es gelang	gelungen (ist)
geschehen (ie,ie), *se produire*	geschah	geschehen (ist)
gewinnen, *gagner*	gewann	gewonnen
gießen, *verser*	goß (ɔ)	gegossen
gleichen, *ressembler*	glich (I)	geglichen (I)
gleiten, *glisser*	glitt	geglitten (ist)
graben (ä,ä), *creuser*	grub (u:)	gegraben
greifen, *saisir*	griff	gegriffen

H

halten (ä,ä), *tenir*	hielt	gehalten
hängen, *être suspendu*	hing	gehangen
heben, *lever*	hob (o:)	gehoben
heißen, *s'appeler*	hieß	geheißen
helfen (i,i), *aider*	half (a)	geholfen (ɔ)

343

K

klingen, *retentir*	klang	geklungen
kommen, *venir*	kam (a:)	gekommen (ist)
kriechen, *ramper*	kroch (ɔ)	gekrochen (ɔ) (ist)

L

laden (ä,ä), *charger*	lud (u:)	geladen
lassen (ä,ä), *laisser*	ließ	gelassen
laufen (äu,äu), *courir*	lief	gelaufen (ist)
leiden, *souffrir*	litt	gelitten
leihen, *prêter*	lieh	geliehen
lesen (ie,ie), *lire*	las (a:)	gelesen
liegen, *être couché*	lag (a:)	gelegen
lügen, *mentir*	log (o:)	gelogen

M

messen (i,i), *mesurer*	maß (a:)	gemessen

N

nehmen (i,i), *prendre*	nahm	genommen

P

pfeifen, *siffler*	pfiff	gepfiffen

R

raten (ä,ä), *conseiller*	riet	geraten
reiben, *frotter*	rieb	gerieben
reißen, *arracher*	riß (I)	gerissen
reiten, *aller à cheval*	ritt	geritten (ist-hat)
riechen, *sentir*	roch (ɔ)	gerochen (ɔ)
rufen, *appeler*	rief	gerufen

S

scheinen, *sembler, briller*	schien	geschienen
schelten (i,i), *gronder*	schalt (a)	gescholten (ɔ)
schieben, *pousser*	schob (o:)	geschoben (o:)
schießen, *tirer (arme)*	schoß (ɔ)	geschossen
schlafen (ä,ä), *dormir*	schlief	geschlafen
schlagen (ä,ä), *battre*	schlug (u:)	geschlagen
schließen, *fermer*	schloß (ɔ)	geschlossen
schmelzen (i,i), *fondre*	schmolz (ɔ)	geschmolzen (ɔ) (ist)
schneiden, *couper*	schnitt	geschnitten
schreiben, *écrire*	schrieb	geschrieben
schreien, *crier*	schrie	geschrien
schreiten, *marcher*	schritt	geschritten (ist)
schweigen, *se taire*	schwieg	geschwiegen
schwimmen, *nager*	schwamm	geschwommen (ist-hat)
schwören, *jurer*	schwor (o:)	geschworen
sehen (ie,ie), *voir*	sah	gesehen
singen, *chanter*	sang	gesungen
sinken, *s'enfoncer*	sank	gesunken (ist)
sitzen, *être assis*	saß (a:)	gesessen
sprechen (i,i), *parler*	sprach (a:)	gesprochen (ɔ)
springen, *sauter*	sprang	gesprungen (ist)
stechen (i,i), *piquer*	stach (a:)	gestochen (ɔ)
stehen, *être debout*	stand (a)	gestanden (a)
stehlen (ie,ie), *voler (voleur)*	stahl	gestohlen
steigen, *monter*	stieg	gestiegen (ist)
sterben (i,i), *mourir*	starb (a)	gestorben (ɔ) (ist)
stinken, *puer*	stank	gestunken
stoßen (ö,ö), *pousser*	stieß	gestoßen
streiten, *se battre*	stritt	gestritten

T

tragen (ä,ä), *porter*	trug (u:)	getragen
treffen (i,i), *rencontrer*	traf (a:)	getroffen
treten (i,i), *marcher*	trat (a:)	getreten (ist)
trinken, *boire*	trank	getrunken
tun, *faire*	tat (a:)	getan (a:)

V

vergessen (i,i), *oublier*	vergaß (a:)	vergessen
verlieren, *perdre*	verlor (o:)	verloren

W

wachsen (ä,ä), *grandir*	wuchs	gewachsen (ist)
waschen (ä,ä), *laver*	wusch	gewaschen
werfen (i,i), *jeter*	warf (a)	geworfen (ɔ)
wiegen, *peser*	wog (o:)	gewogen

Z

ziehen, *tirer*	zog (o:)	gezogen
zwingen, *contraindre*	zwang	gezwungen

9 Les verbes faibles irréguliers

Infinitif	Prétérit	Participe passé
brennen, *brûler*	brannte	gebrannt
bringen, *apporter*	brachte	gebracht
denken, *penser*	dachte	gedacht
kennen, *connaître*	kannte	gekannt
nennen, *nommer*	nannte	genannt
rennen, *courir*	rannte	gerannt (ist)
senden, *envoyer*	sandte, sendete	gesandt, gesendet
wenden, *tourner*	wandte, wendete	gewandt, gewendet

Remarques :

● Ne confondez pas : *bringen,* apporter et *brechen,* briser (*brachte* = prétérit de *bringen ! brach* = prétérit de *brechen !*).

● Pour *senden :* les formes *sendete, gesendet* sont utilisées pour la technique au sens d'émettre (ondes radio, télévision...), les formes *sandte, gesandt* et aussi *sendete, gesendet* au sens d'« envoyer ».

● Pour *wenden :* les formes *wandte, gewandt* sont surtout employées pour le réfléchi, « se tourner vers », dans les autres cas, on emploie plutôt *wendete, gewendet.*

10 Tableaux de conjugaison

Sein, *être*

INDICATIF PRESENT	PRETERIT	FUTUR
je suis, tu es...	*j'étais, tu étais...*	*Je serai, tu seras...*
ich bin	ich war	ich werde sein
du bist	du warst	du wirst sein
er es sie } ist	er es sie } war	er es sie } wird sein
wir sind	wir waren	wir werden sein
ihr seid	ihr wart	ihr werdet sein
sie sind	sie waren	sie werden sein

INDICATIF PARFAIT	PLUS-QUE-PARFAIT	FUTUR ANTERIEUR
j'ai été, tu as été...	*j'avais été, tu avais été...*	*j'aurai été, tu auras été...*
ich bin gewesen	ich war gewesen	ich werde gewesen sein
...	...	...

SUBJONCTIF I		
(PRESENT)	(PASSE)	(FUTUR)
ich sei	ich sei gewesen	ich werde sein
du sei(e)st	du sei(e)st gewesen	du werdest sein
er es sie } sei	er es sie } sei gewesen	er es sie } werde sein
wir seien	wir seien gewesen	wir werden sein
ihr seiet	ihr seiet gewesen	ihr werdet sein
sie seien	sie seien gewesen	sie werden sein

SUBJONCTIF I (FUTUR ANTERIEUR)

ich	werde	gewesen	sein
du	werdest	gewesen	sein
er es sie }	werde	gewesen	sein
wir	werden	gewesen	sein
ihr	werdet	gewesen	sein
sie	werden	gewesen	sein

SUBJONCTIF II			
HYPOTHETIQUE (A)	HYPOTHETIQUE (B)		IRREEL
Je serais, tu serais...			*j'aurais été*
ich wäre	ich würde sein		ich wäre gewesen
du wärest	du würdest sein		du wär(e)st gewesen
er	er		er
es } wäre	es } würde sein		es } wäre gewesen
sie	sie		sie
wir wären	wir würden sein		wir wären gewesen
ihr wär(e)t	ihr würdet sein		ihr wär(et) gewesen
sie wären	sie würden sein		sie wären gewesen

IMPERATIF
sois, soyez !
sei !
seid !

Haben, *avoir*

INDICATIF PRESENT	PRETERIT	FUTUR
j'ai, tu as...	*j'avais, tu avais...*	*j'aurai, tu auras...*
ich habe	ich hatte	ich werde haben
du hast	du hattest	du wirst haben
er	er	er
es } hat	es } hatte	es } wird haben
sie	sie	sie
wir haben	wir hatten	wir werden haben
ihr habt	ihr hattet	ihr werdet haben
sie haben	sie hatten	sie werden haben

INDICATIF PARFAIT	PLUS-QUE-PARFAIT	FUTUR ANTERIEUR
j'ai eu, tu as eu...	*j'avais eu, tu avais eu...*	*j'aurai eu, tu auras eu...*
ich habe gehabt	ich hatte gehabt	ich werde gehabt haben
...	...	...

SUBJONCTIF I

(PRESENT)		(PASSE)			(FUTUR)		
ich	habe	ich	habe	gehabt	ich	werde	haben
du	habest	du	habest	gehabt	du	werdest	haben
er es sie	habe	er es sie	habe	gehabt	er es sie	werde	haben
wir	haben	wir	haben	gehabt	wir	werden	haben
ihr	habet	ihr	habet	gehabt	ihr	werdet	haben
sie	haben	sie	haben	gehabt	sie	werden	haben

(FUTUR ANTERIEUR)

ich	werde	gehabt	haben
du	werdest	gehabt	haben
er es sie	werde	gehabt	haben
wir	werden	gehabt	haben
ihr	werdet	gehabt	haben
sie	werden	gehabt	haben

SUBJONCTIF II

HYPOTHETIQUE (A)		HYPOTHETIQUE (B)			IRREEL		
j'aurais, tu aurais...					*j'aurais eu, tu aurais eu...*		
ich	hätte	ich	würde	haben	ich	hätte	gehabt
du	hättest	du	würdest	haben	du	hättest .	gehabt
er es sie	hätte	er es sie	würde	haben	er es sie	hätte	gehabt
wir	hätten	wir	würden	haben	wir	hätten	gehabt
ihr	hättet	ihr	würdet	haben	ihr	hättet	gehabt
sie	hätten	sie	würden	haben	sie	hätten	gehabt

IMPERATIF

aie, ayez!

hab(e)!
habt!

Werden, *devenir*

INDICATIF PRESENT	PRETERIT	FUTUR
je deviens, tu deviens...	*je devenais, tu devenais...*	*je deviendrai,* *tu deviendras*
ich werde	ich wurde	ich werde werden
du wirst	du wurdest	du wirst werden
er es sie } wird	er es sie } wurde	er es sie } wird werden
wir werden	wir wurden	wir werden werden
ihr werdet	ihr wurdet	ihr werdet werden
sie werden	sie wurden	sie werden werden

INDICATIF PARFAIT	PLUS-QUE-PARFAIT	FUTUR ANTERIEUR
je suis devenu...	*j'étais devenu...*	*je serai devenu...*
ich bin geworden	ich war geworden	ich werde geworden sein
...	...	...

SUBJONCTIF I

(PRESENT)	(PASSE)	(FUTUR)
ich werde	ich sei geworden	ich werde werden
du werdest	du sei(e)st geworden	du werdest werden
er es sie } werde	er es sie } sei geworden	er es sie } werde werden
wir werden	wir seien geworden	wir werden werden
ihr werdet	ihr seiet geworden	ihr werdet werden
sie werden	sie seien geworden	sie werden werden

(FUTUR ANTERIEUR)
ich werde geworden sein
du werdest geworden sein
er es sie } werde geworden sein
wir werden geworden sein
ihr werdet geworden sein
sie werden geworden sein

SUBJONCTIF II HYPOTHETIQUE	IRREEL
je deviendrais, tu deviendrais...	*je serais devenu, tu serais devenu*

ich	würde	ich	wäre	geworden
du	würdest	du	wärest	geworden
er		er		
es }	würde	es }	wäre	geworden
sie		sie		
wir	würden	wir	wären	geworden
ihr	würdét	ihr	wär(e)t	geworden
sie	würden	sie	wären	geworden

IMPERATIF

deviens, devenez!

werde!
werdet!

---

11 La conjugaison des prétérito-présents

Modaux

INDICATIF PRESENT

	können	dürfen	müssen	sollen	wollen	mögen	wissen
ich	kann	darf	muß	soll	will	mag	weiß
du	kannst	darfst	mußt	sollst	willst	magst	weißt
er							
es }	kann	darf	muß	soll	will	mag	weiß
sie							
wir	können	dürfen	müssen	sollen	wollen	mögen	wissen
ihr	könnt	dürft	müßt	sollt	wollt	mögt	wißt
sie	können	dürfen	müssen	sollen	wollen	mögen	wissen

INDICATIF PRETERIT

ich konnte	durfte	mußte	sollte	wollte	mochte	wußte
...						

INDICATIF PARFAIT

ich habe gekonnt	gedurft	gemußt	gesollt	gewollt	gemocht	gewußt
...						

SUBJONCTIF I PRESENT

ich könne	dürfe	müsse	solle	wolle	möge	wisse
...						

SUBJONCTIF II HYPOTHETIQUE

ich könnte	dürfte	müßte	sollte	wollte	möchte	wüßte

Schlafen, *dormir*

INDICATIF PRESENT	PRETERIT	FUTUR
je dors, tu dors...	*je dormais, tu dormais...*	*je dormirai, tu dormiras...*

ich	schlafe	ich	schlief	ich	werde	schlafen
du	schläfst	du	schliefst	du	wirst	schlafen
er es sie	schläft	er es sie	schlief	er es sie	wird	schlafen
wir	schlafen	wir	schliefen	wir	werden	schlafen
ihr	schlaft	ihr	schlieft	ihr	werdet	schlafen
sie	schlafen	sie	schliefen	sie	werden	schlafen

INDICATIF PARFAIT	PLUS-QUE-PARFAIT	
j'ai dormi...	*j'avais dormi*	*j'aurai dormi*
ich habe geschlafen	ich hatte geschlafen	ich werde geschlafen haben
...	...	...

SUBJONCTIF I

(PRESENT)	(PASSE)	(FUTUR)

ich	schlafe	ich	habe	geschlafen	ich	werde	schlafen
du	schlafest	du	habest	geschlafen	du	werdest	schlafen
er es sie	schlafe	er es sie	habe	geschlafen	er es sie	werde	schlafen
wir	schlafen	wir	haben	geschlafen	wir	werden	schlafen
ihr	schlafet	ihr	habet	geschlafen	ihr	werdet	schlafen
sie	schlafen	sie	haben	geschlafen	sie	werden	schlafen

FUTUR ANTERIEUR

ich	werde	geschlafen	haben
du	werdest	geschlafen	haben
er es sie	werde	geschlafen	haben
wir	werden	geschlafen	haben
ihr	werdet	geschlafen	haben
sie	werden	geschlafen	haben

SUBJONCTIF II

HYPOTHETIQUE (A)	HYPOTHETIQUE (B)	IRREEL
je dormirais, *tu dormirais*		*j'aurais dormi,* *tu aurais dormi*

ich	schliefe	ich	würde	schlafen	ich	hätte	geschlafen
du	schliefest	du	würdest	schlafen	du	hättest	geschlafen
er		er			er		
es	} schliefe	es	} würde	schlafen	es	} hätte	geschlafen
sie		sie			sie		
wir	schliefen	wir	würden	schlafen	wir	hätten	geschlafen
ihr	schliefet	ihr	würdet	schlafen	ihr	hättet	geschlafen
sie	schliefen	sie	würden	schlafen	sie	hätten	geschlafen

IMPERATIF

dors, dormez!

schlaf(e)!
schlaft!

Schlagen, *battre (au passif)*

INDICATIF PRESENT		PRETERIT	
je suis battu...		*j'étais battu...*	
ich	werde geschlagen	ich	wurde geschlagen
du	wirst geschlagen	du	wurdest geschlagen
er es sie } wird geschlagen		er es sie } wurde geschlagen	
wir	werden geschlagen	wir	wurden geschlagen
ihr	werdet geschlagen	ihr	wurdet geschlagen
sie	werden geschlagen	sie	wurden geschlagen

FUTUR

je serai battu...

ich	werde geschlagen werden
du	wirst geschlagen werden
er es sie } wird geschlagen werden	
wir	werden geschlagen werden
ihr	werdet geschlagen werden
sie	werden geschlagen werden

INDICATIF PARFAIT	PLUS-QUE-PARFAIT	FUTUR ANTERIEUR
j'ai été battu...	*j'avais été battu...*	*j'aurai été battu...*
ich bin geschlagen worden	ich war geschlagen worden	ich werde geschlagen worden sein
...	...	...

SUBJONCTIF I

(PRESENT)		(PASSE)	
ich	werde geschlagen	ich	sei geschlagen worden
du	werdest geschlagen	du	sei(e)st geschlagen worden
er es sie } werde geschlagen		er es sie } sei geschlagen worden	
wir	werden geschlagen	wir	seien geschlagen worden
ihr	werdet geschlagen	ihr	seiet geschlagen worden
sie	werden geschlagen	sie	seien geschlagen worden

SUBJONCTIF I
(FUTUR)

ich	werde	geschlagen werden
du	werdest	geschlagen werden
er es sie	werde	geschlagen werden
wir	werden	geschlagen werden
ihr	werdet	geschlagen werden
sie	werden	geschlagen werden

SUBJONCTIF II HYPOTHETIQUE — IRREEL

je serais battu... — *j'aurais été battu...*

ich	würde	geschlagen	ich	wäre	geschlagen worden
du	würdest	geschlagen	du	wär(e)st	geschlagen worden
er es sie	würde	geschlagen	er es sie	wäre	geschlagen worden
wir	würden	geschlagen	wir	wären	geschlagen worden
ihr	würdet	geschlagen	ihr	wär(e)t	geschlagen worden
sie	würden	geschlagen	sie	wären	geschlagen worden

12 La rection des verbes

Les listes suivantes indiquent les principaux verbes dont la rection fait difficulté pour les francophones :

exemple : Ich habe ihm **(datif)** gratuliert. *Je l'***(accusatif)***ai félicité.*

ACCUSATIF

jmn. anreden :	s'adresser à qqn.
auslachen :	se moquer de qqn.
jmn./etw. brauchen :	avoir besoin de qqn./qqch.
jmn. fragen :	demander à qqn.
etw. genießen :	jouir de qqch.
jmn. etw. lehren :	enseigner qqch. à qqn.
jmn./etw. loswerden :	se débarrasser de qqn./qqch.
jmn. sprechen :	parler à qqn.
jmn. überleben :	survivre à qqn.
sich etw. überlegen :	réfléchir à qqch.
jmn. vermissen :	regretter l'absence de qqn.

DATIF

jmm./etw. ausweichen :	éviter qqn./qqch.
jmm. begegnen :	rencontrer qqn.
jmm. beistehen :	assister qqn.
jmm. danken :	remercier qqn.
jmm. dienen :	servir qqn., rendre service à qqn.
jmm. drohen :	menacer qqn.
jmm. folgen :	suivre qqn.
es gelingt mir :	je réussis à...
jmm. glauben :	croire qqn.
jmm. gratulieren :	féliciter qqn.
jmm. helfen :	aider qqn.
jmm. mißtrauen :	se méfier de qqn.
sich jmm./etw. nähern :	s'approcher de qqn./qqch.
jmm. nachgehen :	suivre qqn.
jmm. nachlaufen :	courir après qqn.
jmm. vertrauen :	avoir confiance en qqn.
jmm. widersprechen :	contredire qqn.
jmm./etw. zuhören :	écouter qqn./qqch.
jmm./etw. zusehen :	regarder qqn./qqch.
jmm. zustimmen :	approuver qqn.

GÉNITIF (emploi rare) — Remplacés le plus souvent par :

GÉNITIF (emploi rare)	Remplacés le plus souvent par :
sich einer Sache bedienen : se servir de qqch.	*etw. (acc.) benutzen*
sich einer Sache/Person bemächtigen : s'emparer de qqch./qqn.	*jmn. festnehmen ; etw. (acc.) erobern*
einer Person gedenken : se souvenir de qqn.	*an jmn. denken, sich an jmn. erinnern*
sich einer Person erbarmen : avoir pitié de qqn.	*mit jmm. Mitleid haben*

AN + ACCUSATIF

an jmn./etw. denken :	penser à qqn./qqch.
sich an jmn./etw. erinnern :	se rappeler qqn./qqch.
sich an jmn./etw. gewöhnen :	s'habituer à qqn./qqch.
an jmn./etw. glauben :	croire en qqn./qqch.
an jmn. liefern :	livrer à qqn.
sich an etw. machen :	se mettre à qqch. (travail...)
sich an jmn. richten :	s'adresser à qqn.
an jmn. schreiben :	écrire à qqn.
an jmn. senden, schicken :	envoyer à qqn.
an jmn. verkaufen :	vendre à qqn.

AN + DATIF

an etw. ändern :	changer à qqch.
an etw. arbeiten :	travailler à qqch.
an etw. erkranken :	tomber malade de qqch.
an etw./jmm. festhalten :	se cramponner à qqch./qqn.
es fehlt an etw. :	il manque qqch.
an jmm./etw. hängen :	tenir à qqn./qqch.
an etw. leiden :	souffrir de qqch.
sich an jmm./etw. rächen :	se venger de qqn./qqch.
an etw. sterben :	mourir de qqch.
an etw. teilnehmen :	participer à qqch.
an jmm./etw. zweifeln :	douter de qqn./qqch.

AUF + ACCUSATIF

auf etw. achten :	faire attention à qqch.
auf jmn./etw. achtgeben :	faire attention à qqn./qqch.
auf jmn./etw. anspielen :	faire allusion à qqn./qqch.
auf etw. antworten :	répondre à qqch.
auf etw./jmn. ankommen :	dépendre de qqch./qqn.
auf jmn./etw. aufpassen :	faire attention à qqn./qqch.
sich auf etw. beschränken :	se limiter à qqch.
auf jmn./etw. deuten :	montrer qqn./qqch.
auf jmn. folgen :	succéder à qqn.
sich auf etw. freuen :	se réjouir de qqch.
auf etw. gespannt sein :	être impatient de connaître qqch.
auf etw. hoffen :	espérer qqch.
auf etw. Lust haben :	avoir envie de qqch.
auf etw. reagieren :	réagir à qqch.
auf jmn./etw. schauen :	regarder qqn./qqch.
auf jmn./etw. stoßen :	heurter qqn./qqch.
sich auf jmn./etw. verlassen :	se fier à qqn./qqch.
auf etw. verzichten :	renoncer à qqch.
auf jmn./etw. warten :	attendre qqn./qqch.
auf jmn./etw. zählen :	compter sur qqn./qqch.
auf jmn./etw. zielen :	viser qqn./qqch.

AUF + DATIF

auf etw. beruhen :	provenir de qqch., être fondé sur

AUS + DATIF

aus jmm./etw. bestehen :	se composer de qqn./qqch.
aus etw. entstehen :	provenir de qqch.
sich aus etw. ergeben :	résulter de qqch.
aus etw. essen :	manger dans (assiette...)
aus etw. trinken :	boire dans... (verre...)
aus etw. schließen :	conclure de qqch.
sich aus jmm./etw. zusammensetzen :	se composer de qqn./qqch.

FÜR + ACCUSATIF

für etw. danken :	remercier de qqch.
für jmn./etw. gelten :	passer pour qqn./qqch.
für jmn./etw. halten :	tenir pour qqn./qqch.
sich für etw. interessieren :	s'intéresser à qqch.
für jmn. schwärmen :	raffoler de qqn.
für jmn./etw. sorgen :	s'occuper de qqch./qqn.
für jmn./etw. verantwortlich sein :	être responsable de qqn./qqch.

IN + ACCUSATIF

in etw. eingreifen :	intervenir dans qqch.
in etw. geraten :	tomber dans qqch., se mettre dans (un état...)
in etw. übersetzen :	traduire en (une langue)
sich in etw. mischen :	se mêler de qqch.
sich in jmn. verlieben :	s'éprendre de qqn.
(sich) in etw./jmn. verwandeln :	se transformer en qqn./qqch.

IN + DATIF

in etw. bestehen :	consister en qqch.

MIT + DATIF

mit jmm./etw. anfangen :	commencer par qqn./qqch.
mit jmm./etw. aufhören :	finir par qqn./qqch.
mit etw. bedecken :	couvrir de qqch.
sich mit etw. begnügen :	se contenter de qqch.
sich mit jmm./etw. beschäftigen :	s'occuper de qqn./qqch.
mit etw. enden :	finir par qqch.
mit etw. füllen :	remplir de qqch.
mit etw. meinen :	vouloir dire par qqch.
mit jmm./etw. rechnen :	tenir compte de qqn./qqch.
mit jmm. sprechen :	parler avec qqn.
mit etw. schließen :	conclure par qqch.
mit jmm./etw. vergleichen :	comparer à qqn., avec qqch.
mit jmm./etw. zusammenstoßen :	entrer en collision avec qqn./qqch.

NACH + DATIF

nach etw. duften :	sentir qqch.
sich nach jmm./etw. erkundigen :	s'informer de qqn./qqch.
nach jmm./etw. fragen :	s'enquérir de qqn./qqch.
nach jmm./etw. greifen :	saisir qqn./qqch.
nach etw. riechen :	sentir qqch.
nach etw. schmecken :	avoir le goût de qqch.
nach etw. streben :	chercher à atteindre qqch.
sich nach jmm./etw. sehnen :	avoir la nostalgie de qqn./qqch.

ÜBER + ACCUSATIF (au sujet de)

sich über jmn./etw. ärgern :	se fâcher contre qqn./qqch.
sich über jmn./etw. aufregen :	s'irriter contre qqn./qqch.
über etw. berichten :	relater qqch.
sich über jmn./etw. beklagen :	se plaindre de qqn./qqch.
über jmn./etw. diskutieren :	discuter de qqn./qqch.
über jmn./etw. erschrecken :	être effrayé par qqn./qqch.
sich über etw. freuen :	être heureux de qqch.
über etw. herrschen :	régner sur qqch.
über jmn./etw. klagen :	se plaindre de qqn./qqch.
über jmn./etw. lachen :	rire de qqn./qqch.
über etw. nachdenken :	réfléchir à qqch.
über jmn./etw. schimpfen :	pester contre qqn./qqch.
über jmn./etw. spotten :	se moquer de qqn./qqch.
über etw. sprechen :	parler de qqch.
über etw. staunen :	s'étonner de qqch.
sich über jmn./etw. unterhalten :	s'entretenir de qqn./qqch.
über jmn./etw. verfügen :	disposer de qqn./qqch.
über jmn./etw. weinen :	pleurer qqn./sur qqch.
sich über jmn./etw. wundern :	s'étonner de qqn./qqch.

UM + ACCUSATIF

um etw. bitten :	demander qqch.
es geht um etw. :	il s'agit de qqch.
es handelt sich um jmn./etw. :	il est question de qqn./qqch.
sich um jmn./etw. kümmern :	s'occuper de qqn./qqch.
um jmn. trauern :	être en deuil de qqn.

VON + DATIF

von jmm./etw. abhängen :	dépendre de qqn./qqch.
von jmm./etw. befreien :	libérer de qqn./qqch.
von jmm./etw. denken :	penser de qqn./qqch.
von jmm./etw. erzählen :	parler de qqn./qqch.
von jmm./etw. hören :	entendre parler de qqn./qqch.
von jmm./etw. sprechen :	parler de qqn./qqch.
von jmm./etw. träumen :	rêver de qqn./qqch.

VOR + DATIF

vor jmm./etw. Angst haben :	avoir peur de qqn./qqch.
vor jmm./etw. erschrecken :	s'effrayer de qqn./qqch.
sich vor jmm./etw. fürchten :	avoir peur de qqn./qqch.
vor etw. schreien :	crier de qqch. (peur...)
vor jmm./etw. schützen :	protéger contre qqn./qqch.
vor etw. sterben :	mourir de qqch. (faim...)
vor jmm./etw. warnen :	mettre en garde contre qqn./qqch.
vor etw. zittern :	trembler de qqch.

ZU + DATIF

zu etw. beitragen :	contribuer à qqch.
zu etw. bringen :	amener à qqch.
zu etw. dienen :	servir à qqch.
zu etw. einladen :	inviter à qqch.
sich zu etw. entschließen :	se décider à qqch.
zu jmm./etw. führen :	mener à qqn./qqch.
zu etw. gehören :	appartenir à qqch.
zu etw. gratulieren :	féliciter de qqch.
zu etw. passen :	convenir à qqch.
zu etw. taugen :	être propre à qqch., être utile à qqch.
zu etw. veranlassen :	inciter à qqch.
zu etw. werden :	devenir qqch.
zu etw. zwingen :	contraindre à qqch.

13 La rection des adjectifs

Les listes suivantes indiquent les principaux adjectifs dont la rection fait difficulté pour les francophones.

Er ist stolz auf ihn (accusatif) : *il est fier de lui.*

ACCUSATIF

unité de mesure à l'accusatif

- *alt.* : âgé de + unité de mesure
- *breit* : large de + unité de mesure
- *dick* : épais de + unité de mesure
- *groß* : grand de + unité de mesure
- *hoch* : haut de + unité de mesure

- *lang* : long de + unité de mesure
- *schwer* : lourd de + unité de mesure
- *tief* : profond de + unité de mesure
- *weit* : distant de + unité de mesure
- *wert* : qui vaut + unité de mesure

müde : fatigué de
satt : las de

DATIF

ähnlich : semblable à
angenehm : agréable à
bekannt : connu de
böse : fâché contre
dankbar : reconnaissant à
fremd : étranger à
gleichgültig : indifférent à

günstig : favorable à
lieb : cher à
nahe : proche de
nützlich : utile à
treu : fidèle à
überlegen : supérieur à

GÉNITIF

bewußt : conscient de

würdig : digne de

AN + DATIF

interessiert : intéressé par

überlegen : supérieur par

AUF + ACCUSATIF

aufmerksam : attentif à
böse : fâché contre

eifersüchtig : jaloux de
stolz : fier de

FÜR + ACCUSATIF

dankbar : reconnaissant pour
typisch : typique de

verantwortlich : responsable de

MIT + DATIF

fertig : qui en a terminé avec

zufrieden : satisfait de

ÜBER + ACCUSATIF

enttäuscht : déçu de
erstaunt : étonné de
traurig : triste de

ZU + DATIF

bereit : prêt à
fähig : capable de
freundlich : aimable avec

VON + DATIF

fern : loin de
frei : dispensé de

müde : fatigué de
weit : loin de

14   La rection des noms

1. Rection identique à celle des verbes correspondants.
die Antwort auf + acc. = réponse à (une question...)
der Dank für + acc. = remerciement pour
die Erinnerung an + acc. = souvenir de
der Glaube an + acc. = foi en
die Hoffnung auf + acc. = espoir de
der Kampf gegen + acc. = lutte contre
der Mangel an + dat. = manque de
der Verzicht auf + acc. = renoncement à

2. Rection identique à celle des adjectifs correspondants.
die Abhängigkeit von + dat. = dépendance de
die Armut an + dat. = pauvreté en
die Enttäuschung über + acc. = déception causée par
der Reichtum an + dat. = richesse en
die Verwandtschaft mit + dat. = parenté avec
die Zufriedenheit mit + dat. = satisfaction causée par

3. Rection différente du verbe correspondant.
die Achtung vor + dat. (jmn. achten) = respect de
die Bitte an + acc. (jmn. bitten) = requête adressée à
der Einfluß auf + acc. (jmn. beeinflussen) = influence sur
der Haß gegen + acc. (jmn. hassen) = haine de
die Liebe zu + dat. ou *für* + acc. (jmn. lieben) = amour de
das Mißtrauen gegen + acc. (jmm. mißtrauen) = méfiance envers
der Verlust an + dat. (etw. acc. verlieren) = perte de

14 La section des noms

CORRIGÉS
DES EXERCICES

1 1. Von diesem Augenblick an beschloß er abzureisen (wegzugehen, fortzugehen).
2. Von seinem Fenster aus kann man das Meer sehen.
3. Ab fünf Exemplaren wird eine Ermäßigung gewährt.
4. Ab morgen werde ich eher (früher) aufstehen.
5. Alle Züge ab Hauptbahnhof werden Verspätung haben.
6. Von hier aus ist es nicht sehr weit.
7. Vom Fernsehturm aus sieht man die ganze Stadt.
8. Ab ersten (erstem) Mai wird das Theater geschlossen sein.

2 1. Das ist aber fein!
2. Jetzt kann ich nicht kommen, aber morgen abend habe ich Zeit. (morgen abend aber habe ich Zeit)
3. Es regnet, aber die Sonne scheint (die Sonne scheint aber).
4. Ist das aber eine Freude!
5. Nun aber schnell zu Bett!

3 1. Der Zug fuhr rechtzeitig ab, aber (er)kam mit Verspätung an.
2. Er hat keinen Wein (nicht Wein) getrunken, sondern Wasser.
3. Sein Haus ist nicht sehr groß, aber es ist gemütlich.
4. Diese Zeitung ist nicht von heute, sondern von gestern.
5. Diese Uhr ist nicht sehr hübsch, aber sie ist praktisch.
6. Er ist nicht nur liebenswürdig, sondern auch aufrichtig.

4 1. Frage diesen Herrn, wo der Bahnhof ist (wo sich der Bahnhof befindet).
2. Wo geht er jeden Nachmittag hin (Wohin geht er jeden Nachmittag)?
3. Ist er auf den Gipfel des Berges gestiegen (geklettert)?
4. Heute geht er ohne seinen Hund spazieren.
5. Sie denkt an ihre Ferien.
6. Er ist neidisch auf seine Schwester.

5 1. Du mußt die Verkehrszeichen beachten.
2. Du mußt besser auf deine Sachen achtgeben (achten).
3. Sie paßt gern auf ihren kleinen Bruder auf.
4. Sie hat mein Geschenk überhaupt nicht beachtet.
5. Achte deine Eltern!
6. Darauf müssen wir unbedingt achten!
7. Die Vorschriften müssen beachtet werden.
8. Gib acht (achte darauf), daß uns niemand sieht!

6 1. strohblond
2. rabenschwarz
3. hausgemacht
4. seekrank
5. farbenblind
6. grasgrün
7. farbenprächtig
8. lebensnotwendig

7 1. Hast du diesen Mann schon irgendwo gesehen?
2. Dieses Haus gehört seinen (ihren) Eltern; jenes Haus gehört ihnen nicht mehr.
3. Warum herrscht hier (eine) solche Stille?
4. Ich habe solch einen Durst!
5. Mit solch einem Regenschirm wirst du bestimmt auffallen.
6. Ich habe selten so (solch) gutes Fleisch gegessen.

8 1. Ich wünsche Ihnen einen guten Appetit.
2. Die ganze Klasse lacht.
3. Liebe Eltern!
4. Warst du schon im Kölner Dom?
5. Lila Kleider sind heute Mode.
6. Ich kann das mit bestem Willen nicht annehmen.
7. Beethovens bekanntestes Werk ist die Neunte Symphonie.

9 1. Hast du schon das Straßburger Münster besichtigt?　.
2. Zieh dein lila Kleid an!
3. Ich kenne den Hamburger Hafen.
4. Warum nimmst du deinen rosa Hut mit?
5. Die Pariser Mode hat viel Erfolg.

10 1. Meine Schwester hat ihre Freunde eingeladen.
2. Peter, wo haben Sie Ihre Brille hingelegt?
3. Unser Wagen (Auto) ist grau.
4. Paul ist umgezogen; kennst du seine neue Wohnung?
5. Inge ist ihrem Bruder ähnlich.
6. Ihre Koffer sind verschwunden.

11 1. Ich bin kein Heiliger.
2. Ich wünsche Ihnen alles Gute.
3. Ein Alter sitzt vor seinem Haus.
4. Schauen Sie sich mal diese gelben an!
5. Möchtest du mit diesem Jungen spazierengehen?
6. Das Wichtigste ist, man fühlt sich wohl.

12 1. Kommst du von draußen?
2. Oben habe ich deinen Mantel gefunden.
3. Schau nach vorn!
4. Geh (Fahr) nach rechts!
5. Er kommt von unten.
6. Fahr ein bißchen vorwärts!

13 1. Sie spielt gern Klavier.
2. Ich mag keine Schnecken.
3. Sie mögen diesen Schauspieler nicht.
4. Möchtest du mit mir ausgehen?
5. Ich gehe lieber ins Kino als insTheater.
6. Er liebt Peter wie einen Bruder.

14 1. Er allein kann diesen Wagen reparieren.
2. Ich war todmüde, allein ich konnte nicht schlafen.
3. Darfst du allein verreisen?

15 1. Wie lange fliegen wir bis nach Berlin?
2. Dieser Bus fährt nur sonntags.
3. Komm, wir wollen in den Garten gehen.
4. Fliegst du mit der Air France oder mit der Lufthansa?
5. Im Urlaub sind wir am Strand viel gelaufen.
6. Wir sind mit dem Schiff nach Griechenland gefahren.

16 1. Als das Telefon klingelte, war ich gerade draußen.
2. Gerade als er bezahlen wollte, ging das Licht aus.
3. Jedesmal wenn er Geld brauchte, besuchte er seine Eltern.
4. Wenn ich in Deutschland bin, verstehe ich die Leute kaum.

1. Als er aufstand, fragte man sich, was passieren würde.
2. Wenn ich in England bin, trinke ich Tee.
3. Wenn er Deutsch sprach, verstand man ihn kaum.

4. Wenn ich in Wien ankommen werde, wirst du schon in den Vereinigten Staaten sein.

17 1. ein alter Herr
2. das alte Griechenland
3. die Vereinigung der ehemaligen Schüler
4. ein alter Wagen
5. mein ehemaliger Schullehrer
6. eine alte Kirche

18 1. Niemand anders wollte Kandidat sein.
2. Von einem Tag zum anderen.
3. Einer war gekommen, die beiden anderen fehlten.
4. Dieser Text muß anders übersetzt werden. (Man muß diesen Text anders übersetzen.)
5. Willst du nichts anderes essen?
6. Er ist woandershin (anderswohin) gefahren.

19 1. Ich habe ihn Anfang der Woche getroffen.
2. Anfang 1989 wird er eine Reise nach Afrika unternehmen.
3. Anfang Mai haben wir schönes Wetter gehabt.
4. Er ist Anfang der Sechziger.
5. Er ist Anfang des Jahrhunderts geboren.
6. Am Anfang schuf Gott (den) Himmel und (die) Erde.

20 1. Er wohnt bei seinem Onkel, einem ehemaligen Bankangestellten.
2. Mein Vater, den Mantel über der Schulter, ging im Wald spazieren.
3. Die Touristen, im Sand liegend, lassen sich bräunen.
4. Diesen Mann, den habe ich schon irgendwo getroffen.
5. In München, der Hauptstadt Bayerns (ou Bayerns Hauptstadt) habe ich eine Brauerei besichtigt.

21 1. Ich lerne Chinesisch.
2. Haben Sie erfahren, daß er einen Unfall gehabt hat?
3. Er hat mich lesen gelehrt.
4. Sie hat ihn Tennis spielen gelehrt. (Sie hat ihm das Tennisspielen beigebracht.)
5. Ich habe vom Tod seines Vaters gehört.
6. Sie lernen tanzen.

7. Du mußt dieses Gedicht auswendig lernen!
8. Welchen Beruf willst du erlernen?

22 1. Bist du damit einverstanden, daß ich heute abend meine Freunde einlade?
2. Ich habe nichts dagegen.
3. Glaubst du, daß ihnen das Datum recht ist?
4. Sie stimmen unseren Vorschlägen nicht zu.
5. Bist du damit einverstanden, daß sie allein verreist?
6. Selbstverständlich nicht!

23 1. Nachdem sie das Schloß besichtigt hatten, gingen sie in den Park.
2. Nach seinem Besuch rief er mich aus Bonn an.
3. Im Mai wohnte er noch in Frankreich; drei Monate danach war er in den Vereinigten Staaten.
4. Ich werde nachher essen.
5. Nachdem unser Hund sich mit der Katze des Nachbarn geschlagen hatte, fing er an zu bellen.

24 1. Wir müssen an der nächsten Tankstelle halten.
2. Seit drei Tagen hört es nicht auf zu schneien.
3. Als er unterwegs seinen Freund sah, blieb er stehen.
4. Überrascht hielt er in seiner Rede inne.

1. Das Kind hört auf zu spielen. (Das Kind hört mit dem Spielen auf.)
2. Ohne anzuhalten, sind wir durch München gefahren. (Wir sind durch München gefahren, ohne anzuhalten.)
3. In der gleichen Nacht verhaftete die Polizei die Diebe.
4. Halten wir hier und trinken wir einen Kaffee!

25 1. Ihm ist sicher ein Unglück passiert.
2. Am frühen Morgen sind sie in der Stadt angekommen.
3. Ich werde es nie schaffen.
4. Ich kann ihn nicht erreichen.
5. Der Unfall ist gestern abend geschehen.
6. Sie sind alle mit Verspätung angekommen.

26 1. Letztes Jahr war ich in Österreich.
2. Er ist zum Präsidenten ernannt worden.
3. Im Winter laufe ich oft Ski.
4. Wirst du Französisch lernen?
5. Auf Seite 12 habe ich einen interessanten Artikel gelesen.
6. 1975 (Im Jahre 1975) war ich in der Schweiz.
7. Gold wird immer teurer.
8. Trinken sie Bier?

27 1. Er hat eine hohe Stirn.
2. Ich habe plötzlich großen Durst.
3. Er hat immer ein gutes Gewissen.
4. Warum zieht er ein Gesicht?
5. Er hat schmutzige Finger.

28 1. Warte einen Augenblick auf mich!
2. Seit einer Stunde warte ich auf dich!
3. Ich warte (darauf), daß er mich anruft.
4. Sie erwartete eine Belohnung.
5. Sie war auf eine negative Antwort gefaßt.
6. Sie erwartet uns zum Kaffee.
7. Wenn er wüßte, was ihn erwartet.
8. Wir haben lange warten müssen.

29 1. Sein Wagen ist schön.
2. Ihre Augen sind blau.
3. Ihre Katze ist schwarz.
4. Ihr Garten ist groß.
5. Seine Nachbarn sind angenehm.

1. Sie scheinen glücklich zu sein.
2. Sie sind jung geblieben.
3. Findest du sie schön?
4. Sie fühlen sich krank.
5. Er glaubt sich besser als ich.
6. Sie wird groß sein.
7. Man nennt ihn den Tropenarzt.
8. Er ist der beste von allen.

30-1 1. Ich hatte auch recht.
2. Doch, auch im Sommer kann man Ski laufen.
3. Ich kann auch nicht tanzen.
4. Wir wollen heute auch ins Kino gehen.
5. Mir war das Wasser auch zu kalt.
6. Ja, ich bin damit auch (auch damit) einverstanden.

30-2 1. Hast schirm auch nicht vergessen?
2. Du kannst auch nie still sein!

3. Habt ihr den Nachbarn auch gegrüßt? - Habt ihr auch den Nachbarn gegrüßt?
4. Hast du deine Lektion auch gut gelernt? - Hast du auch deine Lektion gut gelernt?

31 1. Er hat keinen Brief bekommen; ich auch nicht.
2. Ich habe dir kein Buch mitgebracht; Brigitte auch nicht.
3. Ich spiele auch nicht mehr.
4. Ich kaufe auch keine Birnen mehr.
5. Ich bin zu Ostern nicht nach Deutschland gefahren; du auch nicht?
6. Ich finde sie auch nicht mehr.
7. Ich habe dir nicht guten Tag gesagt; ihm auch nicht.
8. Er liest auch nicht mehr die Zeitung.

32 1. Ich kenne keinen von ihnen.
2. Keiner der Anwesenden gab seine Stimme ab.
3. Kein Licht war sichtbar.
4. Ich habe keinen Pfennig bei mir.
5. Ohne jeden Hintergedanken hat er mir vorgeschlagen, mir zu helfen.

33 1. Drei Jahre zuvor (vorher).
2. einige Augenblicke zuvor (vorher).
3. in der Nacht zuvor (vorher).
4. ein Jahrhundert zuvor (vorher).
5. kurz zuvor.

34 1. Ich gehe oft ins Kino, um so mehr als ich kein Fernsehen habe.
2. Dieses Kind ißt genauso viel wie ein Erwachsener.
3. Heute ist nicht so viel Schnee gefallen wie gestern.
4. Er treibt nicht gern Sport, um so weniger als er sehr dick ist.
5. Soweit ich mich erinnere, trug mein Großvater einen schwarzen Hut.
6. Es ist sehr warm, zumal da kein Wind weht.

35 1. Bevor du dieses Buch kaufst, frage, wieviel es kostet.
2. Vor dem Mittagessen spielte er Fußball.
3. Bevor du einschläfst, vergiß nicht, das Licht auszumachen.
4. Bevor sie aus dem Bus stiegen, photographierten sie das Schloß.
5. Er verließ das Schiff, bevor es unterging.

36 1. Bist du auch seiner Meinung?
2. Ich finde, daß sein Verhalten merkwürdig war.
3. Meiner Meinung nach sollte man ihm schreiben.
4. Ich teile ihre Ansicht über dieses Thema nicht.
5. Ich bin der Auffassung, daß der Streik weitergeführt werden sollte.
6. Ich bin ganz mit Ihrem Plan einverstanden.
7. Bist du mit mir einverstanden oder bist du anderer Ansicht?
8. Denken Sie, daß man sie benachrichtigen sollte?

37 1. Sie sieht vornehm aus.
2. Sie scheint zu schlafen.
3. Er sieht wie ein Mädchen aus.
4. Sie scheinen glücklich zu sein.
5. Es sieht aus, als ob sie das Fußballspiel verloren hätten (als hätten sie...).

38 1. Frierst du? — Friert es dich?
2. Ich habe kalte Füße.
3. Den Kindern tun die Beine weh.
4. In diesem Büro ist es mir immer zu warm.
5. Wir haben während der ganzen Reise gefroren.
6. Ist Ihnen kalt?
7. Ihr tun der Hals und die Ohren weh.

39 1. Hast du Lust, mit uns Fußball zu spielen?
2. Wir möchten einen schnelleren Wagen.
3. Hast du Lust auf ein frisches Bier?
4. Ich habe Lust, heute abend ins Theater zu gehen.
5. Haben Sie Lust zu einem Spaziergang (Lust, spazierenzugehen).
6. Ich mag jetzt nicht essen.

40 1. Ich habe weder Hunger noch Durst. - Ich bin weder hungrig, noch durstig.
2. Die Kinder sind noch ganz schläfrig.
3. Die Gartenarbeit hat ihn hungrig gemacht.
4. Reden macht mich immer durstig.

41 1. Sie hat Angst vor Hunden, und vor... Katzen (sie fürchtet sich vor...).

2. Er hat Angst, ins Wasser zu springen.
3. Ich fürchte, daß er krank ist.
4. Sie fürchtet, Zeit zu verlieren.
5. Das Kind hat Angst vor dem Meer.

42 1. Er hatte unrecht, so laut zu schreien.
2. Sie haben recht, so zu handeln.
3. Sie glaubt, daß sie immer recht hat. (Sie glaubt, immer recht zu haben.)
4. In dieser Angelegenheit hast du unrecht gehabt.

43 1. Er mochte noch so lange schlafen, er war immer müde. - So (wie) lange er auch schlafen mochte, er war immer müde. - Wenn er auch lange schlafen mochte, er war immer müde.
2. Ich mag sie noch so oft daran erinnern, sie vergessen immer meine Schallplatte. - So (wie) oft ich sie auch daran erinnern mag, sie vergessen immer meine Schallplatte. - Wenn ich sie auch immer wieder daran erinnere, sie vergessen immer meine Schallplatte.
3. Sie mochten sich noch so sehr ärgern, die Kinder spielten immer unter ihren Fenstern. - So (wie) sehr sie sich auch ärgern mochten, die Kinder spielten immer unter ihren Fenstern. Wenn sie sich auch sehr ärgerten, die Kinder spielten immer unter ihren Fenstern.
4. Er mag noch so lange warten, sie wird die Tür nicht aufmachen. - So (wie) lange er auch warten mag, sie wird die Tür nicht aufmachen. - Wenn er auch lange wartet, sie wird die Tür nicht aufmachen.

44 1. Ich habe nicht viel Zeit.
2. Ich bin heute viel gelaufen.
3. Das interessiert mich sehr.
4. Viele Leute waren gekommen.
5. Das ist viel zuviel!
6. Ich schätze sie sehr.

45 1. Beinahe hätte er das Geheimnis verraten. (Er hätte beinahe...).
2. Er hat fast (beinahe) alles gegessen.
3. Meine Arbeit ist fast (beinahe) beendet.
4. Beinahe hätte er seinen Bus verpaßt.

46 1. Darf ich mal deinen Bleistift benutzen?
2. Dieser Fernseher ist nicht mehr zu gebrauchen.
3. Kann man diesen Stoff noch verwenden?
4. Ich nutze die Gelegenheit, um ihn daran zu erinnern.
5. Wofür verwendet man diesen Apparat?
6. Warum willst du nicht dein Fahrrad benutzen?
7. Das sind gebrauchte Möbel.
8. Ich könnte dich jetzt gut gebrauchen.
9. Auf diesen Aufsatz hast du aber nicht viel Zeit verwendet!
10. Ich gebrauche nur mein Recht!

47 1. Er ist sich der Gefahr nicht bewußt.
2. Sie ist sich ihrer Verantwortung bewußt.
3. Ihm war nicht bewußt, was er sagte.
4. Bist du dir dessen bewußt?

48-1 1. Dieses Puzzlespiel ist viel zu schwierig für mich.
2. Fühlst du dich heute nicht wohl?
3. Ist das Kind krank? Es ist recht blaß.
4. Diese Farbe steht dir nicht gut.
5. Ich habe sie wohl seit 5 Jahren nicht gesehen.
6. Er fährt gut Auto.
7. Ich würde dich gern vom Bahnhof abholen.
8. Hast du gut geschlafen?
9. Findest du, daß er seinen Kindern gegenüber recht gehandelt hat?
10. Er hat richtig gehandelt. Er hat sofort die Polizei angerufen.

48-2 1. Wie geht es dir? - Danke, es geht mir sehr gut.
2. Du weißt wohl, daß ich weggehen muß.
3. Sie tanzt viel besser als ich.
4. Wir haben gestern abend viel getanzt.
5. Er wird wohl eine Flasche Wein mitbringen.
6. Wir waren sehr froh, sie zu treffen.

49 1. Ich danke dir herzlich für das Buch, das du mir geschickt hast.
2. Seien Sie so nett und rufen Sie mich nicht mehr an.

3. Oh, die schönen Blumen! Tausend Dank dafür!
4. Wie nett ist das von Ihnen! - Das wäre aber nicht nötig gewesen!
5. Möchten Sie noch ein Stück Kuchen? - Nein, danke!
6. Ich möchte dich bitten, mich zum Bahnhof zu bringen.
7. Herr Ober, einen Kaffee bitte!
8. Darf ich Sie um das Salz bitten?

50 1. Willst du über Nacht bleiben?
2. Es bleibt uns keine andere Wahl.
3. Gestern bin ich zu Hause geblieben.
4. Übrigens, ich habe vergessen, es ihm zu sagen. (Übrigens habe ich vergessen...).
5. Die Bahnhofsuhr ist stehengeblieben.
6. Es bleiben noch 1000 Mark zu bezahlen.
7. Ist noch Kaffee übrig?
8. Ich bin drei Monate in Bayern geblieben.
9. Es bleibt dir nichts anderes übrig, als wieder anzufangen.
10. Es bleibt zu hoffen, daß er (wieder) gesund wird.

51 1. Ich brauche dich.
2. Er hat nie einen Arzt gebraucht.
3. Sie braucht einen neuen Mantel.
4. Er braucht unseren Rat nicht.
5. Du brauchst mich nur zu rufen, wenn du mich brauchst.
6. Sie brauchen das nicht zu wissen.
7. Wieviel Zeit wirst du für diese Arbeit brauchen?
8. Ich werde drei Stunden brauchen.
9. Sie hätten uns nicht zu schreiben brauchen.
10. Wir brauchen nicht mehr auf ihn zu warten.

52 1. Sie kamen immer zu einem gewissen Zeitpunkt an.
2. Bist du dessen sicher?
3. Eine gewisse Anzahl von Leuten war gekommen.
4. Ich bin dessen nicht sicher.
5. Ich bin sicher, daß er kommen wird.
6. Das ist ein sicherer Beweis.
7. Wie kann man dessen sicher sein?
8. Er brauchte dazu einen gewissen Mut.

53 1. Er spricht weiter (immer noch).
2. Stör mich nicht immer wieder (unaufhörlich)!

3. Seit zwei Tagen schneit es unaufhörlich.
4. Spielst du nicht mehr Tennis?
5. Seit heute morgen läutet das Telefon immer wieder (unaufhörlich).
6. Er verteidigt uns immer noch.
7. Er spielt nicht mehr Klavier.

54 1. Kinder singen. Es sind die Schüler der Grundschule.
2. Schau! Das ist ein Apfelbaum.
3. Es (das) war die gute alte Zeit.
4. Er ist ein guter Skiläufer.
5. Sie ist Filmschauspielerin.
6. Macht auf! Wir sind es!

55 1. °Gestern habe ich ihn getroffen.
2. °Sie hatten uns gestört.
3. So°fort wollte er sein Geschenk.
4. Um °Mitternacht habe ich die Neuigkeit erfahren.
5. Hast °du das gemacht?
6. Alle waren gekommen. °Felix aber fehlte.

56 1. °Du bist noch nicht dran! - °Du bist noch nicht an der Reihe!
2. °Sie müssen die Verantwortung übernehmen. — Sie müssen die Verantwortung °selbst übernehmen.
3. °Wir sind dran, euch einzuladen! - °Wir sind an der Reihe, euch einzuladen.
4. Bin °ich jetzt dran? - Bin °ich jetzt an der Reihe?
5. °Du mußt die Lösung finden! - Du mußt die Lösung °selbst finden.
6. °Sie sind dran, uns anzurufen. - °Sie sind an der Reihe, uns anzurufen.

57 1. Wir fahren falsch, du mußt die Richtung ändern.
2. Klaus ist nach Berlin umgezogen.
3. Das Haus hat seinen Besitzer gewechselt.
4. Wir müssen gleich weg. Warum hast du dich noch nicht umgezogen?
5. Peter will nun Architekt werden. Er hat die Universität gewechselt.
6. An seinem Charakter ist leider nichts zu ändern.
7. Wir hatten eine Panne. Wir haben einen Reifen wechseln müssen.
8. Warum änderst du dauernd deine Meinung?

58 1. Wir müssen anfangen (beginnen), die starken Verben zu lernen.
2. Ich bekomme langsam (allmählich) Durst.
3. Zuerst hat sie gesagt, sie lehne die Stelle ab. ˙˙
4. Hast du schon mit dem Kofferpacken angefangen (begonnen)?
5. Er fällt mir langsam (allmählich) auf die Nerven.
6. Wir werden mit der Diskussion in 5 Minuten beginnen (anfangen).

59 1. Ich werde so schnell wie möglich auf deinen Brief antworten.
2. Er spielt ebenso gut Klavier wie seine Mutter.
3. Sie spricht nicht so gut Deutsch wie ihr Bruder.
4. Er ist dumm wie Bohnenstroh.
5. Hast du schon eine so schöne Kirche gesehen wie diese?

60 1. Er ißt mehr als ich.
2. Dieser Roman war interessanter als derjenige, den ich während der Ferien gelesen habe.
3. Er läuft schneller als du.
4. Er springt immer höher.
5. Peter hat längere Beine als Paul.
6. Er ist eher (mehr) geizig als sparsam.

61-1 1. Was meine Arbeit betrifft, so kann ich sagen, daß sie gut vorankommt.
2. Was uns angeht, so freuen wir uns sehr.
3. Was seine Prüfung anbelangt, so ist er wieder durchgefallen.
4. Was meine Gesundheit anbetrifft, so mache dir keine Sorgen.
5. Was unseren Zeichenlehrer angeht, so habe ich gehört, daß er schon wieder krank ist.
6. Was den Unfall anbelangt, so war er nicht schuld daran.

61-2 1. Unsere die Reparatur des Wagens betreffende Anfrage blieb unbeantwortet. - Unsere Anfrage, die Reparatur des Wagens betreffend, blieb unbeantwortet.
2. Ihre die Herausgabe des Buches betreffende Anfrage freut uns. - Ihre Anfrage, die Herausgabe des Buches betreffend, freut uns.

3. Alle den Unfall betreffenden Hinweise werden angenommen. - Alle Hinweise, den Unfall betreffend, werden angenommen.

62 1. Er ist trotz des Gewitters bis ans Auto gelaufen.
2. Obwohl er in Berlin wohnt, ist er nie in die DDR gegangen.
3. Was du auch machst machen magst), du wirst nicht gewinnen.
4. So schnell er auch läuft (laufen mag), er wird ihn nicht einholen.
5. Er hat zwar sein Examen bestanden, er hat aber immer noch keine Stelle.

63 1. Wenn du gestern gekommen wärest, hättest du ihn noch gesehen.
2. Wenn du Zeit hast, kannst du ihn besuchen.
3. Wenn du vorbeikämest, würde ich dir die Dias zeigen.
4. Wenn du Glück hast, kannst du einen Computer gewinnen.
5. Wenn du die Zeitung gelesen hättest, hättest du es erfahren.
6. Wenn er vorsichtiger gefahren wäre, hätte er keinen Unfall gehabt.
7. Wenn er seine Ferien in Deutschland verbringen würde, würde er Fortschritte machen.

64 1. Er ist erst acht Jahre alt und kann schon Schach spielen.
2. Während der Ferien lese ich Romane oder höre mir Schallplatten an.
3. Es ist schön aber teuer!
4. Nimm deinen Regenschirm, denn es regnet (es regnet nämlich).
5. Fährst du mit dem Zug oder mit dem Bus dorthin?

65 1. Sobald ich fertiggegessen habe, spiele ich mit dir.
2. Er ist rechtzeitig angekommen, obwohl sein Zug 10 Minuten Verspätung hatte.
3. Bring deine Säge mit, damit ich mein Holz sägen kann.
4. Seitdem er ein Motorrad hat, fährt er jeden Sonntag spazieren.
5. Während sie beim Essen waren, bebte die Erde.

66 1. du siehst, er sieht.
2. du säufst, er säuft.
3. du empfiehlst, er empfiehlt.

4. du nimmst, er nimmt.
5. du fährst, er fährt.
6. du ißt, er ißt.
7. du erschrickst, er erschrickt.
8. du wächst, er wächst.
9. du triffst, er trifft.
10. du schläfst, er schläft.
11. du redest, er redet.
12. du lädst, er lädt.
13. du atmest, er atmet.
14. du rätst, er rät.
15. du zitterst, er zittert.
16. du setzt, et setzt.
17. du beißt, er beißt
18. du wartest, er wartet.
19. du läßt, er läßt.
20. du klingelst, er klingelt.

67 1. Ich rate dir, nichts zu sagen.
2. An Ihrer Stelle würde ich mit ihm darüber sprechen.
3. Er läßt sich von seinem Rechtsanwalt beraten.
4. Ich rate Ihnen, diesen Weg einzuschlagen.
5. Kannst du mich bei meinen Einkäufen beraten?
6. An seiner Stelle wäre ich sofort zurückgekommen.

68 1. Er betrachtet mich als seinen Freund.
2. Er betrachtet sich als mein Freund.
3. Man hält ihn für einen tüchtigen Arzt.
4. Er hält sich für einen guten Arzt.
5. Ich sehe ihn als einen guten Piloten an.
6. Er hält sich für einen guten Piloten.

69 1. Zuerst laufen wir durch den Wald.
2. Im Wald kann man sich verlaufen.
3. Stell dich vors Fenster!
4. Kann ich mich aufs Bett setzen?
5. Er kommt von der Schule zurück.
6. Warum läuft er so ums Haus?

70-1 1. Berlin, den zweiten fünften neunzehnhundertachtundsiebzig.
2. Bonn, den dreißigsten neunten achtzehnhundertsiebzig.
3. Düsseldorf, den sechzehnten zwölften neunzehnhundertachtzig.
4. München, den ersten ersten neunzehnhundertdreiundachtzig.
5. Stuttgart, den vierten siebten neunzehnhundertsechsundsechzig.

70-2 1. Er ist am 15. Januar 1972 gestorben.
2. Kannst du am Mittwoch, dem 3. Juli 1985 (Mittwoch, den...) kommen?
3. Vom 3. August bis zum 1. September bin ich in Deutschland (werde... sein).
4. Samstag, den 25. Oktober 1986 (Am Samstag, dem...) feiert er seinen vierzigsten Geburtstag (wird... feiern).
5. Ich möchte drei Plätze für Donnerstag, den 7. November.

71-1 1. Er ist mir nicht bekannt.
2. Ich habe ihr nicht helfen können.
3. Ich habe Ihnen einen Blumenstrauß gebracht.
4. Ist dir nicht warm?
5. Ich gratuliere dir zum Geburtstag.
6. Das Wasser ist mir zu kalt.

71-2 1. Er hat meinem Vater mit einem Messer gedroht.
2. Wem hast du dieses Buch geliehen?
3. Ich bin ihm bis zum Bahnhof gefolgt.
4. Er springt mir auf die Schultern.
5. Ist dir dieses Buch nützlich?

72-1 1. Er kann sich nicht entschließen, seine Freundin zu heiraten.
2. Er kann sich nicht entscheiden, welche Freundin er heiraten soll.
3. Er ist zu allem entschlossen.
4. Das ist entschieden zuviel!
5. Hast du endlich deinen Entschluß gefaßt?
6. Es wurde beschlossen, ein neues Schwimmbad zu bauen.
7. Was hat dich dazu bewogen, so zu entscheiden?

72-2 1. Dieses Ereignis entschied über sein Leben.
2. Die Studenten beschlossen zu streiken.
3. Wir haben uns entschlossen, einen Wagen zu kaufen.
4. Im Augenblick ist nichts entschieden.
5. Du mußt entscheiden, ob es notwendig ist.
6. Ich habe ihn dazu bewegen können, mitzukommen.

73-1 1. Er hat mich gebeten, einen Vortrag zu halten.
2. An der Grenze wurden unsere Papiere verlangt.

3. Ich frage mich, was aus ihm geworden ist.
4. Kommst du mit? — Ja, aber ich muß erst noch um Erlaubnis bitten.
5. Er hat uns nach unserer Meinung gefragt.
6. Darf ich Sie um den nächsten Tanz bitten?

73-2 1. Ich frage mich, ob ich ihn nicht schon gesehen habe.
2. Darf ich Sie um eine Zigarette bitten?
3. Er bittet mich um eine Erklärung. — Er verlangt eine Erklärung von mir.
4. Er hat mich gefragt, ob ich kommen wolle.
5. Er hat uns gebeten, auf ihn zu warten.
6. Verlange nicht Unmögliches!

74 1. Meine Großmutter starb im selben Jahr wie mein Großvater.
2. Wir haben dieses Jahr den gleichen Winter wie voriges Jahr.
3. Peter und Hans gehen auf dieselbe Schule.
4. Sie haben aber nicht dieselben Lehrer.
5. Hast du die gleiche Meinung darüber?
6. Nein, ich bin nicht der gleichen Ansicht.

75 1. Du darfst nicht über die Straße gehen, ohne nach links und nach rechts zu schauen.
2. Sie schulden mir nichts mehr.
3. Er verdankt seinen Eltern alles (alles seinen Eltern).
4. Peter muß jetzt zu Hause sein.
5. Ich schulde ihnen eine Einladung.
6. Alle Menschen müssen sterben.
7. Ich verdanke ihnen mein Leben.
8. Du hättest ihm diesen Brief nicht schicken sollen.

76-1 1. Ich lege das Buch auf den Stuhl.
2. Peter sitzt in seinem Sessel.
3. Ein Mann steht vor der Tür.
4. Kommt er in den Garten?
5. Fährt er in die Türkei?
6. Der Koffer steht auf dem Tisch.

76-2 1. Er ist bei seinem Onkel angekommen.
2. Wirst du ins Elsaß fahren?
3. Ich bin in den Wald gegangen.

4. Paul ist im Kino; ich gehe auch hin.
5. Der Hund läuft im Garten herum.
6. Ich fahre nach Italien.

78-1 1. Hans fragt, wo Paul wohne.
2. Ihre Mutter sagt, daß Inge sofort zurückkommen solle.
3. Paul sagt, daß er auf einem Schiff geschlafen habe.
4. Die Touristen sagen, daß sie alle Durst gehabt hätten.
5. Der Angeklagte sagt, daß er dann nach Hause gegangen sei.
6. Ursula fragt, ob ich schon ihre Schuhe gesehen hätte.

78-2 1. Hans fragt, wo Paul wohnt.
2. Ihre Mutter sagt, daß Inge sofort zurückkommen soll.
3. Paul sagt, daß er auf einem Schiff geschlafen hat.
4. Die Touristen sagen, daß sie alle Durst gehabt haben.
5. Der Angeklagte sagt, daß er dann nach Hause gegangen ist.
6. Ursula fragt, ob ich schon ihre Schuhe gesehen habe.

78-3 1. Hans fragt, wo Paul wohne.
2. Ihre Mutter sagt, Inge solle sofort zurückkommen.
3. Paul sagt, er habe auf einem Schiff geschlafen.
4. Die Touristen sagen, sie hätten alle Durst gehabt.
5. Der Angeklagte sagt, er sei dann nach Hause gegangen.
6. Ursula fragt, ob ich schon ihre Schuhe gesehen hätte.

79 1. Peter ist ein Schüler, mit dem ich zufrieden bin.
2. Das ist eine Geschichte, worüber man lachen kann.
3. Dieter, dessen Bruder du kennst, kommt morgen.
4. Die Krankheit, an der er gestorben ist, verbreitet sich immer mehr.
5. Kennst du einen Schauspieler, dessen Name mit einem D anfängt?
6. Das ist ein Hund, vor dem er Angst hat.

80 1. Darf ich mit meinem Geld ein Buch kaufen?
2. Er dürfte morgen kommen.
3. Jetzt dürfen wir den Rasen betreten.
4. Hier darf nicht geraucht werden (darf man nicht rauchen).
5. Darf ich Sie um den Pfeffer bitten?

81 1. Paul hat ein Motorrad gekauft, Heinrich ein Fahrrad.
2. Ich glaube, daß er um 8 angekommen und um 11 wieder fortgegangen ist.
3. Wenn er ein Stück Brot gegessen hätte und nicht so schnell gelaufen wäre, wäre er nicht müde.
4. Er hat ebenso viel Bier getrunken wie sein Bruder.
5. Ich laufe schneller als er.
6. Die Reise dauert länger als ich dachte.
7. Peter hat von seinen Eltern, Johann von seinem Onkel Abschied genommen.
8. Willst du in die Stadt?

82 1. Ich habe Zigaretten; willst du welche?
2. Sie hat mit ihrem Vater darüber gesprochen.
3. Sie haben einen Hund. Ich habe Angst vor ihm.
4. Ich möchte ein Pfund davon.
5. Ich danke dir dafür.
6. Er ist daran gestorben.
7. Seine Mutter ist krank. Er kümmert sich gar nicht um sie.
8. Er hatte einen alten Wagen; er ist ihn losgeworden.
9. Er ist ihm dafür dankbar (dankbar dafür).
10. Deine Zigarren gefallen mir; ich nehme eine andere.

83 1. Man kann sie nur sehen, wenn man auf eine Leiter steigt.
2. Ich bin gefallen, als ich die Treppe hinunterging.
3. Er hat sich das Fernsehen angeschaut und dabei Pfeife geraucht.
4. Vergiß nicht, die Tür zu schließen (zuzumachen), wenn du fortgehst.
5. Als ich deinen Brief las, erinnerte ich mich an die Ferien, die wir in Griechenland verbracht hatten.

84 1. Zuerst habe ich gelesen, dann habe ich ferngesehen und schließlich bin ich zu Bett gegangen.
2. Er hat mir endlich meine Bücher wiedergegeben.
3. Es hat lange gedauert, aber schließlich haben wir ihn überzeugen können.
4. Bist du endlich fertig?

85 1. Er läßt sich immer telefonisch wecken.
2. Wegen des starken Kaffees bin ich erst um Mitternacht eingeschlafen.

3. Für die Operation wurde er eingeschläfert.
4. Mitten in der Nacht wachte ich plötzlich auf (erwachte ich...).
5. Der Lärm eines Motorrades hat mich geweckt.
6. Ohne leise Musik kann sie nicht einschlafen.
7. Wann möchten Sie geweckt werden?
8. Ich wache jeden Morgen zur gleichen Zeit auf (Ich erwache...).
9. In ihm erwachte plötzlich Interesse für die Musik.

86 1. Er kam erst, als das Fest vorbei war.
2. Ich komme nur für fünf Minuten.
3. Es ist erst sieben Uhr.
4. Sie sind erst heute abgefahren.
5. Ich habe nur zehn Mark bei mir.
6. Er ist erst seit zwei Tagen unterwegs.
7. Er bleibt nur zwei Wochen in Deutschland.
8. Ich brauche nur fünf Minuten bis zur Schule.

87 1. idem
2. Jetzt wird aber gearbeitet!
3. idem
4. Dann kamen zwei Polizisten.
5. idem
6. idem

88 1. Ihre Entlassung steht kurz bevor.
2. Er ist gerade dabei, Kartoffeln zu schälen.
3. Sie war gerade am Einschlafen, als ein Hund bellte.
4. Die Kinder sind beim Lesen.
5. Ich war im Begriff, einen Arzt anzurufen. — Ich wollte gerade einen Arzt rufen.
6. Wir waren dabei, unsere Vokabeln zu wiederholen.

89 1. Alle außer mir brachen in Lachen aus.
2. Alle mit Ausnahme der Katze schliefen.
3. Er ist immer der Erste, außer wenn es darum geht, Sport zu treiben.
4. Alle Bäume mit Ausnahme der Eichen sind krank.

90 1. Ist das ein schönes Haus! (Wie schön ist dieses Haus!, Wie schön dieses Haus ist!)

2. Wie schnell er läuft! (Wie schnell läuft er!)
3. Welch schöne Farben!
4. Was für dummes Zeug du da redest! (...redest du da!)
5. Wie groß er geworden ist! (Wie groß ist er geworden!)
6. Du hast aber schöne Spielsachen!

91 1. Ich bitte Sie um Entschuldigung, ich war gestern krank.
2. Entschuldigen Sie bitte, könnten Sie mir helfen?
3. Verzeihung, wie spät ist es?
4. Ich bedaure, daß ich Ihnen keine Auskunft geben kann.
5. Es ist schade, daß du heute nachmittag nicht frei bist.
6. Entschuldigen Sie bitte, daß ich Sie so spät anrufe.
7. Es tut mir leid, daß ich Sie nicht wiedererkannt habe.
8. Leider ist der Direktor abwesend.
9. Verzeihung, ich hatte Sie nicht gesehen.
10. Ich bitte Sie um Verzeihung.

92 1. Er läßt sich die Übung erklären.
2. Er hat seinen Rasen mähen lassen.
3. Er hat sich ein Buch aus Deutschland schicken lassen.
4. Er ist von seinem Bruder geschlagen worden.
5. Sie haben die Brücke gesprengt.
6. Er ist an der Kreuzung von der Polizei angehalten worden.

93 1. Herzlichen Glückwunsch zu deinem Geburtstag!
2. Ich wünsche Ihnen schöne Ferien am Meer!
3. Wir beglückwünschen dich zu deiner bestandenen Fahrprüfung!
4. Alle guten Wünsche zu Eurer Verlobung!
5. Ich wünsche dir viel Glück bei deiner Arbeit!
6. Wir wünschen Euch (Ihnen) ein frohes Weihnachtsfest und ein glückliches und gesundes Neues Jahr!

94 1. Wir waren um Mitternacht mit dem Abendessen fertig.
2. Der Film ist aus.
3. Ich will meine Suppe nicht aufessen.

4. Der Film ist um 11 Uhr zu Ende.
5. Schließlich hat sie ihre Mathematikaufgabe begriffen.
6. Trink bitte dein Glas aus!

95 1. Wieviel Kinder haben Sie?
2. Hat man Ihnen meine Adresse gegeben?
3. Ihr Haus ist sehr schön.
4. Beeilen Sie sich!
5. Haben Sie schon gegessen?
6. Wir rufen Sie heute abend an.
7. Geben Sie mir Ihren Mantel!

96-1 1. du wirst spazierengehen
2. wir werden trinken
3. er (sie, es) wird aufstehen
4. sie werden anrufen
5. ich werde schlafen

96-2 1. Morgen wird er sein Auto verkauft haben.
2. Zu Weihnachten werden seine (ihre) Eltern ihm (ihr) ein Fahrrad schenken.
3. Wir werden im Restaurant essen.
4. Wenn du die Zeitung gelesen hast, kannst du das Licht ausmachen (wirst du das Licht ausmachen können).
5. Wir werden dich ins Theater mitnehmen.

97 1. Er geht jeden Nachmittag spazieren.
2. Er ist den ganzen Nachmittag spazierengegangen.
3. Ist es wirklich die ganze Wahrheit?
4. Er kann jeden Augenblick kommen.
5. Die Straßenbahn fährt alle Viertelstunde(n).
6. Sie hat nicht das ganze Buch gelesen.
7. Jeden Abend liest er ein Gedicht.
8. Alle Menschen sind sterblich.
9. Er hat alles, was er besaß, verkauft (alles verkauft, was...).
10. Alle drei Tage bekommt er eine Spritze.
11. Sie hat ihr ganzes Leben gearbeitet.
12. Jeder denkt zuerst an sich.

98 1. Gehört dir dieser Füller?
2. Zu dieser Gymnastikübung gehört viel Geschicklichkeit.
3. Zehn Jahre lang gehörte er der Kommunistischen Partei an.
4. Gehörst du auch zu den Grünen?
5. Der Jugend gehört die Zukunft.

6. Der Panther gehört zu den Raubkatzen.
7. Gehört euch dieses Haus?
8. Renate gehört nicht zu den besten Schülerinnen ihrer Klasse.

99 1. Es ist das Haus meiner Schwester.
2. Eins seiner (ihrer) Kinder lebt in der Schweiz.
3. Die Öffnungszeiten der Geschäfte sind geändert worden.
4. Eines Tages klopfte er an die Tür.
5. Das Schloß des Königs ist zerstört worden.
6. Er ist sich seiner Schuld bewußt.
7. Sie bemächtigten sich des Kindes.

100 1. Heinrich Bölls Romane sind sehr bekannt.
2. Nach Wilhelms Tod verließ sie Frankreich.
3. Ich habe einige Kirchen von Rom besichtigt.
4. Ein Freund von Peter ist gestern abend angekommen.
5. Von Johanns Zimmer aus erblickt man die Berge.
6. Das Fahrrad meiner Schwester Helene ist gestohlen worden.
7. Ich habe den Bürgermeister der Stadt Köln gesehen.

101 1. die Gesundheit - 2. der Politiker - 3. die Taschenlampe - 4. der März - 5. die Zeitung - 6. das Silber - 7. die Buche - 8. die Bäckerei - 9. die Wirtschaft - 10. die Schülerin - 11. der Dienstag - 12. die Beschleunigung - 13. die Fahrschule - 14. der Zeitungsartikel - 15. die Portion - 16. die Lehrerin - 17. das O - 18. die Null - 19. die Lilie - 20. das Testament

102 1. Ist das Wasser heiß genug zum Baden?
2. Unser Lehrer ist ziemlich nett.
3. Er ist ein ziemlich guter Schauspieler.
4. Hast du genug Zeit für deine Arbeit?
5. Ja, ich habe Zeit genug.
6. Das Buch ist ziemlich gut.

103 1. Er steht früh auf, um besser arbeiten zu können.
2. Anstatt in die Schule zu gehen, ist er zu einem Freund gegangen.

3. Er ist fortgegangen, ohne mir zu danken.
4. Er ist um 3 Uhr angekommen, ohne daß ich es gemerkt habe.
5. Um die Zeitung zu lesen, brauche ich eine Brille.

104-1 1. type 1 - 2. type 2 - 3. type 1 - 4. type 2 - 5. type 2 - 6. type 1 - 7. type 1 - 8. type 1 - 9. type 1 - 10. type 2.

104-2 1. Seine ehemaligen Nachbarn sind heute zu Besuch.
2. Unser bester Freund ist im Krankenhaus.
3. Er hat einen langen Mantel aus schwarzem Leder an.
4. Das war ein schlimmer Unfall.
5. Wo hast du meine blaue Jacke hingelegt?

105-1 1. Alle guten Restaurants befinden sich in diesem Viertel.
2. Dort sind einige deutsche Bücher zu kaufen.
3. Bei solchem schlechten (solch schlechtem) Wetter gehe ich nicht spazieren.
4. Ich habe in Deutschland schon manches gute (manch gutes) Bier getrunken.
5. Welche bekannten Weine gibt es in dieser Gegend?

105-2 1. Ich habe andere interessante Filme gesehen.
2. Einige deutsche Freunde haben mich besucht.
3. In Italien gibt es mehrere angenehme Städte zu besichtigen.
4. Hast du viele ausländische Briefmarken?
5. Ich habe alle bekannten Gedichte von Heine gelesen.

106-1 1. zu meiner Tante gehe
2. sehr schnell läuft
3. ziemlich groß ist
4. einen Mantel braucht
5. glaube

106-2 1. keine Verspätung hat
2. zu viel Wein getrunken hat
3. in München arbeitet
4. gesund ist
5. ein Auto gekauft haben

107 1. Im Wald hat er sich warmgelaufen.
2. Vor seinen Schülern hat er sich heiser geschrien.

3. Mit seinen Geschichten hat er mir die Ohren voll geschrien.
4. Ich habe mir die Taschen mit Pflaumen vollgestopft.
5. Wenn er Geschichten erzählt, lacht man sich tot.

108-1 1. Bis wann seid ihr dort geblieben?
2. Ich habe die ganze Nacht geträumt.
3. Er ist gestern bei uns gewesen.
4. Sie ist (sind) dann in einen anderen Saal hineingetanzt.
5. Sie hat (haben) ein Kilo Fleisch gekauft.
6. Wir haben den ganzen Tag gesegelt.
7. Ich habe im Wartesaal eine Stunde gesessen.
8. Das Paket ist angekommen.

108-2 1. Hast du dich heute morgen gekämmt?
2. Ich bin durch den Fluß geritten.
3. Ich habe den Wein getrunken, der übrigblieb.
4. Ich bin bis zum Haus gerannt.
5. Hast du an deine Mutter geschrieben?
6. Wie lange hat die Operation gedauert?
7. Wer hat dieses Haus gebaut?
8. Hat er schon ein Auto gehabt?

109 1. Die Flasche ist halb leer. — Die Flasche ist zur Hälfte leer.
2. Ich stelle dir meine Halbschwester vor.
3. Ich bin die halbe Nacht wach geblieben.
4. Mehr als die Hälfte der Kinder hatte die Grippe.
5. Er arbeitet halb soviel wie seine Schwester.
6. Das halbe Dorf war zum Ball gekommen.
7. Um halb sechs Uhr habe ich eine Verabredung.
8. Es ist fünf Minuten nach halb sechs.
9. Ich habe halb soviel Freizeit wie voriges Jahr.
10. Vor einem halben Jahrhundert war die Luft nur halb so verschmutzt wie heute.

110 1. Wo ist er gestern abend hingegangen (Wohin ist er gestern abend gegangen)?
2. Komm herein!
3. Woher kommt dieser Hund?
4. Siehst du diesen Baum dort? Die Katze ist hinaufgeklettert.
5. Komm von der Leiter herunter!

111 1. Hast du dir den Vortrag über Afrika angehört?
2. Hörst du den Hund bellen?
3. Ich habe gehört, daß Fritz das Rennen gewonnen hat.
4. Kannst du mir nicht wenigstens fünf Minuten zuhören?
5. Sie werden bald wieder von mir hören.
6. Der Junge will nicht auf mich hören.
7. Schon seit drei Wochen haben sie nichts von sich hören lassen.
8. Ich habe von dem Arzt viel Gutes gehört.
9. Haben Sie ihn singen hören?
10. Seine Musik kann ich nicht hören.

112 1. Wir haben ihn vor einem Jahr kennengelernt.
2. Seit drei Wochen kennen wir uns.
3. Seit langem hast du mir versprochen, mich ins Kino mitzunehmen.
4. Sie hat vor einer Woche geheiratet.
5. Vor hundert Jahren kannte man das Fernsehen noch nicht.
6. Es ist hundert Jahre her, daß das Telefon erfunden wurde.
7. Es ist drei Tage her, daß er mir von diesem Plan erzählt hat.
8. Schon einen Monat (seit einem Monat) wird an dieser Brücke gebaut.

113 1. Steht Wein auf dem Tisch?
2. Jemand ist (steht) vor der Tür. — Es ist (steht) jemand vor der Tür.
3. Es wird einen Sturm geben.
4. Im Garten war eine Katze. — Es war eine Katze im Garten.
5. Möchte jemand ein Referat halten?
6. Es gibt Leute, die Schlangen mögen.
7. Es waren viele Leute auf der Versammlung. — Auf der Versammlung waren viele Leute.
8. Gibt es hier ein Kino?

114 1. Es ist immer noch niemand im Saal.
2. Er treibt immer noch keinen Sport.
3. Er hat immer noch keine Arbeit gefunden.

4. Ich sehe immer noch niemand aus dem Haus kommen.
5. Rauchst du immer noch nicht?

115-1 1. hilf! 2. tragt! 3. bringen Sie! 4. schrei(e)! 5. gebt!

115-2 1. Erschrick nicht!
2. Wirf den Apfel weg!
3. Sei nicht traurig!
4. Iß deine Suppe!
5. Bringen Sie mir die Zeitung!
6. Gehen wir spazieren!

117 1. Es kommt manchmal vor, daß er mich nicht erkennt.
2. Er glaubt alles besser zu wissen als die anderen.
3. Er ist der einzige, der meine Telefonnummer kennt.
4. Es tut mir leid, ihn ganz allein zu lassen.
5. Er hat sich daran gewöhnt, Wein zu trinken.
6. Sie hat mir gesagt, daß ich ihre Mutter anrufen soll.
7. Wir hoffen, schönes Wetter zu haben.
8. Sie spielen weiter.

118 1. Sein (Ihr) Lächeln gefällt mir nicht.
2. Sie ist beim Waschen.
3. Das Stehen macht mich müde.
4. Er hat sich beim Baden erkältet.
5. Wird er an unserem Treffen teilnehmen?

119 1. Welches war der Titel des Films?
2. An wen erinnerst du dich?
3. Sie haben zwei Kinder; welchem haben sie ein Motorrad geschenkt?
4. Was machst du hier?
5. Welches sind seine (ihre) Absichten?

120-1 1. Wann fährst du nach Frankreich?
2. Bis wann bleibst du auf dem Lande?
3. Wie lang ist der Tisch?
4. Woran denkst du?
5. Wie lange dauert das Spiel?

120-2 1. Wie alt sind deine Eltern?
2. Wie lange brauchst du, um in die Stadt zu fahren?
3. Woher kommt der Zug?
4. Wonach riecht es?
5. Woran ist er gestorben?

121 1. Für welchen Freund hast du diese Schallplatte gekauft?
2. Wieviel Geld hast du bekommen?
3. Welcher französische Schüler könnte auf diese Frage antworten?
4. Mit wieviel Autos sind sie dorthin gefahren?
5. Welche Sprachen kannst du?

122 1. Ich kenne niemand. Ich frage mich, wen ich benachrichtigen soll.
2. Hier gibt es keine Diebe. Warum machst du (macht ihr) denn die Tür zu?
3. Alle sind weg. Was soll ich (sollen wir) machen?
4. Wie kann man das Wort «gemütlich» ins Französische übersetzen?
5. Ich weiß nicht, wo ich in den Osterferien hinfahren soll.

123 1. Erinnerst du dich, um wieviel Uhr er fortgefahren ist? Um zehn?
2. Hast du Paul ein Geschenk gegeben?
3. Frag ihn, ob er Blumen gekauft hat.
4. Ich weiß nicht, wo er hingegangen ist (wohin er gegangen ist).
5. Wem hast du den Schlüssel gegeben?
6. Ich frage mich, wen ich dort sehen werde.
7. Welches ist die schönste Stadt Italiens (von Italien)?

124 1. Hast du je (jemals) deutschen Wein getrunken?
2. Hier habe ich nie jemand anders gesehen.
3. Wird er je (jemals) sein Abitur bestehen?
4. Er hat mich nie (niemals) mehr angeschaut.
5. Wirst du nie (niemals) nach Deutschland kommen?
6. Werde ich je in die Vereinigten Staaten fliegen?

125 1. Je mehr Arbeit ich habe, desto (um so) müder bin ich.
2. Je heißer es ist, desto (um so) mehr trinke ich.
3. Je mehr es schneit, desto (um so) mehr Schwierigkeiten werden wir auf der Straße haben.
4. Je weniger er arbeitet, desto weniger Geld verdient er.

377

126 1. Ich werde bis gegen 7 Uhr auf Sie (euch) warten.
2. Bis wann wird unsere Versammlung dauern?
3. Ich werde dir bis ans Ende der Welt folgen.
4. Diese Fabrik stellt bis zu 1 000 Wagen pro Tag her.
5. Kannst du mich bis nach Hause begleiten?
6. Sie hat bis zum Abend geschlafen.
7. Die Häuser wurden bis auf das letzte abgerissen.

129 1. Gerade darüber wollte ich mit dir sprechen.
2. Das Brot hat gerade noch gereicht.
3. Es ist genau Mitternacht.
4. Ich komme gerade von Berlin.
5. Ausgerechnet °mein Auto hat einen Strafzettel bekommen.
6. Er hat gerade noch genug Geld für eine Woche.
7. Darf ich Sie nur eine Sekunde sprechen?
8. Das ist ge °nau das Buch, das ich haben wollte.

130 1. Kaum hatte er den Hörer aufgelegt, als das Telefon schon wieder klingelte.
2. Er kann den Vorlesungen kaum folgen.
3. Kaum war sie eingeschlafen, da wurde sie geweckt.
4. Ich habe sie kaum gekannt.
5. Kaum daß er im Haus eingebrochen hatte, kam die Polizei.
6. Man kann sich kaum eine andere Lösung vorstellen.

131 1. Kann er Französisch?
2. Es kann in zehn Minuten regnen.
3. Kann ich Ihnen helfen?
4. Er kann Schach spielen.
5. Könnten Sie mir meinen Koffer holen?
6. Können Sie mir Ihren Bleistift leihen?

132 1. Es ist schon lange her, daß er mir geschrieben hat. / Schon lange hat er mir nicht geschrieben.
2. Nicht lange nach seiner Abfahrt hatte er einen Unfall.
3. Sekundenlang (eine Sekunde lang) glaubte er, das Flugzeug werde abstürzen (,daß das Flugzeug abstürzen werde).

4. Das Zimmer ist 4 m lang und 2 m 50 hoch.
5. Er hat eine lange Nase.
6. Das ist die längste Brücke der Welt.
7. Wir haben länger warten müssen als das letzte Mal.
8. Sein ganzes Leben lang hat er für die Gerechtigkeit gekämpft.
9. Er hat mir einen langen Brief geschrieben.
10. Einen Monat lang war sie abwesend.

133 1. Er müßte schon längst da sein.
2. In längstens 14 Tagen fliege ich nach Amerika.
3. Längs der Autobahn stirbt der Wald ab.
4. Er hat längstens eine halbe Stunde warten müssen.
5. Ich bin längst nicht so geschickt wie du.

134 1. Könntest du mir deine Zeitung leihen?
2. Ich leihe sie dir, wenn du sie mir wiedergibst.
3. Der Skiausleih ist ab 9 Uhr geöffnet.
4. Ich möchte mir für eine Woche Skier (Schier) ausleihen.
5. Ich habe mir von ihm seine Schreibmaschine geliehen. / Ich habe mir bei ihm seine Schreibmaschine ausgeliehen.
6. Nur den Reichen wird geliehen. (Man leiht nur den Reichen.)

135 1. Sehr geehrter Herr Müller! Ich habe Ihren Brief vom... gut erhalten. Sehr geehrter Herr Müller, ich habe Ihren Brief vom... gut erhalten.
2. Herrn Herbert Schmitt
3. An das Finanzamt
4. Sehr geehrtes Fräulein Ursula Schulz! Ich danke Ihnen für... Sehr geehrtes Fräulein Schulz, ich danke Ihnen für...
5. Lieber Peter! Ich hoffe, es geht Dir gut... Lieber Peter, ich hoffe, es geht Dir gut...

136 1 1. Gehst du schon schlafen?
2. Die Sonne geht um 4 Uhr morgens auf.
3. Um wieviel Uhr wollen Sie aufstehen?
4. Alle Sterne sind schon untergegangen.

5. Peter geht jeden Tag um Mitternacht zu Bett.
6. Hast du diesen herrlichen Sonnenuntergang gesehen?
7. Ich stehe nicht gern sehr früh auf.
8. Bei Sonnenaufgang war er schon aufgestanden.

137-1 1. Wohnst du bei deinen Eltern?
2. Rechts sieht man einen Bauernhof.
3. Vor der Kirche steht ein Lindenbaum.
4. Um das Haus (herum) hat man eine Mauer gebaut (errichtet).
5. Ein Kind saß neben mir.

137-2 1. Zu Hause haben wir einen Hund.
2. Jenseits des Flusses sieht man einen großen Wald.
3. Draußen vor der Tür liegt eine Katze.
4. Wir essen heute bei meinen Eltern.
5. Sie sitzt auf einem weißen Stuhl.

139 1. Kennst du den Studenten, der über uns wohnt?
2. Sie haben ihre Wohnung an einen Schweden verkauft.
3. Man hat die Partitur des Komponisten wiedergefunden.
4. Die Bayern sind fröhlich.
5. Er hat Angst vor dem Affen.

140 1. Kennst du den Namen der Firma?
2. Sie kann schon alle deutschen Buchstaben schreiben.
3. Er kämpft für den Frieden.
4. Er blieb vor dem Haufen Kartoffeln stehen.
5. Das war bei bestem Willen nicht möglich.

141 1 In den meisten Großstädten muß man sich beeilen.
2. Im November regnet es am meisten.
3. Meistens bleiben wir am Strand.
4. Unser Nachbar hat die meisten Kühe.
5. Er hat die meisten Stimmen gehabt.

142 1. Sie haben ein Schwein mit einem Gewicht von 200 Pfund verkauft.
2. Der Garten ist 350 Meter lang.

3. Hast du die drei Glas Bier getrunken?
4. Ich habe drei Flaschen guten Wein gekauft.
5. Wieviel kosten zwei Dutzend Eier?
6. Ich habe ein zehn Meter langes Schiff gesehen.
7. Er hat drei Stück Kuchen gegessen.
8. Während des Krieges fragte man nach dem Preis eines Stück Brotes (eines Stückes Brot).

143 1. In den Ferien haben wir ein Berghaus in der Schweiz gemietet.
2. Alle Dorfbewohner vermieten einen Teil ihres Hauses.
1. Ich wollte ein Zimmer mieten, aber alle waren schon vermietet.
2. Es ist schwierig, in München eine Wohnung zu mieten.

144 1. Was mag er wohl um diese Zeit machen?
2. Ich möchte ein Pfund Tomaten.
3. Was er auch machen mag (er mag machen, was er will), er wird gestehen müssen, wem dieses Fahrrad gehört.
4. Ich mag keine Apfelsinen.
5. Er mag wohl die besten Restaurants der Stadt kennen.
6. Möchten Sie eine Tasse Tee?

145 1. Ich muß Milch kaufen.
2. Das muß wahr sein.
3. Heute morgen brauchst du nicht zu arbeiten.
4. Ich muß um 8 Uhr am Bahnhof sein.
5. Jetzt müssen sie angekommen sein.

146-1 1. Herr Weber fährt heute nicht nach Düsseldorf.
2. Am Sonntag bleibe ich nicht zu Hause.
3. Sein Sohn arbeitet nicht sehr gut.
4. Morgen darf ich nicht ins Kino gehen.
5. Sein Lehrer ist nicht sehr beliebt.

146-2 1. Er ist nicht in Bonn geboren, sondern in Köln.
2. Bist du nicht zu deiner Schwester gegangen?
3. Er kommt nicht heute, sondern in drei Tagen.
4. Das Haus ist nicht sehr schön.
5. Ich habe dieses Buch nicht sehr interessant gefunden.

147 1. Mir ist nicht kalt.
2. Zu Hause haben wir keinen Fernseher.
3. Das ist kein Silber.
4. Ich esse kein Fleisch.
5. Ich trinke nicht gern Wein.

148 1. Ich habe kein Geld mehr.
2. Warum geht er nicht mehr in die Schule?
3. Er wohnt nicht mehr hier.
4. Ich habe keinen Wagen mehr.
5. Es ist (liegt) kein Schnee mehr auf den Straßen.
6. Er arbeitet nicht mehr; er ist pensioniert.

149 1. Ich habe nichts anderes gehört.
2. Es war etwas (was) Schwarzes.
3. Haben Sie nichts Größeres?
4. Ich habe gestern abend etwas (was) sehr Interessantes gesehen.
5. Haben Sie etwas (was) anderes?
6. Ich habe ihm (ihr) etwas Nützliches geschenkt.
7. Ich habe nichts sehr Teueres gekauft.
8. Nichts Neues?

150 1. Sie spielt nicht nur Flöte, sondern auch Klavier.
2. Sie haben nicht nur das Haus abgerissen, sondern auch die Bäume gefällt.
3. Er wird nicht morgen kommen, sondern erst nächsten Donnerstag.
4. Meine Uhr ist nicht aus Gold, sondern aus Silber.
5. Das Geschäft liegt nicht im Zentrum, sondern außerhalb der Stadt.

151 1. Ich kann Ihnen noch nicht sagen, wann er kommt.
2. Ich glaube, daß er noch keinen Wagen hat.
3. Er hat noch keine Wohnung gefunden.
4. Haben Sie (Habt ihr) schon Hunger? — Nein, noch nicht.
5. Mein Bruder geht noch nicht in die Schule.
6. Er hat noch keine Zähne.
7. Er ist noch nicht wach.
8. Dieses Buch hat er noch nicht gelesen.

152-1 neunundsiebzig, / (ein)hundert(und)fünf, / zwölf, / siebenhundert(und)neunzig, / dreitausendachtundneunzig, / fünfundvierzigtausendhundert(und)fünfunddreißig, / sechshundertzehntausendsechshundert(und)achtzehn, / acht Millionen neunhundertvierzehntausenddreiundvierzig.

152-2 achtundneunzig, / einundsechzig, / dreihundert(und)einundneunzig, / elftausendsiebenhundert (und) achtundzwanzig, / fünfundfünfzigtausendzweihundert(und)zweiundzwanzig, / hundertzweiundsechzigtausendsechshundert(und)zweiunddreißig, / sechs Millionen zweihundertfünfzehntausendsechshundert(und)eins.

152-3 1. Einige tausend Personen erwarteten die Ankunft des Präsidenten.
2. Etwa dreißig Kinder spielten vor der Tür.
3. Ich habe ungefähr 260 Personen gezählt.
4. Er hat Hunderte von Briefmarken.

153 1. ... dem Zweiten...
2. ... vierundzwanzigsten...
3. ... der Sechste...
4. ... ersten...
5. ... den Fünften...

154 1. Es ist ein braver Hund.
2. Das scheint ein unbewohntes Haus zu sein.
3. Unser ehemaliger Bürgermeister ist vor zwei Wochen gestorben.
4. Mein lieber Peter, ich habe dir ein Buch über Deutschland mitgebracht.
5. Es ist Paul, ein Freund meiner Schwester.

155-1 1. der Gemüsemarkt
2. der Krankenhausdirektor
3. der Rosengarten
4. die Jahreszeit
5. die Pilotenschule
6. der Höflichkeitsbesuch
7. der Wirtschaftsminister
8. das Bücherregal
9. der Universitätsprofessor
10. der Kirchplatz

155-2 1. die Schreibmaschine
2. die Holzbank
3. die Präsidentenreise
4. der Schulweg

5. der Zeitungskiosk
6. der Mondflug
7. das Kinderspielzeug
8. die Arbeitszeit
9. das Bierglas
10. die Tanzbar

156 1. der Pariser - 2. der Zweibrücker - 3. der Frankfurter - 4. der Bonner - 5. der Kölner - 6. der Dresdner - 7. der Göttinger - 8. der Salzgitteraner - 9. der Meißner - 10. der Dortmunder

157 1. Er ist in der Schweiz geboren.
2. Ganz Belgien weiß es.
3. Er hat das wilhelminische Deutschland gekannt.
4. In England hat er einen seiner Freunde getroffen.
5. Ich habe eine Woche im Elsaß verbracht.
6. Ich fliege in die Vereinigten Staaten.

158 der °Norwege - der °Türke - der °Spanier - der °Luxemburger - der Portu°giese - der Afri°kaner - der °Holländer - der °Schotte - der °Korse - der °Preuße - der Ru°mäne - der Argen°tinier - der Aus°tralier - der Ja°paner - der Ka°nadier - der Togo°lese

159 1. Ludwig van Beethovens Symphonien, die Symphonien Ludwig van Beethovens, die Symphonien von Ludwig van Beethoven.
2. Die Schlösser Ludwigs des Zweiten, die Schlösser von Ludwig dem Zweiten.
3. Das ist das Zimmer unseres großen Wolfgang.
4. War er der einzige Bruder Ludwigs des Vierzehnten? (von Ludwig dem Vierzehnten)
5. Kennst du die Eltern von Fritz? Kennst du Fritz' Eltern?

160 1. une sonate en Fa majeur
2. un concerto en Do mineur
3. une symphonie en Mi bémol majeur
4. une sonate en Mi mineur
5. le quintette pour clarinette en La majeur

161 1. An die Arbeit!
2. Bitte nicht parken!
3. Jetzt wird gearbeitet!
4. Schneller!
5. Bitte nicht hinauslehnen!
6. Vorsicht Stufe!

162-1 1. mit einem Freund ins Kino gehen dürfen
2. sehr krank gewesen sein
3. vom Lehrer beobachtet werden
4. gern zu seinem Onkel fahren
5. sich an die Ferien erinnern

162-2 1. Äpfel essen
2. in Gefahr sein
3. für seinen Freund ein Buch bestellen
4. bei Regen auf den Bus warten
5. nachts aufstehen

163-1 1. nachdem sein Bruder den Brief geschrieben hatte
2. daß sein Vater seit zehn Jahren (seit zehn Jahren sein Vater) in Deutschland arbeitet
3. weil das Auto auf der Autobahn (auf der Autobahn das Auto) zu schnell gefahren ist
4. ob er zu Hause vielleicht einen Computer hat
5. weil er nicht sehr sportlich ist
6. daß im Bus kein Platz mehr war
7. obwohl das Auto bestimmt nicht sehr neu war
8. daß sie ihm wahrscheinlich ein Buch schenken wird
9. daß er jetzt Tee trinken möchte
10. seitdem sein Bruder Deutsch lernt

163-2 1. Weißt du, daß er in England studiert?
2. Wenn er heute morgen kein Brot kauft, wird es bis Dienstag keins geben.
3. Ich denke, daß er vielleicht mit dem Wagen kommt.
4. Er sagt, daß sein Vater bestimmt den Wagen hat überholen wollen, der vor ihm fuhr.
5. Warum hast du diesen Baum hierhin gepflanzt? — Weil ich vor der Küche Schatten haben wollte.

164 1. Er geht morgen bestimmt nicht in die Schule.
2. Er hat in der Nacht wahrscheinlich Angst gehabt.
3. Ich glaube, daß er nicht sehr reich ist.
4. Er wohnt bekanntlich in einem vornehmen Viertel.

5. Er ist verhaftet worden, weil er vor einer Woche vermutlich einen Radfahrer überfahren hat.
6. Um fünf Uhr hatte er keinen Tee trinken wollen.

165-1 1. Haben deine Eltern eine Wohnung gemietet?
2. Dieter hat vor dem Kino auf seine Freundin gewartet.
3. Mein Vater ist gestern abend bestimmt sehr spät nach Hause gekommen.
4. Erinnerst du dich an die Ferien?
5. Unser Sohn hatte letztes Jahr einen sehr guten Lehrer.

165-2 1. Ich habe schon bei einer Freundin Tee getrunken.
2. Mit meinem Neffen habe ich von zwei bis vier das Museum besichtigt.
3. In Amerika möchte ich studieren.
4. Für die Mutter von Herrn Schmidt habe ich heute morgen auf dem Markt einen Blumenstrauß gekauft.
5. Er ißt seit drei Jahren kein Fleisch mehr.

166-1 1. Glaubst du, daß morgen Brigitte (Brigitte morgen) zu Hause sein wird?
2. Wenn mein Bruder während der Ferien (während der Ferien mein Bruder) nach Deutschland gefahren wäre, könnte er heute besser deutsch sprechen.
3. Ich frage mich, ob ihr Freund in Berlin (in Berlin ihr Freund) eine Wohnung gefunden hat.
4. Ich weiß nicht, warum Peter heute (heute Peter) so nervös ist.
5. Ich frage mich, wer gestern die Schokolade gegessen hat.

166-2 1. Er weint, weil er gern bis um 5 Ski laufen möchte.
2. Ich glaube, daß er um diese Zeit in seinem Sessel die Zeitung las.
3. Weißt du, ob ich deinem Bruder die Kinokarten gegeben habe?
4. Obwohl er letztes Jahr schon nach Deutschland gefahren ist, hat er die Absicht, während der Ferien wieder hinzufahren.
5. Ich glaube, daß er seit drei Jahren in Paris studiert.

167-1 1. Morgen ist die Bäckerei zu.
2. In die Stadt kannst du doch nicht zu Fuß gehen.

3. Ihm habe ich es schon gegeben.
4. Gestern war der Lehrer nicht in die Schule gekommen.
5. Wir fahren zu Ostern mit unseren Freunden wahrscheinlich nach Italien.

167-2 1. Weißt du, ob im Keller eine Leiter ist? (ou : ob eine Leiter im Keller ist?)
2. Ich glaube, daß unser Nachbar einen Hund gekauft hat.
3. Ich hoffe, daß morgen abend die Sendung interessant ist.
4. Wenn dich Peter anruft, sag ihm, daß es mir hier gefällt.
5. Ich bleibe zu Hause, weil draußen das Wetter wirklich zu schlecht ist.

168-1 1. Hast du schon gegessen?
2. Ich weiß nicht, ob er kommen wird.
3. Gestern hat es hier sehr stark geregnet.
4. Ich glaube, daß er nicht hat kommen wollen.
5. In Deutschland bleibt er bis Ende August.
6. Warum darf er nicht mitkommen?

168-2 1. Seit drei Jahren wohnt er in dieser Wohnung.
2. Gib ihm das Buch, wenn du ihn morgen siehst.
3. Er hat nicht bis morgen bleiben wollen.
4. Wieviel Fische hat er gefischt?
5. Gestern bin ich trotz des Regens spazieren gegangen.
6. Ich frage mich, ob er wirklich krank ist.

169-1 1. Aber mein Hund beißt nicht.
2. Daß du krank warst, habe ich letzten Sonntag erfahren.
3. Gestern hat es in Paris viel geregnet.
4. In München, der schönsten Stadt Deutschlands, habe ich zwei Wochen verbracht.
5. Während der Osterferien und im Monat Juli muß ich arbeiten.

169-2 1. Und morgen stehe (werde) ich um 5 Uhr auf(stehen).
2. Um den Park zu besichtigen, muß man 5 Mark zahlen.
3. Wenn du kommst, werde ich dir zeigen, was ich gekauft habe.
4. Gestern um 5 Uhr habe ich Paul getroffen.
5. Dieses Gemälde, das schönste der Ausstellung, ist von einem Ausländer gekauft worden.

170 1. diktiert - 2. ausgesprochen - 3. gekannt - 4. anerkannt - 5. umgekippt - 6. unterschieden - 7. geschrieben - 8. gebracht - 9. aufgegessen - 10. überflogen - 11. eingebildet - 12. ausgesprochen - 13. einbezogen - 14. prophezeit - 15. festgesetzt.

171 1. Es hat den ganzen Tag geregnet.
2. Dieser in Hamburg eingeworfene Brief ist erst heute angekommen.
3. Abgesehen vom Benzin, hat diese Reise 1 000 Mark gekostet.
4. Ich habe einen betrunkenen Mann getroffen. (Ich bin einem betrunkenen Mann begegnet).
5. Der Koffer ist verloren gegangen.
6. Der Ball ist verloren.
7. Der Brief, von seinem (ihrem) Vater unterzeichnet (unterschrieben), sollte alles in Ordnung bringen.

172 1. Ich habe nicht ausgehen dürfen.
2. Er hat es nicht gewollt.
3. Er hat nicht schwimmen können.
4. Hast du arbeiten müssen?
5. Wirst du um 5 Uhr kommen können?
6. Wird er so früh aufstehen wollen?
7. Sie hatte ihn am Bahnhof abholen wollen.

173-1 1. lachend - 2. sammelnd - 3. einladend - 4. erschreckend - 5. spannend - 6. wimmelnd - 7. fordernd - 8. eilend - 9. ertragend - 10. stürzend.

173-2 1. Es war ein spannendes Buch.
2. Auf dem Boden liegend, rauchte er eine Zigarette.
3. Wir haben ein in einem Sessel sitzendes Kind gesehen.
4. Er ist schreiend ins Haus gekommen.

174-1 1. Ein Angestellter hat an die Tür geklopft.
2. Die Gefangenen sind befreit worden.
3. Kennst du ihren Geliebten?
4. Alle Reisenden haben einen Koffer.
5. Sie wohnt bei einem Bekannten.

175 1. Wann kommst du zurück?
2. Er ist noch nicht angekommen.
3. Bist du schon mal hingefahren?
4. Hörst du mir zu?
5. Gestern hat er mich ausgelacht.
6. Um wieviel Uhr fährt der Zug ab?
7. Paß auf!
8. Bist du ihn losgeworden?
9. Er fährt mit.
10. Ich laufe ihm nach.

176-1 1. Gestern ist viel getrunken worden.
2. Dann wurde plötzlich geschwiegen.
3. Vor acht Tagen wurde geerntet.
4. Jetzt wird aber geschlafen.
5. Den ganzen Tag ist über ihn gespottet worden.

176-2 1. Ihm wurde bei der Hausaufgabe geholfen.
2. Mir wurde von allen zugestimmt.
3. Über seine finanzielle Lage ist diskutiert worden.
4. In der Zeitung ist von einem schweren Unfall berichtet worden.
5. Auf diese Reise mußte verzichtet werden.

177-1 1. ich werde geschlagen - 2. er wird gebissen werden - 3. wir wurden gefragt - 4. sie sind gegessen worden - 5. du warst gefunden worden.

177-2 1. Dieses Haus ist in sechs Monaten gebaut worden.
2. Folgende Sonate wird von einer Japanerin interpretiert.
3. Das Geschirr wird vom Vater gespült.
4. Der Briefträger war vom Hund gebissen worden.
5. Diese Geschichte war von der Großmutter erzählt worden.

177-3 1. Es ist eine Handtasche gefunden worden.
2. Die Ware ist an den Verkäufer geliefert worden.
3. Er ist an der Grenze verhaftet worden.
4. Er ist vor dieser Gefahr gewarnt worden.

178 1. Wann wird dir ein neues Fahrrad geschenkt?
2. Die Waschmaschine wird uns ins Haus geliefert.
3. Wie kann das erklärt werden?
4. Warum kann das Problem nicht gelöst werden?

179 1. die Namen - 2. die Bankiers - 3. die Pferde - 4. die Höhlen - 5. die Füchse - 6. die Schwänze - 7. die Tücher - 8. die Wagen - 9. die Spiele - 10. die Menschen - 11. die Affen - 12. die Abende - 13. die Irrtümer - 14. die Ohren - 15. die Kräfte - 16. die Segel - 17. die Würmer - 18. die Kühe - 19. die Öfen - 20. die Herren - 21. die Augen - 22. die Hände - 23. die Knoten - 24. die Feste - 25. die Seiten - 26. die Kiefern - 27. die Schiffe - 28. die Städte - 29. die Haare - 30. die Würste.

180 1. Er reist lieber mit dem Zug als mit dem Flugzeug.
2. Sie zieht Tennis allen (anderen) Sportarten vor. / Vor allen (anderen) Sportarten bevorzugt sie das Tennis.
3. Wir fahren lieber ins Gebirge als ans Meer.
4. Ich ziehe ein Theaterstück einer Oper vor.
5. Er ist ihr Lieblingssänger. / Er ist ihr liebster Sänger.
6. Ißt du lieber Schwarzbrot oder Weißbrot?
7. Ich warte lieber ein bißchen.
8. Sie zieht Brigitte allen ihren anderen Freundinnen vor.

181 1. Felix ist als erster angekommen.
2. Klara ist als letzte weggegangen.
3. Lutz ist als einziger geblieben.
4. Die Erste der Klasse hat als einzige die Mathematikaufgabe verstanden (sie ist die einzige, die...).
5. Wir haben die Neuigkeit als erste erfahren (wir waren die ersten, die...).
6. Als einzige haben uns Hans und Peter geholfen (sie sind die einzigen, die...).
7. Er will nicht der Letzte seiner Gruppe bleiben.
8. Der alte Mann sprach als letzter diese Sprache (er war der letzte, der...).

182 1. Gegen wen hast du gekämpft?
2. Ohne seinen (ihren) Vater hätte ich nie den Weg gefunden.
3. Um die Kirche (herum) sind Bäume.
4. Ist es für mich?

5. Wir sind um Mitternacht angekommen.
6. Ich komme (werde... kommen) gegen drei Uhr.

183 1. Ich fahre nach Hause.
2. Willst du Milch zu deinem Kaffee?
3. Ich habe ihn seit zwei Wochen nicht gesehen.
4. Bei schlechtem Wetter fahre ich mit dem Zug.
5. Das sind Fotos aus meiner Jugend.
6. Dieses Gedicht von Heine ist berühmt.
7. Er wurde zum Präsidenten gewählt.
8. In drei Tagen darfst du wieder aufstehen.
9. Er fährt zu seinem Bruder.
10. Er trinkt zum ersten Mal Wein.

184 1. Jenseits des Gebirges spricht man Italienisch.
2. Während des zweiten Weltkrieges haben sie ins Exil gehen müssen.
3. Trotz seiner Krankheit ist er aufgestanden, um uns zu grüßen.
4. Innerhalb einer Woche hat der Baum alle seine Blätter verloren.
5. Bist du meinetwegen fortgegangen?

185-1 1. Er sitzt neben deinem Freund.
2. Leg das Päckchen auf den Tisch!
3. Such die Tasche in meinem Zimmer!
4. Der Zug fährt über die Brücke.
5. Stell dich vor das Auto!

185-2 1. Neben dem Bahnhof sieht man einen großen Platz.
2. Was liegt auf dem Schreibtisch?
3. Ist er hinter dem Haus?
4. Über dem Meer sind Wolken.
5. Ich hole dich am Bahnhof ab.

186 1. Wir sind zweimal um das Haus gefahren.
2. Heute morgen bin ich mit dem Fahrrad hinter ihm hergefahren.
3. Sie gehen an der Mauer entlang.
4. Ich habe eine Katze hinter der Hütte hervorkommen sehen.
5. Setz(e) dich neben ihn!
6. Der Vogel ist gegen die Fensterscheibe geflogen.

7. Er ist an mir vorbeigerannt.
8. Das Auto, das auf uns zukommt (= deux mobiles), (das uns entgegenkommt = un seul mobile), fährt sehr schnell.

187 1. Die Katze sitzt am Feuer.
2. Erlangen liegt bei Nürnberg (in der Nähe von Nürnberg).
3. An die 4.000 Personen waren auf dem Platz versammelt.
4. Ich werde ihn nicht so schnell wieder einladen.
5. Er wohnt ganz in der Nähe der Kirche.
6. Unser Haus steht nahe beim Dorf.

188 1. Wo bist du ihr begegnet?
2. Der Boden ist mit Blättern bedeckt.
3. Hast du diese Frage beantworten können?
4. Ich habe meine Schwester besucht.
5. Wer hat ihn mit einer Waffe bedroht?

189 1. Der Präsident hat eine Statue enthüllt.
2. Er hat mir dieses Buch empfohlen.
3. Was hast du dabei empfunden?
4. Wer hat Amerika entdeckt?
5. Wie ist er entlaufen?

190 1. Wo hast du das erfahren?
2. Kannst du die Liste ergänzen?
3. Erzähl(e) mir deine Geschichte.
4. Wer hat dieses Spiel erfunden?

191 1. Hast du dich an deine neue Wohnung gewöhnt?
2. Es ist mir nicht gelungen, ihn (sie) davon zu überzeugen.
3. Wem gehört dieser Mantel?
4. Es gefällt ihm dort.

192 1. Sie hat ihre Familie verlassen.
2. Sie haben sich verlaufen.
3. Ich habe das Buch verbrannt.
4. Sie haben ihre Kinder verwöhnt.

193 1. Das Haus ist zerstört worden.
2. Warum zerschneidest du dieses Blatt Papier?
3. Wer hat die Vase zerschlagen?
4. Dein Hemd ist ganz zerlöchert.

194 1. Er hat das Buch durchgelesen.
2. Hast du das Huhn überfahren?
3. Er hat mich umarmt.
4. Wo hat er übernachtet?
5. Wo hast du ihn überholt?
6. Habe ich den Brief unterschrieben?
7. Wer hat diesen Text übersetzt?
8. Er hat sich mit meiner Mutter unterhalten.
9. Wir ziehen morgen um.
10. Ich wiederhole die Frage.

195 1. Er ist an einem ersten April geboren; ich erinnere mich daran.
2. Ich wollte nach England fahren (fliegen); aber ich habe darauf verzichten müssen.
3. Ich habe es ihm gesagt, daß er einen Hut aufsetzen sollte.
4. Gestern hat es den ganzen Tag geregnet; deswegen (deshalb) habe ich nicht Tennis spielen können.
5. Ich habe darüber nachgedacht, was ich ihm (ihr) sagen könnte.
6. Er hatte damit gerechnet, daß der Zug fünf Minuten Verspätung hätte.

196-1 1. Derjenige, der kommt, ist ein Freund von mir.
2. Ich habe zwei Schallplatten gekauft : diese (die) für meinen Vater und diese (die) für meine Schwester.
3. Sie hat zwei Mäntel; diesen (den da) hat sie noch nie angezogen.
4. Ich habe verschiedene Kleider; möchten Sie so eins?
5. Ich habe Paul gesehen, seinen Vater und dessen Schwester.

196-2 1. Peter ist zu Besuch; dem habe ich heute Montmartre gezeigt.
2. Unsere Nachbarn sind zum Glück ausgezogen; die waren sowieso immer unfreundlich.
3. Hans ist auch da; ich bin mit dessen Bruder nach Versailles gefahren.
4. Erinnerst du dich an den, der neben uns stand?
5. Schau dir die Westen an; hast du die schon mal anprobiert?

197 1. Du wolltest ein Boot; hast du eins (eines) gekauft?
2. Keins (keines) dieser Bücher hat mich interessiert.

3. Niemand hat mir etwas gesagt.
4. Man weiß nie, was einem passieren kann.
5. Er braucht nichts.
6. Einer meiner Freunde hat mich angerufen (mir telefoniert).
7. Hast du jemand(en) getroffen?

198 1. Habt ihr Kleingeld?
2. Herr Meyer, waren Sie schon einmal in Paris?
3. Gib ihm sein Buch zurück!
4. Rita hat morgen Geburtstag; schenk ihr Blumen!
5. Frau Schmitt, soll ich Ihnen einen Stuhl bringen?
6. Kinder, soll ich euch zeigen, was ich gekauft habe?

199 1. °Sie denken nur an die °Ferien.
2. °Ich habe die Tür aufgemacht.
3. °Ihr habe ich den Schlüssel gegeben.
4. °Du bist ein °Lügner!
5. °Mir haben sie °nichts gegeben.
6. °Er, der immer so schöne °Autos hatte...
7. Bei °uns hätten sie übernachten sollen.
8. Bist °du es? (Bist °du da?)
9. °Wir bleiben zu °Hause.
10. °Ich fahre nach I °talien.

200 1. Warum hast du ihm (ihr) seine (ihre) Brieftasche versteckt?
2. Ich habe sie ihm heute morgen zurückgegeben.
3. Ich weiß, daß du sie ihm zurückgegeben hast.
4. Glaubst du, daß sie morgen da sein wird?
5. Ich habe ihr für ihren Brief gedankt.
6. Was hast du ihm (ihr) geschenkt?
7. Hast du ihm (ihr) die Zeitung gebracht?

201-1 1. Hier sind Bücher; sind es deine?
2. Sie haben zwei Kinder? Unsere sind heute im Kino.
3. Laß diesen Mantel! Es ist nicht deiner.
4. Schau dir dieses Boot an! Ist es ihres?
5. Eine Brieftasche... Peter, ist es Ihre?

201-2 1. Du hast auch einen Plattenspieler; nimm doch deinen mit!
2. Wem gehört dieser Regenschirm, Paul? Ist das deiner?
3. Hast du ein Auto? Ist das deins?
4. Schmitts haben zwei Hunde. Das sind ihre.
5. Ich habe auch ein Schachspiel; ich komme mit meinem.

202-1 1. Wer viel Geld verdient, muß auch viele Steuern zahlen.
2. Kennst du ein Land, wo Apfelsinen wachsen?
3. Der Freund, mit dem ich nach Schweden gefahren bin, wohnt in Köln.
4. Die Nachbarn, deren Auto vor der Garage steht, waren in der Türkei.
5. Das war die schönste Stadt, die ich je gesehen habe.
6. Das ist alles, was ich sagen kann.

202-2 1. Der Wein, den ich in Spanien getrunken habe, war sehr gut.
2. Was du dort in der Ferne siehst, ist ein Kriegsschiff.
3. Ich habe ein Schloß besichtigt, dessen Besitzer letztes Jahr gestorben ist.
4. Der Zug, auf den wir warten, kommt aus Lyon.
5. Alles, was ich mitgebracht hatte, ist gegessen worden.

203 1. Der vor der Tür stehende Mann wartet auf seinen Freund.
2. Das draußen im Garten spielende Kind ist unser Sohn.
3. Der in Deutschland am meisten verkaufte Wagen ist der Volkswagen.
4. Die gestern abend angekommenen Freunde fahren heute weiter nach Paris.
5. Vor unserem Haus gibt es eine 6 Meter breite Straße.

204 1. Welches ist dein Name?
2. Welches ist der längste Fluß Südamerikas?
3. Welches sind die schönsten Sendungen, die du gesehen hast?
4. Welches ist die Hauptstadt der D. D. R.?
5. Welches waren deiner Meinung nach die schönsten Bilder der Ausstellung?

205 1. In der Zeitung ist von einem neuen Impfstoff die Rede.
2. In Brüssel wird ein neues Gipfeltreffen erwogen (in Betracht gezogen).
3. Schulen sollen geschlossen werden. / Es heißt, Schulen würden geschlossen.
4. Hier soll ein Stadion gebaut werden. / Es heißt, hier werde ein Stadion gebaut.
5. Es kommt nicht in Frage, daß ich diesen Brief unterschreibe!
6. Seit drei Tagen ist von einem Regierungswechsel die Rede.
7. In diesem Roman handelt es sich um einen Streik der Bergarbeiter.
8. Ich möchte gern heute abend ausgehen. - Das kommt nicht in Frage!

206 1. Der Ober hat das Trinkgeld abgelehnt.
2. Die Fremdarbeiter wurden an der Grenze zurückgewiesen.
3. Wir können ihm diesen Gefallen (diesen Dienst) nicht abschlagen.
4. Er hat die Zahlung der Steuern verweigert.
5. Ich frage mich, warum er uns diese Unterredung abgeschlagen (verweigert) hat.
6. Jeden Abend hat das Theater Zuschauer zurückweisen müssen.
7. Sie weigert sich, ihre Schulden zu bezahlen.
8. Er hat den Gehorsam verweigert.
9. Er lehnt es ab, darüber zu sprechen.

207 1. Der Versuch ist gescheitert (mißlungen, mißglückt).
2. Die Herzoperation ist gut gelungen.
3. Unsere Ferienphotos sind sehr gut gelungen (geglückt).
4. Wegen seiner Krankheit ist er beim Abitur durchgefallen.
5. Die Verhandlungen sind gescheitert.
6. Die Architektur des Rathauses ist wirklich gelungen.
7. Es ist ihm gelungen, die Grenze zu überschreiten.
8. Alle Kinder haben ihre Schwimmprüfung bestanden.

208 1. Die Rechnung ist richtig.
2. Sein Urteil war nicht gerecht.
3. Du hast für dein Kommen den richtigen Augenblick gewählt.
4. Findest du es richtig, daß sie heute abend ausgeht?

5. Ich habe dich nicht recht verstanden.
6. Ist er nicht gerecht gegen alle?
7. Das ist ein recht interessanter Artikel.
8. Glaubst du wirklich, daß du recht hast?

209 1. Sie spricht ausgezeichnet Russisch.
2. Er redet schon zwei Stunden und ist immer noch nicht fertig.
3. Sie sagte uns gestern, wir möchten Sie anrufen.
4. Ist der Direktor jetzt zu sprechen?
5. Wovon habt ihr denn so lange geredet?
6. Dieser Fehler hat nichts zu sagen.

1. Sie hat uns das Gegenteil gesagt.
2. Er will uns unbedingt sprechen.
3. Wovon wolltest du sprechen (reden)?
4. Er sagt (redet) nur Unsinn.
5. Er spricht nicht gern von seiner Krankheit.
6. Bitte sprechen (reden) Sie lauter!

210 1. Grüß dich, Peter, wie geht's? - Danke, es geht, und dir? Ich habe dich schon lange nicht gesehen. Was machst du denn so? - Das ist Monika, eine Freundin. Willst du mitkommen? Wir gehen ins Kino. - Nein, leider habe ich keine Zeit. Ich muß jetzt weg. Tschüs, Peter! - Tschüs, Paul! - Bis bald!

2. Guten Abend, Frau Schwarz, wie geht es Ihnen? - Danke, sehr gut, Herr Braun, und Ihnen? - Darf ich Ihnen meinen Kollegen, Herrn Weiß, vorstellen? - Ich freue mich, Sie kennenzulernen. - Wir fahren mit demselben Zug. Wollen Sie mit uns kommen? - Nein, leider fahre ich etwas später. Auf Wiedersehen, Herr Braun! - Guten Abend, Frau Schwarz, ich habe mich sehr gefreut, Sie wiederzusehen.

211 1. Der Mond scheint hell.
2. Diese Zeitschrift erscheint täglich.
3. Es scheint, als wolle es regnen.
4. Das scheint mir falsch zu sein.
5. Sie ist zum Ball in einem neuen Kleid erschienen.
6. Er ist jünger, als er scheint.

7. Es erscheint mir ratsam, einen Arzt zu fragen.
8. Sie scheinen neue Nachbarn zu haben.

212 1. Sie hat ihn lächelnd angesehen.
2. Siehst du schon das Meer?
3. Ich habe ihm beim Malen zugesehen.
4. Darf ich mir das Buch einen Augenblick ansehen (anschauen)?
5. Ich habe ihn nicht hereinkommen sehen.
6. Seit einer Woche habe ich nicht ferngesehen.
7. Wir schauen den Kindern beim Spielen zu.
8. Siehst du, wie der Regen fällt? - Siehst du den Regen fallen?

213 1. Wir schätzen ihn sehr.
2. Er weiß zuviel.
3. Ich freue mich sehr, dich zu sehen.
4. Zu Weihnachten haben wir viel Schach gespielt.
5. Er ist ein sehr berühmter Pianist.
6. Ich habe sehr auf dich gewartet!
7. Sie ißt wirklich zuviel!
8. Ich danke dir sehr!

214 1. Du warst nicht vorgesehen.
2. Der Brief ist vor einer Woche eingeworfen (abgeschickt) worden.
3. Das Haus ist ganz zerstört.
4. Es war auf einem Hügel gebaut worden.
5. Morgen wird er zum Präsidenten gewählt werden.
6. Ich war enttäuscht.
7. Der Baum ist in der Nacht gefällt worden.

215 1. Sie liest immer dieselben Bücher.
2. Selbstgebackenes Brot schmeckt viel besser.
3. Die Selbstbedienungsläden sind sogar am Sonntag geöffnet.
4. Ich erinnere mich nicht einmal mehr daran.
5. Das war eine Überraschung für alle, selbst (sogar) für mich.
6. Sie selbst glaubten nicht, daß das geschehen könnte.
7. Ohne auch nur um Erlaubnis zu bitten, hat er sich meinen Wagen ausgeliehen.
8. Im selben Jahr hat sie ihr Abitur abgelegt.

216 1. Die beiden (zwei) Mannschaften spielen gegeneinander.
2. Sie trösten sich gegenseitig.
3. Sie haben sich vor dem Bahnhof getroffen.
4. Sie kennen sich seit drei Jahren.
5. Sie spielen miteinander im Garten.

217 1. Ist dieses Buch so interessant wie das erste?
2. Das schreibt sich so.
3. Er hat so viel getrunken, daß er nicht mehr aufstehen kann.
4. Er ist umso schneller gefahren.
5. Ich habe so großen Hunger, daß ich nicht mehr gehen kann.
6. Ich habe noch nie einen so guten Kuchen gegessen.

218 1. Wen sollst du anrufen? (Wem sollst du telefonieren?)
2. Er sollte drei Wochen später sterben.
3. Er soll ein großes Haus geerbt haben.
4. Ich soll so schnell wie möglich antworten.
5. Du sollst nicht lügen.
6. Solltest du früher ankommen, dann ruf mich sofort an.

219 1. vergrößern - 2. der Haß - 3. küssen - 4. der Gruß - 5. der Nußbaum - 6. das Faß - 7. die Küsse - 8. die Grüße - 9. der Schlüssel - 10. du mußt

220 1. du waschest dich - 2. wir gehen - 3. er, es, sie arbeite - 4. ihr schlafet - 5. ich überlege - 6. sie sprechen - 7. du bringest - 8. wir rennen - 9. ihr laufet - 10. er, es, sie gewinne

221 1. Es lebe der König!
2. Hoffen wir, daß nichts passiert!
3. Kommen Sie morgen früh um 9 Uhr.
4. Er tut, als ob er arbeite.
5. Er wird sicher da sein, es sei denn, daß er krank ist.

222 1. er, es, sie wäre, würde sein
2. wir fielen, würden fallen
3. du liefest, würdest laufen
4. ihr könntet, würdet können
5. wir müßten, würden müssen
6. sie nähmen, würden nehmen

7. du sähest, würdest sehen
8. ich sollte, würde sollen
9. es, es, sie ließe, würde lassen
10. ihr bliebet, würdet bleiben

223 1. wir hätten gewußt
2. er, es, sie wäre gefallen
3. ihr hättet vergessen
4. ich hätte kommen können
5. sie hätten geweint
6. du hättest essen sollen
7. er, es, sie wäre aufgestanden
8. ich wäre gewesen
9. sie hätten gehabt
10. du wär(e)st spazieren gegangen

224-1 1. Ich hätte gern eine Uhr gekauft.
2. An seiner Stelle würde ich nicht baden gehen.
3. Ich hätte fast vergessen, ihn abzuholen.
4. Mit meinem Vater hätte ich keine Schwierigkeiten gehabt.
5. Er würde gern mit dir in die Stadt fahren.
6. Wäre ich doch gestern abend zu Hause geblieben!

224-2 1. An deiner Stelle würde ich in Paris bleiben.
2. Ich wäre gern in den Bergen spazieren gegangen.
3. Ich wäre beinahe hingefallen.
4. Ohne ihn hätte ich nie das Haus meines Freundes gefunden.
5. Hätte er doch die Tür zugemacht! (geschlossen!)

225-1 1. Er tut, als hätte er sich ein Bein gebrochen.
2. Er kümmert sich um den Jungen, als wäre er sein eigener Sohn.
3. Ihr war, als wäre sie plötzlich von einer Biene gestochen worden.
4. Er läßt sich auf den Boden fallen, als könnte er nicht mehr laufen.

225-2 1. Er tut, als ob er einen Schlag auf den Kopf bekommen hätte.
2. Sie tut, als ob sie nicht krank wäre.
3. Sie tun, als ob sie glücklich wären.
4. Sie gehen, als ob sie betrunken wären.
5. Er schläft nicht; er tut, als ob.

226 1. Der Hund ist mir bis zum Bahnhof gefolgt.
2. Auf den Winter folgt der Frühling.

3. Die Gebrauchsanweisung muß befolgt werden.
(Man muß die Gebrauchsanweisung befolgen.)
4. Sie möchte einen Tanzkurs besuchen.
5. Sie ist dem . Schauspiel aufmerksam gefolgt.
6. Die Flugzeuge fliegen hintereinander her.
7. Wir sind ihm unauffällig gefolgt.
8. Sie sind ihnen bis zur Grenze nachgefahren.

227-1 1. Peter ist der älteste Schüler der Klasse.
2. Dieser Bleistift schreibt am besten.
3. Der größere von beiden ist mein Freund.
4. Die meisten Sportler führen ein gesundes Leben.
5. Es ist der kälteste Winter seit 1975.
6. Im Januar regnet es am meisten.

227-2 1. Das ist der spannendste Roman, den ich gelesen habe.
2. Hast du deinen wärmsten Mantel angezogen?
3. Er war der nervöseste von allen.
4. August ist der heißeste Monat gewesen.
5. Peter ißt am meisten.

228 1. Ich weiß genau, wer die Vase zerbrochen hat.
2. Ich zweifle daran, daß dies eine gute Idee ist.
3. Mir scheint, daß es geläutet hat.
4. Ich bin sicher, daß es am Ende der Welt ist.
5. Ich nehme an, daß dir dies (es dir) egal ist.
6. Ich weiß wirklich nicht, wie er heißt.
7. Wie kannst du an meiner Treue zweifeln?
8. Wie alt mag sie wohl sein?
9. Ich nehme an, daß du dich darüber lustig machst.
10. Ich zweifle nicht daran, daß er heute abend kommt (kommen wird).

230 1. Wo schläfst du heute nacht?
2. Du kannst mich gegen 11 Uhr anrufen. (mir... telefonieren)
3. Um 12 Uhr ißt er im Restaurant.
4. Im Augenblick (momentan, augenblicklich) ist er in der Badewanne.
5. Heute nachmittag gehe ich nicht in die Schule.
6. Zur Zeit ist er in Bonn.

231 1. Er ist (wurde) vor siebzehn Jahren geboren.
2. Er ist 1969 (im Jahre 1969) geboren.
3. Er ist am 4. April 1969 geboren.
4. Er ist (am) Dienstag gekommen; am Tag zuvor hatte es viel geschneit.
5. Zu Ostern habe ich zwei Wochen in Deutschland verbracht.
6. Gestern abend gegen 8 Uhr habe ich einen Hund bellen hören.
7. Letzten Winter ist er sehr krank gewesen.
8. Ich habe sie gegen 11 Uhr morgens getroffen.
9. Er ist am 9. Februar gekommen; drei Wochen später (danach) hat er einen Autounfall gehabt.
10. Er ist nach zwei Monaten weggegangen. (weggefahren).

232 1. In drei Wochen ist es Weihnachten.
2. Morgen nachmittag um 3 Uhr werde ich schon in Berlin sein (bin ich schon in Berlin).
3. Nächste Woche gehen wir ins Theater.
4. In vierzehn Tagen werden die Blumen verwelkt sein.
5. Am 25. werde ich in Hamburg sein (bin ich in Hamburg), und drei Tage zuvor (vorher) in Köln.
6. Nach Weihnachten kommen wir nach Frankreich zurück.
7. Wo gehst du übermorgen hin? (Wohin gehst du übermorgen?)

233 1. Bis wann bleibst du in München?
2. Seit drei Monaten hat es nicht geregnet.
3. Das Konzert hat drei Stunden gedauert.
4. Ich bleibe einen Monat in den Alpen.
5. Von Weihnachten bis Ostern werde ich viel Arbeit haben.
6. Seit drei Jahren war das Haus nicht geheizt worden.
7. Von Donnerstag ab (ab Donnerstag) soll das Wetter schön sein.

234 1. Jeden Monat besucht er seinen Onkel.
2. Zweimal im Jahr fährt er nach Deutschland.
3. Jeden Abend sehen sie fern.
4. Morgens kann ich nie aufstehen.
5. Die Olympischen Spiele finden alle vier Jahre statt.

235 1. Nehmen wir an, daß er erst um 3 Uhr kommt.
2. Ich möchte, daß du pünktlich bist.
3. Kauf(e) Brot, damit wir wenigstens etwas zu essen haben.
4. Obwohl ich dieses Buch vor kurzem gelesen habe, erinnere ich mich nicht mehr an die Geschichte.
5. Kennst du ein Restaurant, das nicht zu teuer ist?
6. Bevor du kamst, hatte er schon drei Glas Wein getrunken.

236 1. Die Siege des Kaisers Karl des Großen. - Die Siege Kaiser Karls des Großen.
2. Ich habe einen Brief für Herrn Professor Meyer.
3. Er ist bei unserem Direktor Herrn Müller.
4. War das Pferd des Königs Heinrich des Vierten weiß? - War das Pferd König Heinrichs des Vierten weiß?
5. Die Rede des Kanzlers Schmidt ist veröffentlicht worden.
6. Ich habe an Herrn Dr. Braun geschrieben.

237 1. Seit wann ist er tot?
2. Er hat sich zu Tode gearbeitet.
3. Weißt du, daß sie eine tote Maus gesehen hat?
4. Sie hat keine Angst vor dem Tode.

1. Goethe ist 1832 (im Jahre 1832) gestorben.
2. An welcher Krankheit ist er gestorben?
3. Er ist schon seit 20 Jahren tot.
4. Der Wald stirbt.
5. Heute wäre er nicht tot, wenn man dieses Medikament früher entdeckt hätte.

238 1. Arbeitest du denn immer noch?
2. Die Abwesenden haben immer unrecht.
3. Warum fängst du immer wieder damit an!
4. Sie hat den Schauspieler schon immer verehrt.
5. Hast du den Großeltern immer noch nicht geschrieben?
6. Sein Benehmen war schon immer etwas merkwürdig.

239 1. Bist du schon durch den Mont-Blanc-Tunnel gefahren?
2. Die Enten schwimmen über den Teich.

3. Wir sind durch den Schwarzwald gewandert.
4. Wegen des Verkehrs ist es unmöglich, zu Fuß über den Platz zu gehen.
5. Sie tanzen durch das Zimmer.
6. Ein Schmetterling ist durch das Fenster geflattert (geflogen).
7. Wir sind über die Alpen geflogen. (Wir haben die Alpen überflogen.)
8. Sie sind mit dem Fahrrad durch den Wald gefahren
9. Man darf nie über die Straße gehen, ohne nach links und nach rechts zu schauen.
10. Sie ist über den See geschwommen.

240 1. Ich weiß überhaupt nichts.
2. Er liest überhaupt keine Romane mehr.
3. Er spielt überhaupt nicht mehr mit Paul.
4. Ich glaube, daß er überhaupt nichts mehr finden wird.
5. Ich lade überhaupt niemand(en) ein.
6. Ich höre überhaupt nichts mehr.
7. Er trinkt überhaupt keinen Alkohol.

241 1. Ist dieser Teppich teuer? / Kostet dieser Teppich viel? / Ist dieser Teppich viel wert?
2. Es wäre besser, noch einmal anzufangen.
3. Wieviel kosten diese Theaterkarten?
4. Es lohnt sich nicht, es zu versuchen.
5. Berlin ist eine Reise wert.
6. Dieses Buch kostet fünfzig Mark.
7. Die Besichtigung dieses Museums hat sich gelohnt. (Es hat sich gelohnt, dieses Museum zu besichtigen).
8. Es wäre besser gewesen, den Arzt sofort zu rufen. (Es wäre besser gewesen, wenn man den Arzt sofort gerufen hätte.)

242 1. Sie wollen kommenden Sonntag Tennis spielen.
2. Ich habe gerade ein Buch ausgelesen.
3. Fangen wir mit der Arbeit an!
4. Sie haben soeben (gerade) zu Mittag gegessen.
5. Es schneit gleich.
6. Ich habe gerade festgestellt, daß ich mein Portemonnaie verloren habe.

7. Ich wollte Sie (euch) gerade anrufen.

243 1. Wie hast du das Feuer gelöscht?
2. Er ist mit dem Wagen in die Stadt gefahren.
3. Was hatte dich erschreckt?
4. Der Schnee ist geschmolzen.
5. Warum bist du erschrocken?

244 1. Seit drei Tagen schneit es.
2. In diesem Dorf gibt es keinen Bahnhof.
3. In diesem Zeitungsartikel handelt es sich um Italien.
4. Hörst du, wie es knistert?
5. Jeden Abend rattert es bis um 11 Uhr.

245 1. Stell(e) den Teller auf den Tisch!
2. Er setzt sich auf die Bank.
3. Das Buch liegt auf dem Tisch.
4. Er sitzt neben mir.
5. Er hat Sterne an den Weihnachtsbaum gehängt.
6. Stell die Kiste in die Garage!

246 1. Ich weiß nicht, ob er zu Hause ist.
2. Er muß in die Schule gehen.
3. Willst du mitfahren?
4. Er kann nicht mehr aufstehen.
5. Das mag wahr sein.
6. Weißt du, ob er krank ist?
7. Er soll jetzt aufstehen.

247 1. Warum beeilen Sie sich so sehr? (beeilt ihr euch)
2. Wir haben uns im Gebirge erholt.
3. Wie hat sie sich benommen?
4. Ich mußte mich bücken, um meine Tasche aufzuheben.
5. Ich habe mich geschämt.

248 1. Den ganzen Tag habe ich mich gelangweilt.
2. Der Hund ist im Fluß ertrunken.
3. Er hat sich auf den Boden gesetzt.
4. Er ist um 8 Uhr aufgestanden.
5. In der letzten Zeit hat sich Peter sehr geändert.
6. In der Nacht bin ich dreimal aufgewacht.
7. Er hat sich warm angezogen.
8. Warum drehst du dich um?
9. Hol dir einen Stuhl!
10. Sie haben sich eine Wohnung gekauft.

249 1. Hattest du Gelegenheit zu schwimmen?
2. Er tut, als ob er etwas wüßte.
3. Er hofft, bald nach Frankreich fahren zu dürfen.
4. Diese Geschichte, die habe ich schon einmal gehört.
5. Seine Schwester wohnt in Amerika, und sein Bruder lebt in Spanien.
6. Du kannst kommen, wenn du Lust hast und wenn deine Eltern einverstanden sind.
7. Kannst du mir das Buch geben, ohne aufzustehen?
8. Ich möchte nicht, daß du zu lange wartest und daß du dich langweilst.

250 1. Entweder bleibe ich (ich bleibe) in Paris, oder ich fahre nach Deutschland.
2. Ich habe weder seinen (ihren) Vater noch seine (ihre) Mutter gesehen.
3. Sie haben weder Hund, weder Katze noch Vögel.
4. Ich werde mir entweder ein Buch oder eine Schallplatte kaufen.
5. Ich habe weder das Museum noch die Kirche besichtigt.
6. Entweder kaufe ich ihm (ich kaufe ihm) Bücher, oder ich gebe ihm Geld.

251 1. Sie wohnen eine Autostunde (weit) von ihren Eltern entfernt.
2. Berlin ist 1 000 km weit von Paris (entfernt).
3. Wie weit ist der Flughafen von hier (entfernt)?
4. Ist das Schloß weit von der Autobahn (entfernt)?
5. Meine Großeltern wohnen weit von der Stadt (entfernt).
6. Das nächste Dorf liegt nicht sehr weit von hier (entfernt).

252 1. Was für Bücher hast du am liebsten?
2. Welches willst du deinem Vater kaufen?
3. In welchem Land fährt man links?
4. In was für einem Schiff hast du die Nacht verbracht?
5. Was für eine Maschine?

253-1 1. Frag ihn doch, ob er mit dem Zug kommt oder mit dem Auto.
2. Wenn du willst, kannst du bei mir schlafen.

3. Ob er am Sonntag zu Hause bleibt, ist noch nicht sicher.
4. Weißt du, ob in Deutschland die Geschwindigkeit begrenzt ist?
5. Ich weiß nicht, ob er zufrieden gewesen wäre, wenn ich ihm dieses Buch geschenkt hätte.

253-2 1. Ich frage mich, ob er noch in Frankreich wohnt.
2. Wenn du weggehst, vergiß nicht, die Tür zuzumachen.
3. Ich gebe dir das Geschenk, wenn du mich besuchen kommst.
4. Er weiß nicht, ob er sein Examen bestanden hat.
5. Glaubst du, daß die Aufführung stattfinden wird, wenn es regnet?

254 1. Wenn es schneit, sind die Kinder froh.
2. Weißt du, wann der Film anfängt?
3. Wann hast du den Brief geschrieben?
4. Wenn er in England ist, hält man ihn für einen Deutschen.
5. Wann kommst du zurück?

255-1 1. Kennst du dich in Informatik aus?
2. Sie weiß keinen Ausweg mehr.
3. Er kann ausgezeichnet Ski laufen.
4. In dieser Stadt weiß ich gut Bescheid.
5. Kennst du seinen Großvater?
6. Kann ich heute meine Freunde einladen?
7. Wißt ihr, ob alle benachrichtigt sind?
8. Dürfte ich Sie einen Augenblick sprechen?
9. Wie konntest du das tun!
10. Er kann verreist sein, er könnte aber auch umgezogen sein.

255-2 1. Ich kann nicht aufstehen.
2. Sie kann nicht schwimmen.
3. Könnte ich ein Kilo Äpfel haben?
4. Sie kennt sich in Geographie gut aus. / Sie weiß in Geographie gut Bescheid.
5. Weißt du, wie er heißt?
6. Er kann krank sein. (Es kann sein, daß er krank ist.)
7. Ich habe es nicht wissen können.
8. Ich habe ihn letztes Jahr kennengelernt.
9. Weißt du über die letzten Neuigkeiten Bescheid?
10. Er kennt keine Furcht.

256 1. Heute Abend will ich zu Hause bleiben.
2. Sie will erst 30 Jahre alt sein.

3. Er will unbedingt, daß ich ihn bis zum Bahnhof bringe (begleite).
4. Willst du an meiner Stelle hingehen?

257 1. Dort bin ich schon einmal gewesen.
2. Hast du morgen Schule? Gehst du hin?
3. Es ist zu teuer; ich muß darauf verzichten.
4. Er hat dir doch einen Brief geschickt; hast du schon darauf geantwortet?
5. Morgen veranstalten wir ein Fußballspiel; willst du daran teilnehmen?

258 1. Die Kinder zählen die Tage bis Weihnachten.
2. Mit welchem Geld willst du das zahlen (bezahlen)?
3. Für morgen abend rechne ich auf deine Freunde.
4. Was habe ich zu zahlen?
5. Ich rechne zwei Stunden bis Hamburg.
6. Hast du die Kinder gezählt?
7. Wie soll ich das Kleid bezahlen?

259 1. Willst du eine halbe Stunde länger bleiben? Es ist Vesperzeit.
2. Der Zug ist um 15 Uhr 45 abgefahren.
3. Ich habe eine Verabredung um halb sechs (Uhr).
4. Er wurde in einer Viertelstunde geschlagen.
5. Wie spät ist es? Es ist fünf Minuten vor zehn (Uhr).
6. Jemand hat kurz vor sieben (Uhr) angerufen.

7. Ich habe anderthalb Stunden beim Arzt warten müssen.
8. Um wieviel Uhr bist du zu Bett gegangen? — Kurz nach Mitternacht.
9. Er ist um Viertel vor neun Uhr (dreiviertel neun) angekommen.
10. Er ist Viertel nach 10 Uhr wieder weggegangen.

260 1. Hast du Lust, ins Restaurant zu gehen?
2. Ich habe Angst hinzufallen.
3. Hast du Zeit, das Museum zu besichtigen?
4. Hast du die Absicht, nach Deutschland zu fahren?
5. Ich bin froh, aufstehen zu können.

261 1. Ist dieses Auto zu verkaufen?
2. Er glaubt alles zu wissen.
3. Kann er schwimmen?
4. Hast du Zeit, zu mir zu kommen?
5. Hat er Angst, Ski zu laufen?
6. Hilf der Dame, über die Straße zu gehen.

262 1. Er ist doppelt so alt wie ich.
2. Viele Grüße von uns beiden.
3. Das Doppelfenster ist zerbrochen.
4. Der Versuch der beiden amerikanischen Astronauten.
5. Ich brauche eine Rechnung in doppelter Ausfertigung.
6. Läuft er lieber Ski, oder fährt er lieber Schlitten? — Beides.
7. Man sieht sie immer zu zweit.
8. Welcher von euch beiden möchte mir helfen?

INDEX

Dans cet index, les entrées se distinguent de la manière suivante :
— mots allemands en gras **(ab)**
— mots français en gras italiques *(à moins que)*
— termes grammaticaux en majuscules **(ACCUSATIF)**

a

C

d

e

f

g

h

i

j

k

l

m

p

q

r

s

t

u

V

W

Y

Z